WEST'S
호흡생리학

West's Respiratory Physiology

THE ESSENTIALS 11E

WEST'S 호흡생리학

한글판 11판 1쇄 인쇄 | 2023년 03월 20일
한글판 11판 1쇄 발행 | 2023년 03월 30일

지 은 이 John B. West, Andrew M. Luks
옮 긴 이 박명재
발 행 인 장주연
출 판 기 획 김도성
출 판 편 집 이민지
편집디자인 양은정
표지디자인 김재욱
제 작 담 당 이순호
발 행 처 군자출판사(주)
　　　　　등록 제4-139호(1991. 6. 24)
　　　　　본사 (10881) 파주출판단지 경기도 파주시 회동길 338(서패동 474-1)
　　　　　전화 (031) 943-1888　팩스 (031) 955-9545
　　　　　홈페이지 | www.koonja.co.kr

WEST'S
호흡생리학

West's Respiratory Physiology
THE ESSENTIALS 11E

John B. West, MD, PhD, DSc

Professor of Medicine and Physiology
School of Medicine
University of California, San Diego
La Jolla, California

Andrew M. Luks, MD

Professor of Medicine School of
Medicine University of
Washington Seattle, Washington

박명재 옮김

경희대병원 호흡기내과

. Wolters Kluwer

Philadelphia · Baltimore · New York · London
Buenos Aires · Hong Kong · Sydney · Tokyo

군자출판사

서문

이 책은 약 40여 년 전에 처음 출판되었고 여러 세대에 걸쳐 많은 학생들에게 사랑받아 왔습니다. 또한 이 책은 15개의 언어로 번역되었습니다. 이번에 새로 나온 11판에는 몇 가지 변경 사항이 포함되어 있습니다. 보다 많은 객관식 문제를 수록했으며, 단순히 지식을 암기하는 것보다는 사고력을 시험하기에 더 좋은 문제를 수록했습니다. 그리고 광범위한 부록에는 문제의 정답에 관한 자세한 설명을 제공하였습니다. 모든 장에는 학습목표를 추가하였고 이해를 높이기 위해 많은 주제들을 본문에 추가하였습니다. 이 책에 실린 내용을 기반으로 한 50분 강의 14개가 유튜브에 저장되어 있는데 많은 학생들에게 인기를 끌고 있으며 이 유튜브 강의의 URL은 https://meded.ucsd.edu/ifp/jwest/resp_phys/입니다.

이와 같은 새로운 특징에도 불구하고, 이 책의 목적은 변하지 않았습니다. 첫째로, 이 책은 의대생들과 의학계열의 학생들을 위한 호흡생리학 입문서로써 출간되었습니다. 따라서 UCSD (University of California San Diego)처럼 보통 생리학강의 일정과 함께 사용하면 됩니다. 실제로 이 책의 초판을 출간할 당시 UCSD의대 1학년 생리학과목에 사용할 수 있는 적절한 교과서가 없었기 때문에 이 책을 썼던 것입니다. 둘째로, 이 책은 호흡기내과, 중환자의학, 마취과, 그리고 내과와 같은 분야의 전공의와 전임의들을 위한 수험서로 작성하였으며, 특히 면허시험이나 다른 시험을 준비하는 데 도움이 됩니다. 수험준비를 위해 필요한 것은 조금 다릅니다. 이런 독자들은 이미 호흡생리의 전반적인 내용을 잘 알고 있지만 수험생들의 기억은 다양한 주제를 여기저기 살펴볼 필요가 있고, 또 많은 교육적인 도표들이 특별히 중요합니다.

UCSD의대 1학년 학생들이 어떻게 이 책과 강의를 함께 공부하는지 한두마디 덧붙이는 것이 도움이 될 것입니다. 우리 학교의 호흡생리학 과목은 50분 강의 12개로 구성되며 2개의 실험실 데모, 3개의 작은 토의그룹, 그리고 1학년 학생이 전체 참석한 복습시간으로 보충합니다. 강의는 이 책의 각 장을 충실히 따르며, 대부분의 장은 각각 하나의 강의에 해당합니다. 예외적으로 5장은 2개의 강의(하나는 정상 가스교환, 저환기, 션트가 포함되며 또 다른 하나는 어려운 내용인 환기-관류관계입니다), 6장도 2개의 강의(하나는 혈액-가스이동에 대해서 또 다른 하나는 산-염기 균형입니다), 또한 7장도 2개의 강의(하나는 정적유순도 또 다른 하나는 동적유순도)로 구성됩니다. 제10장 '폐기능검사'에 대한 강의는 없습니다. 왜냐하면 이것은 핵심과정의 일부분은 아니기 때문입니다. 10장은 부분적으로 흥미를 위해 포함되었지만, 다른 한편으로는 폐기능검사실에서 일하는 사람들에게 중요하기 때문에 포함되었습니다.

이번 11판에서는 혈액-조직 가스교환, 역학, 환기조절, 스트레스 상태에서의 호흡기계 등을 포함한 많은 분야를 새롭게 개정하였습니다. 객관식 문제에 대한 답변 외에도, 부록 B에는 각 장의 끝부분에 수록된 임상증례와 관계된 질문에 대한 답변을 수록하였습니다. 그동안 이 책을 두껍게 만들고 싶은 많은 유혹이 있었음에도 책을 얇게 유지하기 위해 엄청난 노력을 해왔습니다. 그런데 가끔 어떤 의대생들은 이 책의 내용이 너무 피상적인 수준이 아닌가 의심합니다. 그러나 그렇지 않습니다. 만일 중환자실에서 수련을 시작하는 호흡기내과와 중환자의학 전임의들이 이 책에 설명된 가스교환과 역학에 대한 모든 내용들을 전부 이해하고 있다면 아마도 세상은 더 나은 곳이 될 것입니다.

많은 학생들과 교수들이 이 책에 대한 질문이나 개선을 위한 제안을 해주었습니다. 저를 포함한 저자들은 제기되는 모든 점에 대해 개인적으로 응답하였으며 또 주신 의견에 매우 감사하는 바입니다.

존 B. 웨스트
jwest@health.ucsd.edu
앤드류 M. 룩스
aluks@uw.edu

역자 서문

"**여**호와 하나님이 땅의 흙으로 사람을 지으시고 생기를 그 코에 불어넣으시니(일종의 비침습적 기계환기) 사람이 생령이 되니라." (성경, 창세기2장7절)

인류 최초의 호흡을 이야기할 때나 또 기계환기의 기원을 설명할 때 종종 인용되는 성경구절입니다. 잘 알려져 있듯이 가장 많은 언어로 번역된 책은 성경이며 성경 전체가 번역된 언어만 해도 704개라고 합니다. 한편 내과학의 바이블인"Harrison's Principles of Internal Medicine"은 14개국 언어로 번역되었다고 알려져 있는데(2014년) "West's Pulmonary Physiology"는 한글판까지 포함하면 16개국 언어로 번역된 의학서적이 됩니다.* 이런 장광설을 늘어 놓은 이유는 이 책이 호흡생리학 교과서의 바이블과도 같은 책이기 때문입니다.

이 책의 저자인 John B West 교수는 현재 95세의 고령임에도 아직 UC San Diego 의과대학 생리학교실의 명예교수로 일하고 있으며 호흡생리학의 살아있는 증인과도 같은 분입니다. 1960-61년 힐러리경이 에베레스트 산을 정복하기 전 수행하였던 "Silver Hut expedition"이라고 알려진 연구에 참여, 본인이 직접 실험대상으로도 활약하며 높은 고도의 극한환경에서 저산소증 등을 연구하였고, 1967-68년에는 NASA Ames Research Center에서 무중력(스페이스 셔틀과 우주정거장) 상태에서 호흡생리의 변화에 대한 많은 연구를 수행했습니다. 또한 최근에는 비침습적으로 폐포-동맥혈 산소분압차를 측정해 호흡장애정도를 평가할 수 있는 임상검사장비(AGM100®, MediPines)에 대한 연구도 진행하고 있습니다(Non-invasive Measurement of Pulmonary Gas Exchange Efficiency: The Oxygen Deficit, Front Physiol. 2021 Oct 21;12:757857).

독자들은 우선 각 장의 본문을 읽은 후 증례중심의 문제를 풀어보면 호흡생리의 원리가 임상적으로 어떻게 적용되는지 쉽게 이해할 수 있을 것이며, 추가적으로 저자 직강의 유튜브 동영상까지 복습하면 호흡생리의 심층적인 이해에 큰 도움이 될 것이라 확신합니다. 또한 저자가 "Challenges in teaching the mechanics of breathing to medical and graduate students. (Adv Physiol Educ 32: 177-184, 2008)"에서 언급한 바와 같이 독자들이 이 책에 설명된 가스교환과 역학에 대한 모든 내용을 잘 이해할 수 있게

---

* https://pulmonary.ucsd.edu/research/labs-centers/west/index.html

된다면 세상을 더 나은 곳으로 만드는 데 큰 역할을 하실 수 있게 되리라 믿습니다.

끝으로 인쇄본을 수정하는 동안 COVID-19 감염 이후 수개월간의 반복적인 폐렴과 호흡부전 끝에 이 책의 출판을 보시지 못하고 지난 2022년 12월 4일 소천하신 아버님(고 박형만장로 1932-2022)의 영전에 이 책을 바칩니다.

2023년 2월 5일
박명재

목차

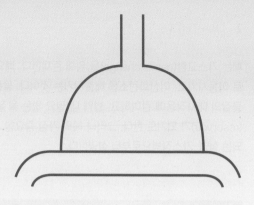

폐의 구조와 기능
(Structure and function)

1

폐의 구조는 어떻게 폐의 기능에 사용되는가?

- 혈액-가스장벽(Blood-gas interface)
- 기도와 기류(Airways and airflow)
- 혈관과 혈류(Blood vessels and flow)
- 폐포안정성(Stability of alveoli)
- 흡입입자 제거(Removal of inhaled particles)
- 혈액 내 물질 제거(Removal of material from the blood)

1장에서는 먼저 폐의 구조와 기능의 관계에 대해서 간단히 검토해 보기로 한다. 우선 호흡 중 가스교환이 일어나는 혈액-가스장벽(blood-gas interface)을 살펴보자. 다음에는 산소가 기도를 통해 어떻게 혈액-가스장벽까지 전달된 후 폐에서 혈액이 어떻게 산소를 전달받는지 알아보자. 마지막으로는 폐가 직면하게 되는 여러 가지 외부적인 도전을 어떻게 극복하는지 즉 폐포가 어떻게 안정성을 유지하는지 또 오염된 환경에서 폐가 어떻게 깨끗함을 유지하는지 그리고 폐모세혈관이 어떻게 혈액 내 물질을 걸러내는지 알아보도록 한다.

1장을 끝까지 읽은 독자는 다음과 같은 것을 할 수 있어야 한다.

- 얇은 혈액-가스장벽의 기능적 의미를 설명할 수 있다.
- 흡기가스가 기관에서부터 폐포공간까지 이동할 때 기도의 구조와 기능상 변화를 개략적으로 설명할 수 있다.
- 기도의 분기패턴이 기류의 단면적에 대해 미치는 영향에 대해 설명할 수 있다.
- 폐순환(pulmonary circulation)과 기관지순환(bronchial circulation)의 기능적 차이를 설명할 수 있다.
- 정상폐에서 섬모와 폐표면활성제의 기능적 역할을 설명할 수 있다.

폐는 가스교환(gas exchange)을 위해 존재한다. 폐의 주된 기능은 공기 중의 산소를 정맥혈로 이동시키고, 이산화탄소를 배출시키는 것이다. 물론 폐의 다른 기능도 있다. 폐는 몇 가지 물질의 대사작용에 관여하고, 혈액 내 필요 없는 물질을 여과하기도 하며, 또 혈액의 저수지(reservoir)가 되기도 한다. 그러나 폐의 가장 중요한 기능은 가스교환이므로 이 과정이 진행되는 혈액-가스장벽으로부터 설명한다.

혈액-가스장벽(Blood-gas interface)

산소와 이산화탄소는 공기와 혈액 사이에서 단순한 확산(diffusion), 즉 물이 높은 데서 낮은 데로 흐르는 것처럼 높은 분압에서 낮은 분압*으로 이동한다. Fick's확산법칙(law of diffusion)에 따르면 한 장의 조직을 통과해서 이동하는 가스양은 조직면적에 비례하고 조직두께에 반비례한다. 혈액-가스장벽은 매우 얇으며(그림 1.1) 총면적은 50-100 m²(15-30평)정도이다. 가스교환이란 기능적 관점에서 볼 때 이와 같은 혈액-가스장벽은 매우 합리적이다.

제한적인 흉강 안에서 효율적인 확산을 위해 어떻게 폐가 이와 같이 엄청난 표면적을 확보하는 것이 가능할까? 이는 수많은 작은 공기주머니인 폐포 주변을 가는 혈관(모세혈관)이 둘러 감싸는 구조이기 때문에 가능한 것이다(그림 1.2). 사람의 폐 속에는 직경이 약 1/3 mm인 폐포가 대략 5억 개 정도 들어 있다. 폐가 폐포라는 작은 구체들(spheres)의 집합체이므로,† 집합체의 용적은 4 L에 불과하지만 총 표면적은 85 m²정도가 된다. 반면에, 만일 폐가 용적 4 L의 단일구체(single sphere)라면 내부표면적은 겨우 1/100 m²에 불과할 것이다. 따라서 무수히 많은 폐포단위로 폐가 나뉘어져 있기 때문에 이와 같은 커다란 확산면적이 생기게 된다.

기도를 통해 흡기가스가 혈액-가스장벽의 한쪽 면으로 들어오고, 혈관을 통해 혈액이 혈액-가스장벽의 다른쪽 면으로 들어온다.

---

* 가스분압은 가스농도에 총압력을 곱하여 구한다. 예를 들어 건조공기에서 O_2비율(즉 농도)은 20.93%이다. 해수면에서의 산소분압(Po_2)은 20.93/100 × 760 = 159 mmHg이다. 상기도로 건조공기가 흡입되면 가온, 가습이 이루어지고 이때 발생하는 수증기압은 47 mmHg이므로 총 건조가스압은 760 - 47 = 713 mmHg에 불과하다. 그러므로 흡입공기Po_2는 20.93/100 × 713 = 149 mmHg이다. 평형이 이뤄질 때까지 가스에 노출된 액체는 가스와 동일한 분압을 보인다. 가스법칙에 대한 좀 더 자세한 설명은 부록 A를 참고하자.

† 폐포는 실제로 구체가 아니고 다면체이다. 또한 표면전체에서 확산이 진행될 수 없다(그림 1.1 참고). 따라서 이런 숫자들은 근사치일 뿐이다.

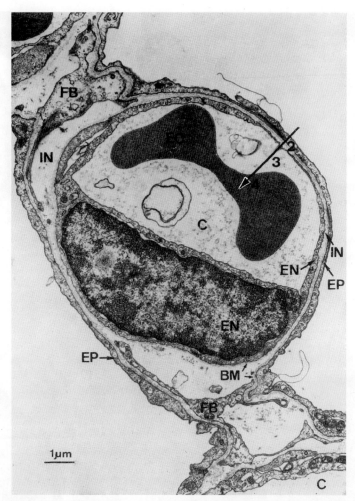

그림 1.1. 폐포벽의 폐모세혈관(C)을 보여주는 전자현미경사진. 어떤 부분의 두께는 약 0.3 μm로 혈액-가스 장벽이 매우 얇은 것에 주목하자. 긴 화살표는 폐포가스로부터 적혈구(EC) 내부까지의 확산경로를 보여주는데 이를 순서대로 나열하면 표면활성물질층(이 사진에서는 보이지 않음), 폐포상피(EP), 간질(IN), 모세혈관내피(EN), 혈장 등이다. 또한 폐포의 구조를 이루는 세포들인 섬유아세포(FB), 기저막(BM) 및 내피세포의 핵 등이 보인다. (Reprinted from Weibel ER. Morphometric estimation of pulmonary diffusion capacity: I. Model and method. Respir Physiol. 1970;11(1):54-75. Copyright © 1970 Elsevier. With permission.)

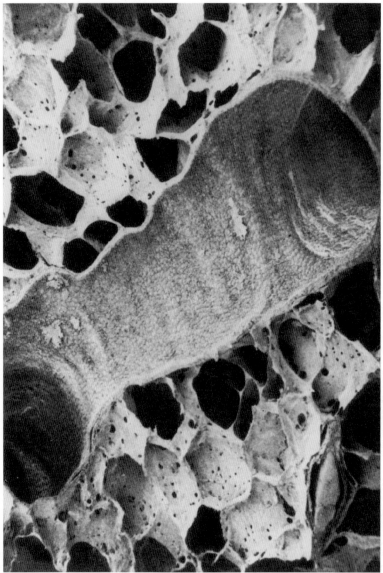

그림 1.2. 많은 폐포와 작은 세기관지를 보여주는 폐 절단면. 폐모세혈관은 폐포벽을 지나간다(그림 1.1). 폐포벽의 구멍은 'pore of Kohn'이다. (Scanning electron micrograph by Nowell JA, Tyler WS.)

기도와 기류(Airways and airflow)

기도는 일련의 분지관(branching tubes)으로 구성되어 있으며, 분지관은 폐 내부로 깊숙히 들어갈수록 좁아지고 짧아지고 더 많아진다(그림 1.3). 기관(trachea)은 좌, 우의 주기관지(main bronchus)로 나뉘며, 엽기관지(lobar bronchi), 세분절기관지(segmental bronchi)로 차례로 나뉜다. 이런 분지과정은 폐포가 없는 가장 작은기도인 종말세기관지(terminal bronchi)까지 계속된다. 이런 기관지들이 전도기도(conducting airway)를 구성한다. 전도기도의 기능은 흡입된 공기를 폐의 가스교환영역으로 유도하는 것이다(그림 1.4). 직경이 큰 근위부의 기도는 섬모원주상피에 의해 내면이 둘러싸이며 기도벽에 많은 연골이 들어 있다. 그러나 기도가 점차 원위부로 분지하면 연골의 비율은 낮아지고 평활근의 비율이 증가하며 종말세기관지 이하의 소기도에는 기도의 대부분이 평

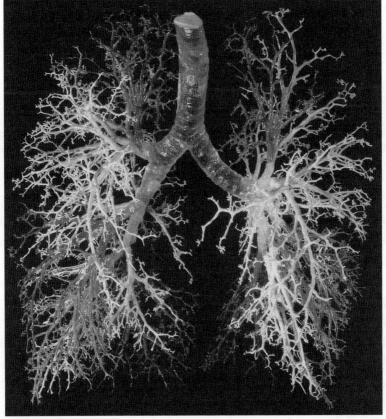

그림 1.3. 사람 폐의 기도주조물(cast). 폐포는 제거되어 기관에서 종말기관지까지의 전도기도(conducting airway)를 볼 수 있다.

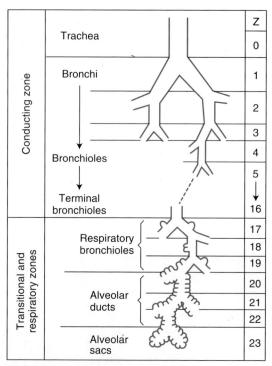

그림 1.4. Weibel의 제안을 따른 사람의 기도개념도. 16세대(Z)까지는 전도기도(conducting airway)를 구성하며 나머지 7세대는 호흡구역(respiratory zones, or the transitional and respiratory zones)을 구성한다. (Modified from Weibel ER. The Pathway for Oxygen. Cambridge, UK: Harvard University Press; 1984:275.)

활근으로 구성된다. 전도기도에는 폐포가 포함되어 있지 않으므로 가스교환에 참여하지 않기 때문에 '해부학사강(anatomic dead space)'에 해당한다. '사강'이라 함은 폐에서 환기는 진행되나 관류가 없는 부분을 말하며 용적은 약 150 mL이다.

종말세기관지는 호흡세기관지(respiratory bronchioles)로 분지하며, 호흡세기관지의 벽에서 종종 폐포가 나온다. 더 말단으로 분지하면 폐포관(alveolar duct)에 도달하게 되는데 이것은 폐포로 완전히 둘러싸여 있다. 폐에서 가스교환이 일어나는 폐포영역을 호흡구역이라고 한다. 종말세기관지보다 원위부분은 폐포(acinus)라고 불리는 해부학적 단위를 형성한다. 종말세기관지에서부터 가장 원위부인 폐포까지의 거리는 불과 수 밀리미터에 불과하지만 폐의 호흡구역 대부분을 차지하며 그 용적은 안정 시 약 2.5-3.0 L이다.

흡기 시 흉강의 용적이 증가하면 폐 안으로 공기가 유입된다. 용적증가는 부분적으로 횡격막의 수축에 의해 발생하며, 이로 인해 횡격막은 아래쪽으로 움직이게 된다. 다

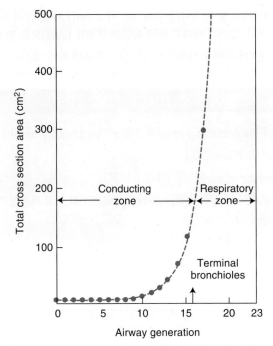

그림 1.5. 기도의 총 단면적이 호흡구역(respiratory zone)에서 급증하는 것을 보여주는 그래프(그림 1.4 비교). 결과적으로 호흡세기관지구역에서 흡기가스의 전진속도는 매우 느려지고 여기서부터 환기방식은 주로 가스확산이다.

른 한편으로는 늑간근의 작용으로 늑골이 들려 올려지면 흉부단면적은 넓어지므로 추가적인 용적증가가 발생한다. 호스를 통해 분출되는 물처럼 흡기류는 종말세기관지까지 대량기류(bulk flow)의 형태로 이동한다. 그러나 이 지점을 넘어가면, 기관지분지의 수가 너무 많아져서(그림 1.5) 기도의 총 단면적이 급격히 넓어지게 되므로 폐포로 향하는 기류의 전진속도(forward velocity)는 늦어진다. 호흡구역의 주된 환기기전은 기도 내 가스확산으로 전환된다. 기도 내 가스분자의 확산속도는 매우 빠르고, 또 확산거리도 아주 짧아, 폐포 내 가스들의 농도차는 순식간에 사라진다. 게다가 종말세기관지 구역에서 기류속도는 급격히 떨어지기 때문에 흡입된 먼지는 흔히 이 근처에 침착된다.

　폐는 탄력성이 있어서 폐용적은 안정호흡 시 호기말에 수동적으로 흡기직전의 상태로 되돌아간다. 폐는 아주 쉽게 팽창한다. 예를 들어, 정상적인 상태에서 약 500 mL의 흡기를 위해서는 단지 3 cmH$_2$O 미만의 팽창압만 필요할 뿐이다. 이와는 대조적으로, 아이들의 장난감 고무풍선을 같은 용적(500 mL)까지 팽창시키기 위해서는 30 cmH$_2$O 이상의 높은 팽창압이 필요할 수 있다.

　또한 기도를 통해 가스를 이동시키는 데 필요한 압력차도 매우 작다. 정상적으로 흡기 시 공기유속 1 L/sec를 유지하기 위해서는 약 2 cmH$_2$O 미만의 압력차(pressure drop) 만 있으면 된다. 그러나 빨대를 통해 동일한 유속(1 L/sec)으로 탄산음료를 마시기 위해서는 약 500 cmH$_2$O의 압력차가 필요한 것과 비교해 볼 수 있다.

기도(Airways)

- 기도는 전도구역(conducting zone)과 호흡구역(respiratory zone)으로 나뉜다.
- 해부학사강은 약 150 mL이다.
- 폐포구역(alveolar region)은 약 2.5-3.0 L이다.
- 전도구역 안의 가스는 압력구배(pressure gradient)를 따라 대량기류(bulk flow)의 형태로 이동한다.
- 폐포구역에서 가스의 움직임은 주로 확산에 의한다.

혈관과 혈류(Blood vessels and flow)

또한 폐혈관은 폐동맥에서 폐모세혈관까지 그리고 폐정맥으로 되돌아가는 일련의 분지관을 형성한다. 처음에는 동맥, 정맥 및 기관지가 서로 가깝게 주행하지만 폐의 말초방향으로 가면 정맥은 폐의 소엽과 소엽 사이를 통과하게 되며 소엽의 중심 쪽으로 함께 이동하는 동맥 및 기관지와는 멀어진다. 모세혈관은 폐포벽에 밀집된 네트워크를 형성한다(그림 1.6). 모세혈관분절(capillary segment)의 직경은 약 7-10 μm이며 적혈구가 통과할 정도로 충분히 크다. 모세혈관분절의 길이가 너무 짧아 이들의 치밀한 네트워크가 폐포벽에 거의 연속적인 혈액 판(sheet of blood)을 형성하므로 가스교환에 매우 효율적인 배열이 된다. 폐포벽은 그림 1.6에서 보이는 것처럼 잘 보이지 않는다. 횡단면세편현미경(thin microscopic cross section)에서 모세혈관 내 적혈구가 흔히 관찰되며(그림 1.7) 폐포 내 가스가 얇은 혈액-가스장벽을 사이에 두고 혈액에 광범위하게 노출되고 있음을 알 수 있다(그림 1.1과 비교).

혈액-가스장벽이 극도로 얇기 때문에 모세혈관은 쉽게 손상될 수 있다. 예를 들어 모세혈관의 압력을 아주 높이거나 폐용적을 과다하게 팽창시키면 혈관벽의 응력(wall stress)이 상승하게 되어 모세혈관의 초미세구조에 변화가 일어난다. 이렇게 되면 모세혈관으로부터 폐포로 혈장이 누출되기 시작하고 더 진행되면 결국 적혈구까지 누출된다.[†]

폐동맥은 우심박출량의 전부를 수용하지만 폐순환계의 저항은 놀랍도록 낮다. 그러므로 분당 6 L의 혈류가 통과하는데 단지 약 20 cmH$_2$O (약 15 mmHg) 정도의 평균

[†] 역자주: VILI(ventilator induced lung injury)의 원인 중 한 가지로 생각된다.

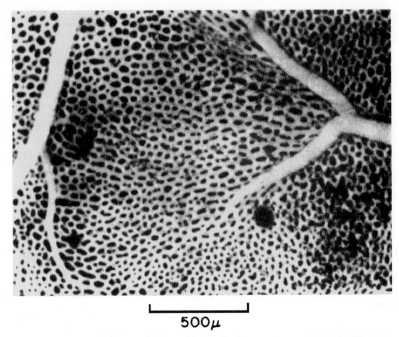

그림 1.6. 개구리 폐포벽의 형태로 모세혈관의 치밀한 네트워크를 보여준다. 소동맥(왼쪽)과 정맥(오른쪽)도 볼 수 있다. 개별 모세혈관의 길이는 너무 짧아 혈액이 거의 연속적인 판(continuous sheet)을 형성한다. (Reprinted from Maloney JE, Castle BL. Pressure-diameter relations of capillaries and small blood vessels in frog lung. Respir Physiol. 1969;7(2):150-162. Copyright © 1969 Elsevier. With permission.)

폐동맥압만 필요하다[참고: 빨대를 통해 동일유량(6 L/min)의 탄산수를 흡입하는 데는 약 120 cmH$_2$O의 압력이 필요하다]. 폐순환(pulmonary circulation)에서 폐가 어떻게 낮은 압력을 유지하고 연약한 모세혈관을 보호하는지 그 기전은 4장에서 자세히 설명한다.

혈액-가스장벽(Blood–gas interface)은

- 혈액-가스장벽의 영역 대부분은 매우 얇다(0.2-0.3 μm).
- 50-100 m^{2}로 표면적이 넓다.
- 약 5억 개의 폐포가 넓은 면적을 구성한다.
- 모세혈관압이 크게 상승하면 혈액-가스장벽의 손상이 발생할 정도로 얇다.

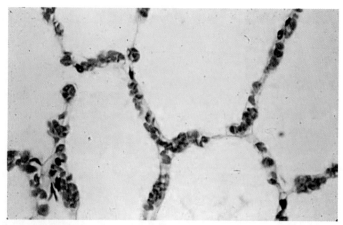

그림 1.7. 폐포벽에 모세혈관을 보여주는 개의 폐 현미경소견
혈액-가스장벽은 너무 얇아 여기서 식별할 수 없다(그림 1.1 비교). 이 사진은 관류가 되는 동안 폐를 급냉시킨 후 처리한 조직절편의 소견이다. (Reproduced with permission from Glazier JB, Hughes JM, Maloney JE, et al. Measurements of capillary dimensions and blood volume in rapidly frozen lungs. J Appl Physiol. 1969;26(1):65 – 76. Copyright © 1969 the American Physiological Society. All rights reserved.)

적혈구 한 개는 폐모세혈관망을 약 0.75초에 걸쳐 통과하며 아마도 이 시간 동안 2개 또는 3개의 폐포를 지나간다. 이와 같은 해부학적 구조는 가스교환에 매우 효과적이므로 이렇게 짧은 시간 내 폐포가스와 모세혈류 사이에서 산소와 이산화탄소는 실질적으로 완전한 평형을 이루기에 충분하다.

폐에는 기관지순환(bronchial circulation)이라는 추가적인 혈액공급망이 있는데 이는 전도기도인 종말세기관지까지 혈류를 공급한다. 이 혈액 중 대부분은 폐정맥을 통해 폐를 빠져나가는 반면 소량의 혈류는 좌심실을 통하여 전신순환계(systemic circulation)로 들어간다. 기관지순환을 통한 혈류는 폐순환을 통한 혈류와 비교하면 매우 소량에 불과하기 때문에 예를 들어 폐이식 후 기관지순환이 없어져도 폐의 기능은 상당히 잘 유지된다.

폐혈관(Blood vessels)

- 우심박출량은 전부 폐로 간다.
- 모세혈관의 직경은 약 7–10 μm이다.
- 대부분의 모세혈관벽 두께는 0.3 μm 미만이다.
- 혈액은 약 0.75초에 걸쳐 폐모세혈관을 지나간다.

이와 같은 폐의 기능적 해부학에 대한 간단한 설명을 마치기 전에, 폐가 극복해야 할 세 가지 문제를 살펴보자.

폐포의 안정성(Stability of alveoli)

폐를 각각의 직경이 0.3 mm인 약 5억 개의 거품의 집합으로 간주할 수 있다. 이러한 구조는 본질적으로 불안정하다. 폐포 내부를 둘러싸는 액체에 의해 발생하는 표면장력은 폐포를 허탈시키는 비교적 큰 힘으로 작용한다. 다행히 폐포를 둘러싸는 세포들 중 일부에서 표면활성물질(surfactant)을 분비하여 폐포내층(alveolar lining layer)의 표면장력을 크게 감소시키므로 폐포의 안정성이 크게 증가된다(7장 참조). 그러나 작은 폐포의 허탈은 언제나 존재하는 잠재적인 문제이며 폐질환에서 흔히 발생한다.

흡입입자의 제거(Removal of inhaled particle)

표면적이 50-100 m²로 우리 몸에서 가장 큰 면적을 보이는 폐는 (공해 등으로) 점점 악화되고 있는 외부환경에 직접 노출되는 장기이다. 따라서 흡입된 입자를 처리하는 다양한 기전이 발달하였다(9장 참조). 우선 큰 입자는 코에서 걸러진다. 전도기도에 포착된 작은 입자는 점액계단(staircase of mucus)의 이동을 통해 제거되는데, 이 점액은 지속적으로 작은 입자를 쓸어내며 후두개에 도달한 점액은 삼켜지거나 배출된다. 점액선(mucous gland)과 기관지벽의 술잔세포(goblet cell)에 의해 분비되는 정상상태의 점액은 수백만 개의 작은 섬모들에 의해 리듬감 있게 움직이는데 어떤 흡입독소들(inhaled toxins)은 이 섬모운동을 마비시키기도 한다.

폐포에는 섬모가 없으므로, 이곳에 침착되는 입자는 대식세포라는 크고 움직이는 세포에 의해 탐식된다. 탐식된 이물질은 림프액 또는 혈류를 통해 폐로부터 제거된다. 그 외 백혈구와 같은 면역세포도 이물질에 대한 방어작용에 관여한다.

혈액에서 물질제거(Removal of material from the blood)

폐가 기도와 폐포에서 이물질을 제거하는 것처럼, 정맥순환에서 형성되거나 침입한 작은 감염물질 또는 혈전들은 매우 작은 혈관의 분기망(branching network)에서 걸러진다. 이와 같은 시스템으로 이물질이 좌측심장 또는 전신혈류로 들어가는 것을 예방하는데 그렇지 못하면 여러 장기로 이동하여 뇌졸중, 심근경색 또는 감염된 액체인 농양 등과 같은 문제를 일으킨다.

핵심개념(Key concepts)

1. 혈액-가스장벽은 면적이 매우 크고 또 얇기 때문에 수동적 확산에 의한 가스교환에 이상적이다.
2. 전도기도(conducting airway)는 종말세기관지(terminal bronchiole)까지이며 총 용적은 약 150 mL이다. 모든 가스교환은 호흡구역(respiratory zone)에서 발생하고, 용적은 약 2.5-3 L이다.
3. 대류(convective flow)는 흡입가스를 종말기관지까지 이동시키고 종말기관지를 지나면 폐포구역(alveolar region)에서는 확산에 의해 가스의 움직임이 점차 증가하게 된다.
4. 폐포벽의 많은 부분을 폐모세혈관이 점유하며 적혈구는 약 0.75초에 걸쳐 폐모세혈관을 지나간다.
5. 표면활성물질(surfactant)은 폐포의 안정성을 유지하고, 섬모는 기도에서 이물질을 제거하는 데 중요하며, 가장 가느다란 폐혈관은 혈액 내 이물질을 걸러낸다.

임상증례검토(Clinical vignette)

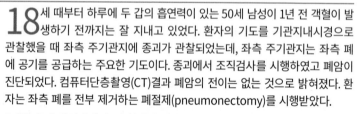

18세 때부터 하루에 두 갑의 흡연력이 있는 50세 남성이 1년 전 객혈이 발생하기 전까지는 잘 지내고 있었다. 환자의 기도를 기관지내시경으로 관찰했을 때 좌측 주기관지에 종괴가 관찰되었는데, 좌측 주기관지는 좌측 폐에 공기를 공급하는 주요한 기도이다. 종괴에서 조직검사를 시행하였고 폐암이 진단되었다. 컴퓨터단층촬영(CT)결과 폐암의 전이는 없는 것으로 밝혀졌다. 환자는 좌측 폐를 전부 제거하는 폐절제(pneumonectomy)를 시행받았다.

6개월 후 추적검사에서, 이 환자의 폐용적이 수술 전에 비해 1/3 정도만 줄어든 것으로 밝혀졌다. 또한 혈액-가스장벽을 통해 가스를 전달하는 폐기능도 수술 전 수치에 비해 30% 정도만 감소했다[이 검사는 일산화탄소확산능(DLco)으로 알려져 있으며 3장에서 설명한다]. 안정 시 폐동맥압은 정상이었지만 운동 중에는 수술 전보다 폐동맥압이 더 많이 상승했고 이 환자의 운동능력은 20% 감소하였다.

- 양쪽 폐 중 하나를 제거했는데 폐용적은 1/3만 감소된 이유는 무엇인가?
- 혈액-가스장벽의 가스(전달)능력이 30% 정도만 감소한 것을 어떻게 설명할 수 있는가?
- 수술 후 운동 시 폐동맥압이 수술 전보다 더 상승한 이유는?
- 왜 운동능력(exercise capacity)이 감소되었나?

문제(Questions)

각 문항에 대해 가장 적절한 답 한 개를 선택하라.

1. 건강한 여성 2명(대상A, B)이 급성고산병(acute altitude illness)연구계획의 일환으로 해발 4,559 m의 산장으로 올라갔다. 산장에 도착 12시간 후 2명에게 폐동맥카테터를 삽입하였고 폐모세혈관압을 측정하였다. 대상A와 B의 폐모세혈관압력은 각각 18 mmHg, 10 mmHg였다. 다음 중 대상B보다 대상A가 더 큰 위험에 처한 문제는 무엇인가?
   A. 폐포표면장력 감소
   B. 기관지순환혈류 감소
   C. 해부학사강용적 증가
   D. 폐포공간으로 혈장과 적혈구누출
   E. 호기 중 기도폐쇄 지연

2. 출생 직후 수일간 빈맥과 저산소혈증으로 입원하였던 신생아에서 섬모구조에 1차적인 영향을 주는 유전적 결함이 확인되었다. 다음 중 이와 같은 유전적 결함으로 인해 신생아가 위험에 처한 문제는 무엇인가?
   A. 기도점막청소 감소
   B. 폐혈류 감소
   C. 표면활성물질 생산 감소
   D. 혈액-가스장벽 통과 시 확산거리 증가
   E. 폐포기저막 비후

3. 30세 여성이 조산으로 응급실에 와서 임신 28주(폐표면활성물질의 생산이 매우 부족한 시기)의 남아를 출산하였다. 조산 때문에 이 신생아의 폐에 발생할 것으로 예상하는 것은 다음 중 무엇인가?
   A. 섬모기능 저하
   B. 폐혈류를 위한 단면적 증가
   C. 폐모세혈관에서 적혈구의 통과시간 증가
   D. 폐포내부를 둘러싸는 표면장력 증가
   E. 폐포-모세혈관장벽 비후

4. 호기 중 기류전환(air flow transitions)이 호흡세기관지(respiratory bronchi-oles)부터 종말세기관지(terminal bronchioles)까지 있을 때 기도구조나 기능변화는 다음 중 어떤 것인가?

A. 기류단면적 감소

B. 기도벽 연골비율 감소

C. 호기가스의 속도 감소

D. 확산에 의한 가스이동 증가

E. 폐포관(alveolar ducts)수 증가

5. 낭성섬유증(cystic fibrosis)이 있는 28세 여성이 대량객혈로 병원에 입원하였다. 영상의학과 의사가 치료의 일환으로, 우상엽에 혈류를 공급하는 두 개의 기관지동맥에 카테터를 삽입한 후 이 혈관을 통해 혈류를 멈추게 하는 물질을 주입하는 중재적 방법(폐동맥색전술)을 시행하였다. 이와 같은 개입으로 다음 중 폐기능에 어떤 변화가 있을 것으로 예상하는가?

A. 우상엽구역기관지의 혈류 감소

B. 폐순환에서 혈류를 위한 단면적 감소

C. II형 폐포상피세포에 의한 표면활성물질 생성 감소

D. 폐동맥을 통한 혈류 증가

E. 폐포에서 폐모세혈관으로 가스확산 지연

6. 65세 남성이 6개월 이상에 걸쳐 악화되는 운동 시 호흡곤란으로 왔다. 흉부엑스선의 이상소견이 관찰되어 폐생검을 시행하였다. 병리소견은 혈액-가스장벽의 얇은 부위의 두께가 대부분의 폐포에서 0.8 μm를 초과했다. 다음 중 어떤 상태일 것이라 예상하는가?

A. 폐포표면활성물질의 농도 감소

B. 폐모세혈관에서 산소의 확산속도 감소

C. 혈액-가스장벽의 파열 위험성 증가

D. 개별 적혈구용적 증가

E. 원위부기관지에서 폐포로 가스확산 감소

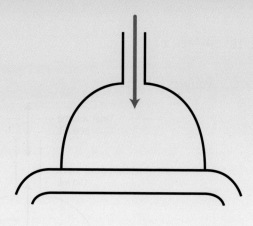

환기
(Ventilation)

2

가스는 어떻게 폐포에 도달하는가?

2장에서는 환기과정을 통해 산소가 어떻게 혈액-가스장벽으로 전달되는지에 대해 조금 더 자세히 살펴본다. 우선 폐용적을 간단히 복습한 다음에 총환기량(total ventilation)에 대해 언급할 때 두 가지 개념 즉, 폐포에 도달하는 신선한 가스의 양인 폐포환기량(alveolar ventilation)과 가스교환에 참여하지 않는 사강환기량(dead space ventilation)에 중점을 두고 설명한다. 끝으로 환기분포와 이에 관여하는 중력의 역할에 대해 특별히 강조하여 설명한다.

2장을 끝까지 읽은 독자는 다음과 같은 것을 할 수 있어야 한다.

- 폐활량곡선(spirogram)에서 중요한 용적(volume)과 용량(capacity)을 이해한다.
- 폐활량측정 시 헬륨희석법(helium dilution method)과 체적변동기록법(plethysmography)의 차이점을 설명한다.
- 분당환기량(minute ventilation)을 계산한다.
- 폐포환기량과 이산화탄소 생산량의 변화를 바탕으로 동맥혈P_{CO_2}의 변화를 예측한다.
- 해부학사강과 생리적사강의 차이점을 설명한다.
- 환기량의 국소적 분포에 미치는 체위변동의 영향을 예측한다.

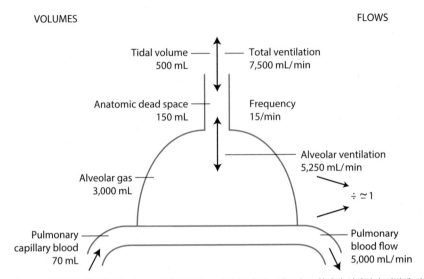

그림 2.1. 전형적인 폐의 용적(volumes)과 기류(flows)를 보여주는 폐모식도. 환자의 신장이나 성별에 따라 이 수치들은 상당한 차이가 있다. (Modified with permission of John Wiley & Sons from West JB. Ventilation/Blood Flow and Gas Exchange. 5th ed. Oxford, UK: Blackwell; 1990:3; permission conveyed through Copyright Clearance Center, Inc.)

다음 2, 3, 4장에서는 흡입된 공기가 어떻게 폐포에 도달하는지, 또 산소와 이산화탄소가 어떻게 혈액-가스장벽을 통과하는지, 그리고 혈액에 의해 이 가스들이 어떻게 폐로 들어가고 또 나오는지에 대해 설명한다. 이와 같은 기능은 환기(ventilation), 확산(diffusion) 그리고 혈류(blood flow)에 의해 각각 수행된다.

그림 2.1은 이 책 전반에 걸쳐 사용하게 되는 매우 단순한 폐의 모식도이다. 전도기도(conducting airway)를 구성하는 다양한 기관지(그림 1.3 및 1.4)를 여기서는 '해부학사강'으로 표시하고 단일튜브(single tube)로 표시하였다. 이 튜브를 통해 공기는 혈액-가스장벽과 폐모세혈액이 접해 있는 가스교환영역으로 들어간다. 매번 흡기 중 약 500 mL(일회호흡량, tidal volume)의 공기가 폐로 흡입되고 같은 양의 공기가 호기로 배출된다. 총폐용량 중 해부학사강이 차지하는 비율이 얼마나 낮은지 주목하자. 사강용적이 크면 클수록 폐포로 새롭게 공급되는 신선한 가스의 용적이 줄어들게 된다. 또한 폐포가스용적과 비교할 때 모세혈액량(volume of capillary blood)이 매우 적은 것도 주목하자(그림 1.7 비교).

폐용적들(Lung volumes)

폐 속으로 가스가 이동하는 것을 살펴보기에 앞서 정적폐용적(static volume of lung)을 간략히 살펴보는 것이 도움이 된다. 이들 중 일부는 유수식 폐활량계(water-bell spirometer)로 측정할 수 있는데(그림 2.2) 이 그림과 같은 고전적인 유수식 폐활량계는 현재 전자장비로 대체되었다. 호기 시 물속에 떠 있는 원통(bell)이 위로 올라가면 펜은 아래로 내려가면서 움직이는 차트에 용적을 기록한다. 제일 먼저 정상호흡(normal breathing)을 관찰할 수 있다(일회호흡량, tidal volume, TV). 정상호기 또는 일회호흡량을 내쉰 상태에서의 폐용량을 기능잔기용량(functional residual capacity, FRC)이라고 한다. 그 다음에 피험자가 최대한 흡기를 시행한 다음 호기를 최대한 끝까지 내쉬도록 한다. 이때 내쉰 폐용적이 폐활량(vital capacity, VC)이다. 그러나, 최대한 끝까지 숨을 내쉰 후에도 폐 안에는 가스가 일부 남아 있으며 이것이 잔기량(residual volume, RV)이다.

기능잔기용량(FRC), 잔기량(RV), 그리고 총폐용량(TLC)은 단순폐활량계로 측정할 수 없고 대신 다른 방법을 통해서만 측정할 수 있다. 측정방법 중 한 가지는 그림 2.3과 보는 것과 같은 가스희석기술(gas dilution technique)이다. 이 검사법은 이미 농도를 알고 있는 헬륨가스(헬륨은 혈액에 거의 녹지 않는다)가 포함된 폐활량계에 피험자를 연결한 다음 피험자가 수차례 호흡을 마치면 폐활량계와 폐 안의 헬륨농도는 같아진다.

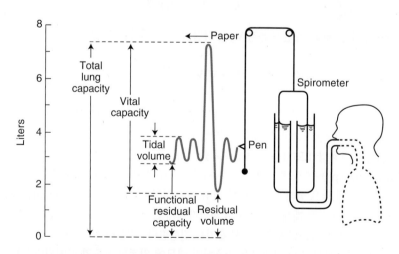

그림 2.2. 폐용적들. 총폐활량, 기능잔기용량과 잔기량은 폐활량계로 측정할 수 없다.

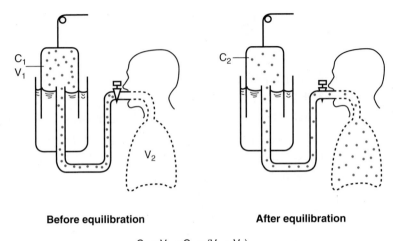

Before equilibration   **After equilibration**

$$C_1 \times V_1 = C_2 \times (V_1 + V_2)$$

그림 2.3. 기능잔기용량을 측정하는 헬륨희석법

평형 전 폐활량계 안에 존재하는 헬륨의 양(농도 × 용적)은 다음과 같다.

$$C_1 \times V_1$$

헬륨은 혈액에 녹지 않아 소실이 없으므로 평형이 된 후의 헬륨양과 동일하다.

$$C_2 \times (V_1 + V_2)$$

이 공식을 재배열하면 폐용적(V_2)을 다음과 같이 계산할 수 있다.

$$V_2 = V_1 \times \frac{C_1 - C_2}{C_2}$$

실제 임상에서는, 헬륨의 평형이 이루어지는 동안 폐활량계에 산소를 추가하여 피험자가 소비한 양을 보충하고, 또한 배출한 이산화탄소를 제거한다.

기능잔기용량(FRC)을 측정할 수 있는 또 다른 방법은 체적변동기록법(body plethysmograph)이다(그림 2.4). 이것은 피험자가 구형 공중전화박스와 같이 밀폐된 큰 유리 상자 안에 앉은 상태에서 검사를 시행한다. 정상호흡의 호기말(end expiration)에 셔터가 마우스피스를 폐쇄한 상태에서 피험자에게 흡기노력을 하도록 요청한다. 그러면 피험자는 폐 안의 가스를 팽창시켜서 흡기를 진행한다. 이때 피험자의 폐용적이 증가함과 동시에 유리상자 속의 가스양은 감소하기 때문에 일정한 온도가 유지되면 '압력 × 부피'가 일정하다는 Boyle's법칙에 따라 상자 내 압력은 결국 상승한다. 그러므로 흡기노력 전, 후 상자 내 압력이 각각 P_1 및 P_2이라면 V_1은 흡기노력 전 상자의 용적이고 ΔV

는 상자(또는 폐)의 용적변화이다. 이를 다음과 같은 공식으로 표현할 수 있다.

$$P_1V_1 = P_2(V_1 - \Delta V)$$

따라서, ΔV를 계산할 수 있다.

다음으로 Boyle's법칙을 폐 속에 들어 있는 가스에도 적용하면

$$P_3V_2 = P_4(V_2 + \Delta V)$$

여기서 P_3는 흡기노력 전 구강압이고 P_4는 흡기노력 후의 구강압이며 V_2는 기능잔기용량(FRC)이다. 이 공식을 통해 기능잔기용량을 계산할 수 있다.

체적변동기록법은 막혀 있어 구강과 연결되지 않는 폐단위, 즉 폐쇄된 기도에 갇혀 있는 부분의 가스(예: bullae 안의 가스)를 포함하여 폐 안의 모든 가스용적을 측정한다(예는 그림 7.9에 표시됨). 반대로 헬륨희석법은 구강과 연결되어 왕래하는 가스(communicating gas) 또는 환기되는 폐용적만 측정된다. 건강하고 젊은 사람에서 두 가지 방법으로 측정한 폐용적은 거의 동일하다. 그러나 폐질환 환자(예: COPD)에서 폐쇄된 기도의 원위부(폐포 쪽)에 갇혀 있는 가스(trapped gas)의 용적은 헬륨희석법으로는 측정되지 못하기 때문에 헬륨희석법으로 측정한 총폐용량은 체적변동기록법으로 측정한 총폐용적에 비해 상당히 작을 수 있다.

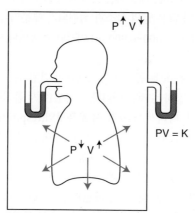

그림 2.4. 체적변동기록법(body plethysmograph)으로 측정한 기능잔기용량(FRC). 피험자의 기도가 셔터로 폐쇄된 상태에서 흡기노력을 하면 폐용적은 약간 증가하고 기도압이 감소하면서 결국 상자 안의 압력은 증가한다. Boyle's법칙을 이용해 폐용적을 계산한다(본문 참고).

폐용적들(Lung volumes)

- 일회호흡량(tidal volume)과 폐활량(vital capacity)은 단순폐활량계를 사용하여 측정할 수 있다.
- 총폐용량(total lung capacity, TLC), 기능잔기용량(functional residual volume, FRC) 그리고 잔기량(residual volume, RV)은 헬륨희석법 또는 체적변동기록법 (body plethysmograph)으로 측정할 수 있다.
- 혈액의 헬륨용해도는 매우 낮으므로 헬륨희석법에서 사용된다.
- 체적변동기록법(body plethysmograph)은 Boyle's법칙, 즉 일정한 온도에서 PV = K를 따른다.

환기(Ventilation)

매 호흡 시 내쉬는 호기량을 500 mL(그림 2.1) 그리고 호흡수를 분당 12회라 가정해보자. 그러면 매 분당 폐에서 배출되는 호기량의 전체용적은 500 × 12 = 6,000 mL/min 이다. 이것을 총환기량(total ventilation) 또는 분당환기량(minute ventilation)이라고 한다. 폐로 들어가는 공기의 양은 배출되는 공기의 양보다 아주 조금 많은데 이는 배출되는 이산화탄소 양보다 더 많은 양의 산소가 섭취되기 때문이다. 안정 시 건강한 성인의 전형적인 총환기량은 분당 5,000-6,000 mL이지만 운동이나 여러 다른 자극에 의해 상당히 높은 수준까지 증가할 수 있다.

하지만 입술을 통과하는 모든 공기가 가스교환이 진행되는 폐포가스구획(alveolar gas compartment)까지 도달하는 것은 아니다. 그림 2.1에서 흡기량 500 mL 중 150 mL 는 해부학사강에 남아있다. 따라서 매 호흡 시 호흡구역(respiratory zone)으로 들어가는 신선한 공기 양은 (500 - 150) × 12 또는 4,200 mL/min이다. 이를 폐포환기량(alveolar ventilation)이라고 하며 가스교환에 사용될 수 있는 신선한 흡기량이기 때문에 매우 중요하다(엄밀히 말하면, 호기가스로 폐포환기량을 측정할 수 있으며 그 용적은 흡기 시와 거의 동일하다). 매번 호흡할 때마다 350 mL의 신선한 공기가 가스교환을 위해 폐포 안으로 들어오지만 폐포용적은 일회호흡량 500 mL로 완전히 채워지는데 이는 바로 직전의 호기과정 종료 시 150 mL의 공기가 해부학사강 안에 남아 있었기 때문이다.

밸브박스(valve box)를 통해 흡기가스와 호기가스를 분리하여 전체 호기가스를 비닐백에 모으면 쉽게 총(또는 분당)환기량(total or minute ventilation)을 측정할 수 있다. 그러나 폐포환기량을 확인하는 것은 조금 더 어렵다. 한 가지 방법은 해부학사강(아래 참조)을 측정하여 사강환기량을 계산(dead space ventilation; 사강용적 × 호흡수)한다. 그런 다음 총환기량(total ventilation)에서 사강환기량을 빼면 폐포환기량을 계산할 수 있다.

이와 같은 계산을 다음과 같은 기호로 요약할 수 있다(그림 2.5). V는 용적을 나타내고 아래첨자 T, D 및 A는 각각 일회호흡량(tidal volume), 사강용적(dead space volume)과 폐포용적(alveolar volume)을 나타낸다.

$$V_T = V_D + V_A$$

호흡수가 n이므로,

$$V_T \cdot n = V_D \cdot n + V_A \cdot n$$

따라서, 다음과 같은 공식을 얻을 수 있다.

$$\dot{V}_E = \dot{V}_D + \dot{V}_A$$

여기서 $\dot{V}$는 단위시간당 용적을 의미하며 $\dot{V}_E$는 배출한 총(또는 분당)환기량, $\dot{V}_D$는 사강환기량, $\dot{V}_A$는 폐포환기량이다(기호 요약은 부록 A 참조).

이 공식을 재배열하면 폐포환기량(즉 가스교환에 참여한 부분의 환기량)은 총환기량과 사강환기량 간의 균형에 의해 결정될 수 있다.

$$\dot{V}_A = \dot{V}_E - \dot{V}_D$$

이 방법의 난점은 작은 오차 범위 안에서 해부학사강용적을 추정할 수 있지만 실제로 측정하기는 어렵다는 것이다. 일회호흡량이나 호흡수(또는 둘 다)를 증가시키면 폐포환기량은 증가한다. 그런데 일회호흡량이 증가하면 매 호흡 중 해부학사강이 차지하는 비율(때로 사강비, dead space fraction이라 불림)이 감소하게 된다. 따라서 폐포환기량

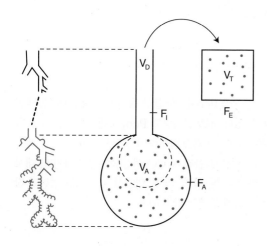

그림 2.5. 일회호흡량(V_T)은 해부학사강(V_D)으로부터 나온 가스와 폐포에서 나온 가스(V_A)가 혼합된 것이다. 여기서 CO_2의 농도는 점으로 표시된다. F, 분획농도(fractional concentration); I, 흡기; E, 호기이며 그림 1.4와 비교해 보자.

을 증가시키기 위해서는 일회호흡량(일정한 사강비가 유지되는)의 호흡수만 늘려 환기량을 증가시키는 것보다는 일회호흡량을 크게 하는 것이 종종 더 효과적이다.

정상 피험자에서 폐환기량을 측정하는 또 다른 방법은 호기가스CO_2농도를 측정하는 것이다(그림 2.5). 흡기가스의 일부는 전도기도에 남아 있게 되는데 이 가스에는 본질적으로 CO_2가 없다. 왜냐하면 해부학사강에서는 가스교환이 일어나지 않고 따라서 흡기말가스CO_2는 0이다(공기 중 존재하는 소량의 CO_2는 무시할 수 있음). 따라서 호기가스의 CO_2는 모두 폐포가스로부터 나온 것이므로

$$\dot{V}_{CO_2} = \dot{V}_A \times \frac{\%CO_2}{100}$$

$\dot{V}CO_2$는 CO_2배출량 또는 CO_2생산량이라고 하며 $\%CO_2/100$은 종종 분획농도(fractional concentration)라 불리고 F_{CO_2}로 표시된다. 따라서,

$$\dot{V}_{CO_2} = \dot{V}_A \times F_{CO_2}$$

정리하면

$$\dot{V}_A = \frac{\dot{V}_{CO_2}}{F_{CO_2}}$$

따라서, 폐포환기량은 CO_2생산량($\dot{V}CO_2$)을 폐포 내CO_2분획농도(F_{CO_2})로 나누면 계산할 수 있다.

CO_2분압(P_{CO_2}로 표시되는)은 폐포 내CO_2분획농도(F_{CO_2})에 비례하거나 또는 P_{CO_2} $= F_{CO_2} \times K$, 여기서 K는 상수로 총폐압을 의미한다.

따라서 폐포환기량은, $$\dot{V}_A = \frac{\dot{V}_{CO_2}}{P_{CO_2}} \times K$$

이것을 폐포환기방정식(alvolar ventilation equation)이라고 한다.

정상인에서는 폐포가스P_{CO_2}와 동맥혈P_{CO_2}는 사실상 동일하기 때문에, 동맥혈 P_{CO_2}를 폐포환기량 계산 시 사용할 수 있다. 폐포환기량과 P_{CO_2}의 관계는 매우 중요하다. 예를 들어, CO_2생산량에는 변동이 없는데 폐포환기량이 절반으로 줄어들면 폐포 P_{CO_2}와 동맥혈P_{CO_2}는 2배가 된다. 일반적으로 안정 시 CO_2생산량은 일정하지만, 대사활동에 따라 변할 수 있다. CO_2생산량은 운동, 발열, 감염, 영양섭취, 그리고 경련과 같은 요인에 의해 증가하고 저체온증과 금식에 의해서 감소한다.

해부학사강(Anatomic dead space)

해부학사강은 전도기도(conducting airway)의 용적이다(그림 1.3 및 1.4). 정상치는 약 150 mL이며 흡기를 크게(large inspirations)할 때 기관지에 작용하는 기관지주변 폐실질의 견인력 또는 당겨짐에 의해 기관지 직경이 커지면서 해부학사강이 증가할 수 있다. 또한 사강용적은 사람의 크기와 자세에 따라 변하기도 한다.

해부학사강용적은 Fowler's법(single-breath nitrogen washout test)을 이용해 측정할 수 있다(그림 2.6). 피험자가 밸브박스를 통해 호흡할 때 구강부위의 공기를 지속적으로 채취 신속질소분석기를 통해, 질소농도의 변화를 측정한다(그림 2-6A). 100% O_2를 한 번 흡기한 후 호기를 시작하면 폐포가스에 의해 사강 안의 공기가 밀려나오며 폐포가스에 포함된 N_2농도가 점차 상승한다. 호기말에 순수하게 폐포가스만 배출되면 N_2가스농도는 거의 일정하게 유지된다. 이 단계를 종종 폐포 '고원(plateau)'이라고 한다. 정상인에서도 폐포고원은 완전히 평평하지 않지만 폐질환 환자에서는 폐포고원의 가파른 상승을 관찰할 수 있다. 동시에 호기가스용적도 기록된다. 때로는 질소 대신 이산화탄소를 사용할 수 있으나 폐질환이 있는 환자에서는 환기-관류불균등 때문에 질소보다 측정하기가 더욱 복잡해진다.

그림 2.6B에서 호기가스용적과 질소농도를 표시하였는데 A의 면적과 B의 면적이 같아지는 지점을 통과하는 수직선이 x축과 만나는 지점C까지 배출된 용적이 사강용적이다. 사실상 이 방법은 사강에서 폐포가스로 이행되는 중간지점까지의 전도기도(conducting airway)용적을 측정한다.

생리적사강(Phsyiologic dead space)

사강용적을 측정하는 또 한 가지 방법은 Bohr's법이다. 그림 2.5에서 호기가스에 포함된 CO_2는 모두 폐포가스에서 배출된 것이고 사강에서 배출된 것은 전혀 없음을 보여준다. 따라서 다음과 같이 쓸 수 있다.

$$V_T \cdot F_{ECO2} = V_A \cdot F_{ACO2}$$

그리고 일회호흡량은 폐포용적과 사강용적의 합이기 때문에

$$V_T = V_A + V_D$$

이를 재배열하면

$$V_A = V_T - V_D$$

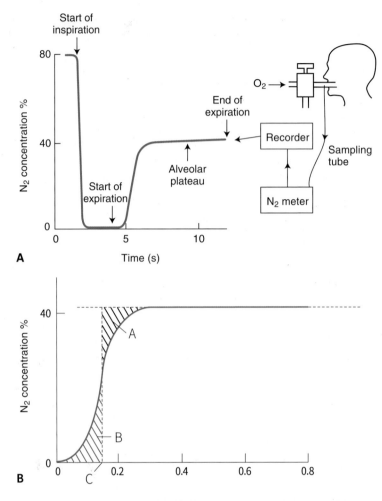

그림 2.6. 신속질소분석기를 이용하여 해부학사강을 측정하는 Fowler's법. 곡선A은 100% O$_2$를 한번 시험흡기(test inspiration)한 다음 내쉰 호기가스의 N$_2$농도의 분석결과이다. 순순한 폐포가스의 배출을 의미하는 질소농도가 거의 일정한 즉 '고원 (plateau)'이 될 때까지는 질소농도가 상승하는 것을 보여준다. 곡선B은 호기가스용적에 대해 질소농도를 표시(plotting)한 그래프이고 A와 B의 면적이 같아지는 지점을 통과하는 수직선과 용적을 표시한 x축이 만나는 지점C까지의 폐용적이 사강용적이다.

첫 번째 수식의 오른쪽 항목의 V_A를 대치하면 다음과 같이 된다.

$$V_T \cdot F_{E_{CO_2}} = (V_T - V_D) \cdot F_{A_{CO_2}}$$

사강용적과 일회환기량의 비율을 다음과 같이 계산할 수 있다.

$$\frac{V_D}{V_T} = \frac{P_{A_{CO_2}} - P_{E_{CO_2}}}{P_{A_{CO_2}}} \quad \text{(Bohr equation)}$$

여기서 A는 폐포가스(alvolar), E는 혼합호기가스(mixed expired)를 의미한다(부록A). 사강용적/일회호흡량의 정상비는 안정호흡 시에 0.2-0.35이다. 건강한 정상인에서, 폐포P_{CO_2}와 동맥혈P_{CO_2}는 사실상 동일하므로 방정식을 종종 다음과 같이 쓴다.

$$\frac{V_D}{V_T} = \frac{P_{a_{CO_2}} - P_{E_{CO_2}}}{P_{a_{CO_2}}}$$

여기서 Fowler's법과 Bohr'법은 다소 다른 사강용적을 측정한다는 점을 알고 있어야 한다. Fowler's법은 이미 폐 안에 흡입되어 있는 가스와 새로 흡입된 흡기가스가 혼합되면서 농도가 빠르게 희석되는 지점의 원위부 전도기도(conducting airway)용적을 측정한다. 이 용적은 빠르게 팽창하는 기도의 구조(geometry)에 의해서 결정되며(그림 1.5) 폐의 형태를 반영하기 때문에 이를 '해부학사강'이라고 한다. 이에 반해 Bohr's법은 CO_2를 배출하지 못하는 폐용적을 측정한다. 따라서 이 법은 기능적인 면을 측정하는 것이기 때문에 이 용적을 '생리적사강'이라고 한다. 일반적으로 정상인에서는 이 두 가지의 용적이 거의 동일하다. 그러나 급성 또는 만성폐질환 환자 모두에서 폐 안에 환기-관류불균등에 의해 생리적사강이 상당히 커질 수 있다(5장 참조). 생리적사강의 크기는 매우 중요하다. 만일 생리적사강이 크면 클수록 총환기량도 커지게 되며 또 가스교환을 적절하게 유지하기 위해서 환자는 더 많은 양의 공기가 폐포에 흡입되도록 노력해야 하므로 호흡일이 증가하게 된다.

환기(Ventilation)

- 총환기량은 일회호흡량(TV) × 호흡수(RR)이다.
- 폐포환기량은 폐포에 도달하는 신선한 가스의 양 또는 $(V_T - V_D)$ × n이다.
- 해부학사강은 전도기도의 용적으로 약 150 mL이다.
- 생리학적사강은 혈류가 없어 CO_2가 배출되지 않는 가스의 용적이다.
- 정상인에서는 두 종류의 사강은 거의 같으나 급성 또는 만성폐질환 환자 모두에서 생리적사강이 더 크게 증가한다.

환기의 국소적인 차이(Regional differences in ventilation)

지금까지, 정상 폐에서 모든 구역의 환기는 균등하게 진행된다고 가정했다. 그러나 실제로는 폐의 상부영역보다 하부영역에서 환기가 잘된다. 방사성크세논가스(radioactive zenon gas)를 피험자에게 흡입시켜 보면 이를 확인할 수 있다(그림 2.7). 폐로 흡입된 크세논-133이 흉곽을 통과해 계수영역(counting field)으로 들어오면 방사선카메라 또는 계수기가 이를 기록한다. 이런 방법으로 폐의 여러 구역별로 흡입된 크세논의 용적을 알 수 있다.

그림 2.7은 정상인에서 이 방법을 통해 얻은 일련의 결과를 보여준다. 단위 용적당 환기량은 폐의 하부영역에서 가장 크고 상부로 갈수록 점차 작아지는 것을 볼 수 있다.

다른 조건에서의 측정 결과를 보면 피험자가 앙와위자세(supine positon)인 경우에는 이와 같은 상부, 하부의 차이는 없어지고 폐첨부와 폐기저부의 환기량도 동일해진다. 그러나 앙와위에서도 위치가 가장 낮은(즉, 등쪽) 폐의 환기량은 위치가 가장 높은(즉, 복부 쪽) 폐의 환기량보다 많다. 또한 측와위에서도, 의존적인(dependent) 쪽의 폐에서 환기가 가장 잘된다. 이처럼 환기가 국소적인 차이(regional difference in ventilation)를 보이는 원인은 7장에서 다룬다.

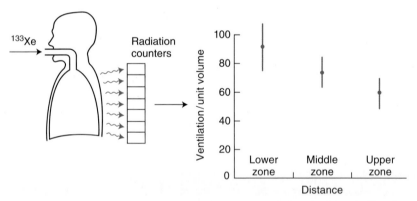

그림 2.7. 방사성동위원소 크세논(XE-133)으로 측정한 환기의 국소적인 차이. 크세논가스를 흡입한 후 흉곽 외부의 계수기로 방사선을 감지할 수 있다. 직립상태에서는 폐하부에서 상부로 갈수록 환기량이 감소한다.

핵심개념(Key concepts)

1. 단순폐활량계(simple spirometer)로 측정할 수 없는 폐용적은 총폐용량(total lung capacity, TLC), 기능잔기용량(functional residual capacity, FRC), 그리고 잔기량(residual volume, RV)이다. 이 용적들은 헬륨희석법 또는 체적변동기록법(body plethysmograph)으로 측정할 수 있다.

2. 폐포환기량은 매분당 사강이 아닌 호흡영역으로 들어가는 신선한 가스(fresh gas)의 용적이다. 폐포환기방정식, 즉 CO_2 배출량을 호기가스의 CO_2분획농도로 나누면 계산할 수 있다.

3. 폐포 및 동맥혈CO_2농도(따라서 분압)는 폐포환기량에 반비례한다.

4. 해부학적사강은 전도기도(conducting airway)의 용적이며 100% 산소를 일회호흡한 이후 배출되는 호기가스 중 질소농도 변화를 측정, 계산할 수 있다(Fowler's 법).

5. 생리학적사강은 CO_2가 배출되지 못하는 폐용적이다. 이 용적은 동맥혈CO_2와 호기가스CO_2를 이용하여 계산한다(Bohr's법).

6. 폐에 작용하는 중력의 영향에 의해 폐는 하부영역이 상부영역보다 환기가 잘된다.

임상증례검토(Clinical vignette)

20세 여자대학생이 새벽 1시에 응급실에 실려 왔는데 의식혼탁과 더불어 말을 거의 하지 못했고 또한 입에서 술 냄새가 심했다고 한다. 환자를 데려온 친구들은 환자에 대한 어떤 정보도 말하지 않고 사라졌다. 이 환자에서 기도보호 능력이 저하됐고 더불어 구강분비물이 폐로 흡인될 것을 우려하여, 응급실 의사는 기관삽관을 시행하였다. 기관삽관은 환자의 구강을 통해 기관내관을 기관으로 삽입하여 인공호흡기를 연결할 수 있게 하는 것이다. 인공호흡기는 환자가 스스로 호흡수와 일회호흡량을 결정할 수 있도록 설정하였다. 호흡치료사는 인공호흡기의 모니터를 확인한 후 환자의 호흡수는 분당 8회, 일회호흡량 300 mL라고 기록하였다.

- 환자와 같은 연령대의 건강한 사람에서 예상되는 총환기량과 비교했을 때 환자의 총환기량은 어떤 상태인가? 이런 변화는 어떻게 설명할 수 있을까?
- 건강한 상태와 비교할 때 현재 환자의 일회호흡량 중 사강비는 얼마인가?
- 건강한 상태와 비교할 때 환자의 동맥혈P_{CO_2}에 어떤 변화가 관찰될 것으로 예상하는가?

문제(Questions)

각 문항에 대해 가장 적절한 답 한 개를 선택하라.

1. 기저 폐질환이 없는 건강한 사람이 아래 그림에 표시된 상태로 테이블에 누워 있
    다. 폐에 표시된 영역(A-C) 중 단위용적당 환기량이 가장 클 것으로 예상할 수 있
    는 영역은 어디인가?

    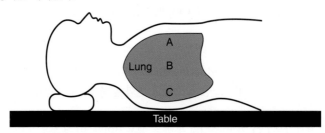

    A. A
    B. B
    C. C

2. 평소 비교적 건강했던 환자가 약물과다 복용 후 혼수상태에 빠졌고 자발호흡이 없
    어 기관삽관 후 기계환기를 시작하였다. 일회호흡량 450 mL, 호흡수 분당 12회로
    인공호흡기를 설정하였다. 호흡치료사는 인공호흡기와 동맥혈가스를 통해 얻은 검
    사결과를 통해 환자의 사강비(dead space fraction=$\left[\dfrac{V_D}{V_T}\right]$)를 0.3으로 추정하였
    다.

    이 결과를 기초로 계산한 환자의 폐활량(vital capacity)은 대략 얼마인가?

    A. 1.0 L/min
    B. 1.6 L/min
    C. 3.8 L/min
    D. 5.4 L/min
    E. 7.0 L/min

3. 헬륨희석법으로 기능잔기용량(FRC)을 측정할 때, 헬륨농도의 처음과 마지막이 각각 10%와 6%이고, 폐활량(VC)은 5 L로 유지되었다. 기능잔기용량(FRC)은?

   A. 2.5
   B. 3.0
   C. 3.3
   D. 3.8
   E. 5.0

4. 앉아서 체적변동기록법(body plethysmograph, body box)을 검사 중인 환자가 후두개(glottis)를 막은 상태에서 호기노력을 하고 있다. 이때 기도압, 폐용적, 상자 내압, 상자용적의 변화는?

	Airway pressure	Lung volume	Box Pressure	Box volume
A.	↓	↑	↑	↓
B.	↓	↑	↓	↑
C.	↑	↓	↑	↓
D.	↑	↓	↓	↑
E.	↑	↑	↓	↓

5. CO_2생산량이 일정한 상태에서, 폐포환기량이 지속적으로 3배 증가하여 안정상태(steady state)에 도달했다면 폐포P_{CO_2}는 이전 값의 몇 %인가?

   A. 25
   B. 33
   C. 50
   D. 100
   E. 300

6. 56세 여성이 급성호흡부전으로 응급실 도착 후 기계환기를 시작하였다. 인공호흡기의 초기설정은 일회호흡량 700 mL, 호흡수는 분당 10회였다. 환자를 중환자실로 이송한 후 일회호흡량을 500 mL, 호흡수를 분당 15회로 변경하였다. 이때 환자는 완전한 진정상태로 자발호흡이 없는 상태였다. 인공호흡기 설정을 변경할 때 관찰되는 변화로 예상 가능한 것은?

   A. 기도저항 감소

   B. $Paco_2$ 감소

   C. 폐포환기량 증가

   D. CO_2생산량 증가

   E. 사강비(dead space fraction) 증가

7. 중증호흡부전으로 중환자실에 입원한 40세 남성이 기계환기치료 중이다. 인공호흡기는 일회호흡량 600 mL, 호흡수 분당 15회로 설정하였다. 환자는 중증혼수상태로 자발호흡이 없는 상태였다. 입원 5일째, 발열과 함께 세균혈증이 발생하였다. 이 같은 상태변화가 환자에게 미치는 영향은?

   A. 해부학사강 감소

   B. 생리적사강 감소

   C. 동맥혈 Pco_2 증가

   D. 폐의 의존적인 영역(dependent region)에 환기량 증가

   E. 매번 호흡 시마다 폐포로 전달되는 흡입가스양 증가

8. 아래 그림 곡선(파란색)은 폐활량검사를 시행할 때 시간에 따른 폐용적과 시간을 함수로 나타낸 것이다. 폐활량곡선에 표시된 용적 또는 용량 중 폐활량기(spirometer)로 실제로 측정할 수 있는 것은 무엇인가?

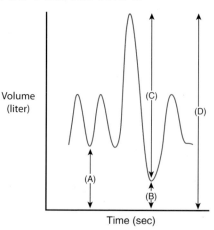

A. A

B. B

C. C

D. D

9. 심정지와 무산소뇌손상(anoxic brain injury)이 발생한 62세 남성을 기계환기로 치료 중이다. 입원 2일째에 다음 표와 같은 결과를 얻었다.

Parameter	Day 1	Day 2
Arterial Pco_2 (mmHg)	45	35
Dead space fraction (%)	32	32

환자는 혼수상태이며 자발호흡은 없었다. 입원 1일과 2일 사이에 일회호흡량이나 호흡수 등 설정의 변화가 없었다면 이 환자의 $Paco_2$ 변화를 설명할 수 있는 것은 무엇인가?

A. 새로운 감염

B. 분당환기량 증가

C. 저체온을 위한 치료시작

D. 관급식을 통한 영양섭취 개시

E. 재발성 발작

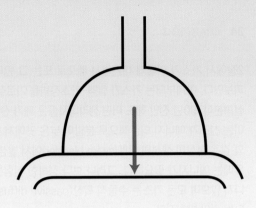

확산
(Diffusion)

3

가스는 어떻게 혈액-가스장벽을 통과하는가?

3장에서는 가스가 어떻게 혈액-가스장벽(blood-gas barrier)을 통과해 이동하는지 생각해 보자. 먼저 확산의 기본 법칙을 소개한 다음 확산제한가스와 관류제한가스를 구별해 본다. 그다음 폐모세혈관을 통해 진행되는 산소의 흡수를 분석해보고 이것이 여러 다른 조건에서 어떻게 변하는지 살펴본다. 다음으로 이번 장에서는 일산화탄소를 이용한 확산능측정법과 헤모글로빈과 산소의 유한반응율(finite reaction rate)을 살펴본다. 3장의 마지막 부분에서, 확산능 측정결과 해석법을 간단히 설명하고 이산화탄소 확산의 특징도 살펴본다.

3장의 공부를 마치면 독자들은 다음과 같은 항목을 이해할 수 있어야 한다.

- 조직판(sheet of tissue, 예: 폐포벽)을 통한 기체전달속도를 결정하는 변수를 나열한다.
- 관류제한가스(perfusion-limited gas)와 확산제한가스 (diffusion-limited gas)의 차이를 설명한다.
- 운동, 폐포-모세혈관장벽의 비후, 그리고 폐포P_{O_2}의 감소 등이 폐모세혈관을 통한 산소흡수에 미치는 영향을 예상한다.
- 일산화탄소의 폐확산능을 계산한다.
- 측정된 일산화탄소확산능 감소의 의미를 설명한다.

2장에서 가스가 어떻게 대기에서 폐포로 또는 그 반대 방향으로 이동하는 '환기'에 대해 살펴보았다. 이제부터는 가스가 혈액-가스장벽을 가로질러 전달되는 '확산'이라 불리는 과정을 살펴본다. 80년 전만 해도 어떤 생리학자들은 폐가 산소를 모세혈관으로 분비한다고 믿었다. 이는 산소가 에너지 의존적으로 분압이 낮은 곳에서 높은 곳을 향해 이동함을 의미한다. 이와 같은 현상이 생선의 부레(swim bladder)에서 발생하는 것으로 생각된 적이 있고 이런 경우에는 에너지가 필요하다. 그러나 보다 정확한 실험을 통해, 폐에서 이와 같은 현상이 일어나지 않으며 모든 가스는 수동적 확산(passive diffusion)에 의해 폐포벽을 가로질러 이동한다는 것이 밝혀졌다.

확산법칙(Laws of diffusion)

조직을 통한 확산은 Fick's법칙으로 설명할 수 있다(그림 3.1). 이 법칙은 '우표'와 같이 얇은 조직판을 통과하는 가스의 이동속도가 조직의 면적, 조직판의 양측 간 가스분압의 차이와 비례하며, 조직의 두께와는 반비례한다는 것이다. 이미 알고 있는 것처럼, 폐의 혈액-가스장벽의 면적은 엄청나지만(50-100 m²) 두께는 대부분이 0.3 μm에 불과하다(그림 1.1). 이 같은 구조의 혈액-가스장벽은 확산에 이상적이다. 또한, 확산속도(rate of transfer)는 확산상수(diffusion constant)에 비례하며, 이는 조직과 특정 가스의 특성에 따라 달라진다. 확산상수는 가스의 용해도에 비례하고 분자량의 제곱근에는 반비례한다(그림 3.1). 이런 특성은 왜 CO_2가 O_2보다 약 20배 더 빠르게 조직판을 통해 확산하는지를 그 이유를 설명해주는데 CO_2(분자량 44)와 O_2(분자량 32)를 비교할 때 두 가스의 분자량에는 큰 차이가 없으나 CO_2용해도가 O_2용해도에 비해 훨씬 더 크기(약 20배) 때문에 CO_2의 확산속도가 더 빠르다.

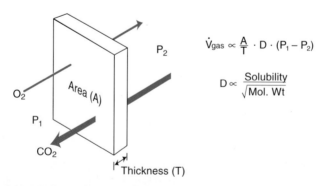

그림 3.1. 조직판을 통한 확산. 전달되는 가스의 양은 면적(A), 확산상수(D)와 분압의 차이(P_1-P_2)에 비례하고, 두께(T)에 반비례한다. 확산상수는 기체용해도(Sol)에 비례하고 분자량(MW)의 제곱근에는 반비례한다. 결과적으로 산소보다 용해도가 약 20배 높은 이산화탄소는 더 빠르게 확산된다.

Fick's의 확산법칙(Fick's law of diffusion)

- 조직판을 통한 가스의 확산속도는 조직판의 면적 및 조직판 양측 간의 가스분압차에 비례한다.
- 확산속도는 조직판의 두께에 반비례한다.
- 확산속도는 조직 내 가스의 용해도에 비례하나 분자량의 제곱근에는 반비례한다.

확산제한과 관류제한(Diffusion and perfusion limitations)

일산화탄소 또는 산화질소와 같은 가스가 채워진 폐포를 둘러싸고 있는 폐모세혈관에 적혈구가 들어간다고 가정해보자. 혈액 안의 이들 가스의 분압은 얼마나 빨리 상승하게 될까? 그림 3.2는 적혈구가 폐모세혈관을 통과하는 약 0.75초 동안 시간경과에 따른 여러 종류의 가스분압의 변화를 보여준다.

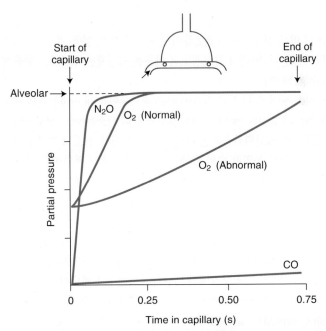

그림 3.2. 적혈구가 폐모세혈관을 지나갈 때 일산화탄소, 산화질소 그리고 산소의 흡수. 폐모세혈액의 산화질소분압은 폐모세혈관 초반부로부터 폐포가스의 산화질소압과 거의 같아지므로 산화질소의 이동은 관류제한(perfusion limited)이다. 이와는 대조적으로, 폐모세혈액의 일산화탄소분압은 거의 변하지 않으므로, 일산화탄소의 이동은 확산제한(diffusion limited)이다. 산소의 이동은 상태에 따라 관류제한 또는 부분적으로는 확산제한이 될 수 있다.

먼저 일산화탄소를 생각해보자. 적혈구가 폐모세혈관으로 진입하면 폐포 안의 일산화탄소는 매우 얇은 혈액-가스장벽을 가로질러 적혈구세포 안으로 빠르게 이동한다. 결과적으로, 적혈구세포 안의 일산화탄소 함량이 증가한다. 그러나, 일산화탄소는 적혈구 내 헤모글로빈과 강력한 결합을 형성하여 혈액 내 분압은 증가시키지 않기 때문에 적혈구 내로 다량의 일산화탄소가 흡수될 수 있다. 따라서, 적혈구세포가 모세혈관을 통해 이동하더라도 혈액 내 일산화탄소분압은 거의 변하지 않아 의미 있는 반동압(back pressure)이 발생하지 않으며, 또한 일산화탄소가스는 폐포벽을 가로질러 지속적으로 적혈구 세포 안으로 빠르게 이동한다. 그러므로 혈액 안에 들어가는 일산화탄소의 양은 일산화탄소와 결합이 가능한 혈액의 양에 의해 제한되는 것이 아니고 혈액-가스장벽의 확산특성에 따라 제한되는 것이 분명하다. 따라서 일산화탄소의 전달은 '확산제한(diffusion limited)'이 있다고 할 수 있다.

이제 산화질소의 시간 경과에 따른 변화를 일산화탄소와 비교해 보자. 산화질소는 폐포벽을 가로질러 혈액으로 이동하면서, 헤모글로빈과 결합하지 않는다. 산화질소는 일산화탄소와 달리 헤모글로빈과 친화력이 없으므로 결과적으로 혈액의 질소분압은 빠르게 상승한다. 실제로, 적혈구가 폐모세혈관을 따라 1/10 정도 통과했을 때 이미 혈액과 폐포가스 내 산화질소분압은 거의 같아지는 것을 그림 3.2에서 보여준다. 이 지점을 통과한 이후 폐포벽을 통한 산화질소의 이동은 거의 없다. 따라서, 혈액에 의해 흡수되는 산화질소의 양은 전적으로 가용혈류의 양에 의존하며, 혈액-가스장벽의 확산특성에 전혀 의존하지 않는다. 따라서 산화질소의 이동은 확산제한이 아니고 관류제한(perfusion limited)인 것이다.

그러면 산소는 어떨까? 시간 경과에 따른 폐모세혈액 내 산소분압의 변화는 일산화탄소와 산화질소의 중간 쯤에 있다. 산화질소와 달리 산소는 어느 정도 헤모글로빈과 결합하나 그 친화력이 일산화탄소와는 다르다. 다시 말해서, 산소가 적혈구 안으로 들어갈 때 산소분압의 상승은 동일한 수의 일산화탄소 분자가 적혈구 안에 들어갈 때보다 훨씬 크다. 그림 3.2는 폐모세혈관으로 들어갈 때 적혈구의 P_{O_2}는 혼합정맥혈인 상태의 적혈구에 이미 존재하는 산소가 있어 폐포P_{O_2}의 약 4/10 정도임을 보여준다. 안정상태에서, 전형적으로 폐모세혈액의 산소는 적혈구가 폐모세혈관을 1/3 정도 통과할 때 이미 폐포가스의 P_{O_2}와 사실상 같아진다. 이와 같은 상황에서 산소의 이동은 산화질소처럼 관류제한(perfusion limited) 상태가 된다. 그러나 일부 비정상적인 상태에서, 예를 들어 혈액-가스장벽의 비후로 폐확산장애가 발생하면 적혈구가 폐모세혈관의 말단을 통과할 때까지도 혈액P_{O_2}가 폐포P_{O_2}수준에 도달하지 못하게 되는데 이런 경우 어느 정도 확산제한(diffusion limited)이 같이 있다.

좀 더 상세한 분석에서 가스의 특성이 확산제한(diffusion limited)인지 아닌지 여부는 본질적으로 혈액 내 용해도와 혈액-가스장벽에서의 용해도(확산능)의 차이에 따라 결정된다는 것을 보여주었다(실제로 해리곡선의 기울기; 6장 참조). 일산화탄소와 같은 가스에서, 혈액 내 용해도와 혈액-가스장벽에서의 용해도(확산능)는 매우 다르지만, 산화질소와 같은 가스에서는 이 두 가지가 같다. 비유하자면 양이 축사의 문(확산능, 혈액-가스장벽의 용해도)을 통해 목초지(혈액의 용해도)로 나갈 때의 속도와 같다. 문은 좁으나 목초지가 큰 경우, 지정된 시간 안에 나갈 수 있는 양의 수는 문의 크기에 의해 제한(diffusion limited)된다. 그러나 축사의 문과 목초지가 모두 작으면(또는 둘 다 큰 경우라도) 지정된 시간 안에 나갈 수 있는 양의 수는 목초지의 크기에 의해 제한(perfusion limited)되는 것과 같다.

폐모세혈관을 통한 산소흡수(Oxygen uptake along the pulmonary capillary)

폐모세혈관을 통과하는 혈액에 의한 산소흡수과정을 상세히 살펴보자. 그림 3.3A는 폐모세혈관으로 들어가는 적혈구의 P_{O_2}, 즉 혼합정맥혈P_{O_2}(mixed venous P_{O_2})는 정상적인 경우 약 40 mmHg이다. 그런데 두께가 겨우 0.3 μm에 불과한 혈액-가스장벽을 사이에 둔 폐포 안의 P_{O_2}는 100 mmHg이므로 상대적으로 높다. 이와 같이 큰 압력차에 의해 산소가 폭주하듯이 이동하면 적혈구P_{O_2}는 빠르게 상승한다. 이미 살펴본 바와 같이, 실제로 적혈구가 폐모세혈관의 1/3 정도 지날 때(또는 0.25초 경과 시) 적혈구P_{O_2}는 이미 폐포가스 P_{O_2}와 비슷한 정도로 상승한다. 따라서, 정상적인 상태에서, 폐포가스와 폐모세혈액 간의 P_{O_2}차이는 측정할 수 없을 정도로 작다(아마도 아주 적은 수 mmHg 차이에 불과). 적혈구가 폐모세혈관을 통과하는 극히 짧은 시간 동안에 산소분압은 거의 완벽하게 평형에 도달하므로 확산을 위한 상당한 여유용량이 있으며, 이와 같은 여유는 혈액-가스장벽의 비후 또는 혈액-가스장벽 사이의 가스분압의 차이가 작아질 때와 같이 다양한 상황에서 유용하다.

심한 운동 시에는 폐혈류가 크게 증가하여 적혈구가 모세혈관을 통과하는 평균적인 시간(약 0.75초)이 1/3 정도까지 단축될 수 있다. 확산에 필요한 시간은 단축되더라도 해수면에서 대기 호흡 중인 건강한 사람에서는 일반적으로 폐모세혈관 말단의 P_{O_2}는 측정 가능할 정도까지 감소하지 않는다. 그러나, 만약 폐질환 등에 의해 혈액-가스장벽이 심하게 비후해 산소의 확산장애가 발생하면, 이로 인해 적혈구세포 내 P_{O_2}의 상승속도는 느려지고, 따라서 폐모세혈관을 완전히 통과한 적혈구의 P_{O_2}가 폐포가스의 P_{O_2}와 비슷한 수준까지 도달하지 못할 수 있다. 이 같은 경우 폐포가스와 모세혈관말단의 혈액 사이에는 측정 가능한 P_{O_2}의 차이가 발생할 수 있다.

폐확산이 악화되는 또 다른 원인은 폐P_{O_2}가 감소하는 것이다(그림 3.3B). 높은 고도에 노출되거나, O_2농도가 낮은 혼합가스를 흡입함으로써 피험자의 폐포P_{O_2}가 50 mmHg로 감소되었다고 가정해보자. 이때 폐모세혈관의 시작점에 있는 적혈구의 P_{O_2}는

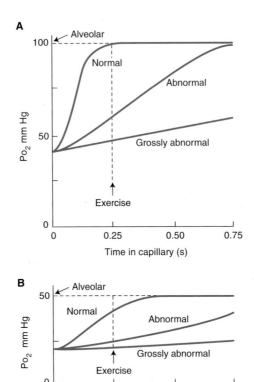

그림 3.3. 정상 및 비정상적인 확산(예: 폐질환에 의한 혈액-가스장벽의 비후)에서 시간경과에 따른 폐모세혈액의 산소분압(oxygen time course)의 차이를 비교한 그림. A. 폐포Po_2가 정상일 때 시간경과를 보여준다. B. 폐포Po_2가 비정상적으로 낮을 때 산소화가 느려진 것을 보여준다. 운동을 심하게 할 때 두 경우 A, B 모두에서 산소화진행 필요한 시간이 짧아지는 것을 알 수 있다.

약 20 mmHg에 불과한 정도지만 혈액-가스장벽을 가로질러 O_2를 이동시키는 O_2분압차는 60 mmHg에서 30 mmHg로 감소한다(그림 3.3A). 따라서 혈액-가스장벽을 통과하는 O_2의 움직임을 느리게 한다. 더구나, Po_2가 낮을 때는 산소해리곡선의 경사가 가파르기 때문에 혈액 내 일정량의 산소농도 증가에 대한 Po_2의 상승률은 낮다(6장 참조). 그러므로 이런 두 가지 이유 때문에 모세혈관을 따라 진행되는 혈액Po_2의 상승은 상대적으로 느리고 또한 폐포Po_2 수준까지 도달하지 못할 가능성이 높다. 따라서, 매우 높은 고도에서 심한 운동을 하는 것이 건강한 사람에서 확산장애 때문에 산소전달장애가 발생하는 것을 확실하게 증명할 수 있는 몇 가지 안 되는 상황 중 하나이다. 마찬가지로 혈액-가스장벽이 비후해진 환자에서 산소농도가 낮은 혼합가스를 호흡하는 경우, 특히 동시에 운동을 같이하는 경우에 확산장애의 증거를 확인할 수 있다.

> ### 혈액-가스장벽을 통과하는 산소의 확산(Diffusion of oxygen across the blood-gas barrier)
>
> - 안정 시 적혈구세포가 폐모세혈관을 통과하는 시간은 약 0.75초이다.
> - 안정 시, 혈액P_{O_2}는 폐모세혈관을 통과하는 시간의 1/3(약 0.25초) 안에 사실상 폐포가스P_{O_2}와 같은 수준에 도달한다.
> - 혈액–가스장벽을 통한 확산과정에는 상당한 예비량 혹은 여유가 있다.
> - 운동 시 적혈구세포는 폐모세혈관을 빠르게 통과한다.
> - 확산과정은 운동, 폐포저산소증 그리고 혈액–가스장벽의 비후 등에 의해 악화된다.

확산능 측정(Measurement of diffusing capacity)

임상이나 연구목적으로 폐확산능의 측정이 유익한 경우가 있다. 일산화탄소의 이동은 확산에 의해서만 제한되기 때문에 확산능 측정 시 우선적으로 선택되는 가스이다. 어떤 특정상황(예: 폐섬유화증)에서 산소가 확산제한(diffusion limited)상태가 될 수 있으므로 한때 산소를 저산소상태의 확산능측정에 사용한 적이 있지만(그림 3.3B), 이 측정법은 더 이상 사용되지 않는다.

확산법칙(그림 3.1)에서 조직판을 가로질러 전달되는 가스의 양은 면적(A), 확산상수(D, 가스의 용해도와 분자량에 의해 결정됨), 분압의 차이 등에 비례하여 결정되며, 두께(T)에는 반비례한다.

$$\dot{V}_{gas} = \frac{A}{T} \cdot D \cdot (P_1 - P_2)$$

그러나 생체에서 폐의 혈액-가스장벽과 같은 복잡한 구조의 면적과 두께를 측정하는 것은 불가능하다. 대신에 방정식을 다음과 같이 다시 쓸 수 있다.

$$\dot{V}_{gas} = D_L \cdot (P_1 - P_2)$$

여기서 D_L은 폐확산능(diffusing capacity of lung)이라고 불리우며, 이는 조직판의 면적, 두께 그리고 가스의 확산특성이 포함된다. 따라서 일산화탄소 확산능은 다음과 같다.

$$D_L = \frac{\dot{V}_{CO}}{P_1 - P_2}$$

여기서 P_1과 P_2는 각각 폐포가스와 폐모세혈관의 분압이다. 그러나 이미 아는 바와 같이(그림 3.2), 모세혈관의 일산화탄소분압은 아주 작으며 일반적으로 무시할 수 있다. 그러므로 공식은 다음과 같이 정리할 수 있다.

$$D_L = \frac{\dot{V}_{CO}}{P_{A_{CO}}}$$

즉, 일산화탄소에 대한 폐확산능은 폐포에서 일산화탄소분압 1 mmHg당, 1분간, 폐포에서 폐모세혈액으로 전달되는 일산화탄소의 부피를 밀리리터로 표시한 것이다.

흔히 사용되는 검사방법은 단일호흡법으로, 희석된 일산화탄소혼합물을 한 번 흡입하고 10초간 숨을 참는 동안에 폐포가스에서 일산화탄소가 사라지는 비율을 계산한다. 이 방법은 보통 적외선분석기로 흡기와 호기가스 내 일산화탄소의 농도를 측정한다. 숨을 참는 시간 동안 일산화탄소의 폐포농도가 일정하지는 않지만 용인할 수 있다. 또한 폐용적을 희석법으로 측정하기 위해 흡기가스에 헬륨을 추가한다.

안정 시 일산화탄소의 정상확산능은 약 25 mL/min/mmHg이며, 운동 시 폐모세혈관의 동원과 팽창으로 인해 정상수치의 2-3배까지 증가하게 되는데(4장 참조) 이는 운동 시에는 폐모세혈관의 혈액량이 증가하게 되므로 일산화탄소 흡수량도 증가한다.

확산능의 측정(Measurement of diffusing capacity)

- 확산능 측정에는 일산화탄소가 사용되는데 그 이유는 이 가스가 흡수될 때 확산제한(diffusion limited)의 특성이 있기 때문이다.
- 정상확산능은 약 25 mL/min/mmHg이다.
- 운동 시 확산능은 증가한다.

헤모글로빈과의 반응속도(Reaction rates with hemoglobin)

지금까지 우리는 O_2와 CO 이동에 대한 저항은 모두 혈액-가스장벽에 있다고 가정했다. 그러나 그림 1.1에서 보는 것처럼 폐포벽에서 적혈구 중심까지의 길이가 폐포벽 자체보다 두껍기 때문에 확산저항의 일부는 모세혈관 안에 있음을 알 수 있다. 더구나 확산과 함께 가장 쉽게 설명되는 가스전달(gas transfer)에 대한 또 다른 형태의 저항, 즉 적혈구 안에 있는 헤모글로빈과 O_2(또는 CO)의 유한반응속도(finite rate of reaction)에 의해 발생하는 저항이 있다.

혈액에 O_2(또는 CO)가 추가되면 이것들은 헤모글로빈과 0.2초 이내로 매우 빠르게 결합한다. 폐모세혈관에서 산소화는 매우 빠르게 진행되지만(그림 3.3) 이와 같이 빠른 반응조차도 적혈구에 산소가 적재되는데 상당한 지연요인으로 작용할 수 있다. 따라서,

O₂(또는 CO)의 흡수는 다음과 같은 두 가지 단계로 나눠 설명할 수 있다. (1) 혈액-가스장벽을 통한 산소의 확산(혈장과 적혈구 내부를 포함) 및 (2) 헤모글로빈에 대한 산소의 반응(그림 3.4). 실제로, 이 두 단계의 저항(resultant resistance)을 합쳐 '전체적인 확산' 저항을 계산할 수 있다.

앞에서 폐확산능이 $D_L = \dot{V}_{gas}/(P_1 - P_2)$로 정의됨을 보았다. 이는 가스의 유량(V)을 압력차($P_1 - P_2$)로 나눈 것과 같다. 그러므로 D_L의 역수는 압력차를 유량으로 나눈 값이며 전기저항(electrical resistance)과 유사하다. 그림 3.4에서 혈액-가스장벽의 저항은 $1/D_M$로 표시되며, 여기서 M은 막(membrane)을 의미한다. 이제 O₂(또는 CO)와 헤모글로빈의 반응속도를 θ로 설명할 수 있는데, 이는 O₂(또는 CO)분압(mmHg)당 1분간, 1 mL의 혈액에 결합하는 O₂(또는 CO)를 mL/min의 단위로 표시한다. 이것은 1 mL 혈액의 '확산능'과 유사하며, 폐모세혈량(V_c)을 곱하면 O₂와 헤모글로빈 반응속도에 적절한 '확산능'을 알려준다. 다시 말하면 이것의 역수, 즉 $1/(\theta \cdot V_c)$는 이 반응의 저항을 보여준다. 세포막과 혈액에 의해 발생하는 저항을 합하면 총확산저항(total diffusion resistance)을 알 수 있다. CO가 혈액-가스장벽을 가로질러 이동한 다음 헤모글로빈과 결합하는 과정은 본질적으로 서로 연속되어 있기 때문에, 총 확산저항은 세포막과 혈액 때문에 발생하는 각각의 저항을 합하여 계산할 수 있다. 따라서 총 확산저항의 완전한 공식은:

$$\frac{1}{D_L} = \frac{1}{D_M} + \frac{1}{\theta \cdot V_c}$$

실제로, 세포막 및 혈액성분에 의해 발생하는 저항은 대략 같으므로 어떤 질환에 의해 모세혈관혈액량이나 헤모글로빈 농도가 감소하면 폐에서 측정한 확산능이 감소될 수 있다. O₂와 CO가 헤모글로빈과 결합할 때는 서로 경쟁하므로 만일 피험자가 고농도의 산소혼합가스를 흡입하는 경우 CO에 대한 θ는 감소한다. 결과적으로, 보충산소 투여 시 확산능측정치는 감소한다. 실제로, 서로 다른 폐포P_{O_2}에서 각각의 CO확산능을 측정함으로써 D_M과 V_c의 개별적인 결과를 계산하는 것이 가능하다.

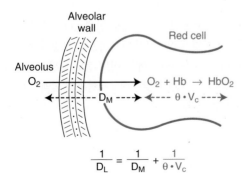

그림 3.4. 폐확산능(D_L)은 (1) 확산과정 그 자체, (2) O₂(또는 CO)가 헤모글로빈과 반응하는 데 걸리는 시간을 포함한 2가지의 요소로 구성된다.

헤모글로빈과 O_2 및 CO의 반응속도(Reaction rates of O_2 and CO with hemoglobin)

- 헤모글로빈과 O_2반응속도는 빠르지만 모세혈관을 통과하는 시간이 아주 짧기 때문에 이 반응속도의 제한요소로 작용할 수 있다.
- O_2흡수(uptake)에 대한 저항은 헤모글로빈과 O_2의 반응속도가 관여하며 아마도 혈액-가스장벽을 지나는 확산저항과 거의 같다.
- 폐포P_{O_2}가 변하면 CO의 반응속도도 달라질 수 있다. 이 같은 방법으로, 혈액-가스장벽의 확산특성(D_M)과 모세혈류량(V_c)이 각각 어느 정도 헤모글로빈과 CO의 반응속도에 기여하는지 알 수 있다.

CO확산능 해석(Interpretation of diffusing capacity for CO)

CO폐확산능의 측정결과는 혈액-가스장벽의 두께와 면적뿐만 아니라 폐모세혈관의 혈액량 그리고 헤모글로빈의 농도에 달려 있음이 분명하다. 더구나, 폐질환이 있는 상태에서 폐확산능 결과는 확산특성의 분포, 폐포용적과 폐모세혈류량 등에 의해 영향을 받는다. 이런 이유로, 전달인자(transfer factor)라는 용어가 때때로(특히 유럽에서) 사용되는데 이는 측정치가 폐의 확산특성에 의해서만 달라지지 않는다는 것을 강조하기 위함이다. 임상진료 중 혈액-가스장벽 그 자체에 대하여 보다 구체적인 정보(결과)를 얻기 위해서는 확산능 측정치를 헤모글로빈농도와 폐포용적에 따라 보정하여야 한다.

폐모세혈관을 통과하는 이산화탄소 전달(CO_2 transfer across the pulmonary capillary)

CO_2용해도가 O_2용해도보다 약 20배가량 높기 때문에 조직을 통한 CO_2확산은 더 빠른 것으로 알려져 있다(그림 3.1). 그러므로 언뜻 보기에 확산장애로 인해 CO_2배출과정이 영향을 받을 가능성은 거의 없으며, 실제로 이것이 일반적인 믿음이었다. 그렇지만 혈액과 CO_2의 반응은 복잡하며(6장 참조) 여러 반응들의 속도에는 어느 정도 불확실성이 있으므로, 만일 혈액-가스장벽에 병적인 변화가 있는 경우 말단폐모세혈관의 혈액과 폐포가스 사이에는 CO_2분압의 차이가 발생할 수 있다.

핵심개념(Key concepts)

1. Fick's법칙에서 조직판을 통한 가스의 확산속도는 조직판의 면적과 조직판 양측의 분압차이에 비례하며 조직판 두께에 반비례한다.

2. 확산제한가스와 관류제한가스의 예는 각각 일산화탄소, 산화질소이다. 산소의 전달과정은 일반적으로는 관류제한(perfusion limitation)이지만, 심한 운동, 혈액-가스장벽의 비후 및 폐포저산소증 등에서는 일부 확산장애(diffusion limitation)가 발생할 수 있다.

3. 폐확산능은 일산화탄소를 흡입하여 측정한다. 운동 시 폐확산능의 측정치는 현저히 증가한다.

4. 헤모글로빈과 O_2 간 유한반응속도(finite rate of reaction)는 혈액으로의 산소전달속도를 감소시킬 수 있으며 그 효과는 확산속도를 줄이는 것과 유사하다.

5. 혈액-가스장벽을 통한 이산화탄소의 전달은 아마도 확산제한(diffusion limited)은 아니다.

임상증례검토(Clinical vignette)

평생 흡연력이 없는 40세 여성이 6개월 걸쳐 악화되는 호흡곤란의 원인을 찾기 위해 내원하였다. 이학적검사에서 빈호흡이 있었으며 최대흡입 시 흉곽의 움직임이 제한되어 보였다. 청진상 양측 후하부폐야에 미세한 흡기수포음(fine inspiratory crackle)이 들렸다. 흉부방사선 사진은 하부폐영역에서 '망상' 또는 그물모양의 음영증강과 함께 폐용적이 줄어든 것을 보여주었다. 폐기능검사에서 폐용적은 감소되었으며 일산화탄소확산능은 정상치의 절반 미만이었다. 안정 시 그리고 클리닉 주변을 최대한 걷는 상태에서 동맥혈가스검사를 시행하였다. 안정 시 동맥혈Po_2는 정상이었지만, 운동 시에는 크게 감소하였다. 환자에서 외과적 폐생검을 시행하였고 그 결과 콜라겐 침착과 더불어 치밀한 섬유화 영역과 폐포벽의 비후가 함께 확인되었다.

- 일산화탄소확산능이 감소한 이유는 무엇인가?
- 운동 시 동맥혈Po_2는 왜 감소했는가?
- 혈액-가스장벽을 통한 산소전달을 어떻게 개선시킬 수 있는가?
- 환자의 동맥혈Pco_2는 얼마가 될 것으로 예측하나?

문제(Questions)

각 문항에 대해 가장 적절한 답 한 개를 선택하라.

1. 조직판을 통한 가스확산에 대해서 Fick's법칙을 적용할 때 가스 X가 가스 Y에 비해 용해도가 4배 높고, 또 분자량이 4배 높은 경우 X와 Y의 확산율의 비율은 얼마인가?
    A. 0.25
    B. 0.5
    C. 2
    D. 4
    E. 8

2. 운동 중 저농도의 CO를 일정하게 호흡하고 있다. 만일 폐포P_{CO}가 0.5 mmHg이고 CO흡수량이 30 mL/min인 경우 CO폐확산능은 mL/min/mmHg로 얼마인가?
    A. 20
    B. 30
    C. 40
    D. 50
    E. 60

3. 정상인에서 폐확산능이 2배 증가되면 발생할 현상으로 예상되는 것은?
    A. 안정호흡 시 동맥혈P_{CO_2}가 감소한다.
    B. 피험자가 10% 산소로 호흡하면 안정 시 산소흡수량이 증가한다.
    C. 마취 중에 산화질소 흡수가 증가된다.
    D. 안정호흡 시 동맥혈P_{O_2}가 증가된다.
    E. 극한고도에서 최대산소섭취량(maximal oxygen uptake)이 증가된다.

4. 아래 그림은 혈액이 폐모세혈관을 통해 이동할 때 두 기체(가스A와 가스B)의 분압 변화를 시간경과에 따라 표시한 것이다. 확산제한을 보이는 가스는 어떤 것인가?

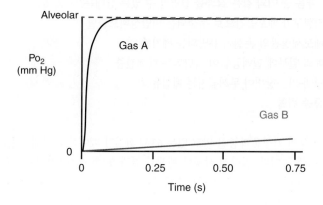

A. A가스

B. B가스

5. 아래 그림은 두 가지 조건 A와 B에서 혈액이 폐모세혈관을 통과할 때 P_{O_2}의 변화를 보여준다. 다음 중 조건 A와 비교할 때 조건 B에서 관찰된 시간경과에 따른 P_{O_2}의 변화 원인을 설명할 수 있는 것은 무엇인가?

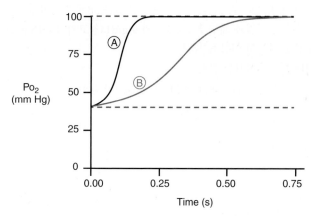

A. 높은 고도로 상승

B. 분당환기량 감소

C. 운동

D. 흡기 산소농도 증가

E. 혈액-가스장벽 비후

6. 호흡곤란이 악화된 48세 환자에서 원인을 찾기 위해 폐기능검사를 시행하였으며 측정결과 일산화탄소확산능이 32 mL/min/mmHg로 정상예측치에 비해 10% 높았다. 다음 중 이와 같은 결과를 설명할 수 있는 상태는?

    A. 적혈구가 폐포공간으로 누출되는 미만성폐포출혈

    B. 폐모세혈관의 손실이 유발되는 폐기종

    C. 폐의 일부에 혈액공급이 차단되는 폐색전증

    D. 혈액-가스장벽이 두꺼워지는 폐섬유증

    E. 중증 빈혈

7. 원인 미상의 폐섬유화증을 앓고 있는 63세 환자가 폐이식을 위해 운동심폐기능검사를 시행 중이다. 얼마전 시행한 폐생검 결과 혈액-가스장벽 두께 중 가장 얇은 곳이 0.9 μm였다. 또한 일산화탄소폐확산능은 정상예측치의 40%였다. 정상인과 비교할 때 이 환자의 운동부하검사에서 예상할 수 있는 결과는?

    A. 해부학사강량 감소

    B. 폐포P_{O_2} 감소

    C. 동맥혈P_{O_2} 감소

    D. 흡기P_{O_2} 감소

    E. 혈액-가스장벽을 통과하는 확산속도 증가

8. 퇴행성골관절염으로 부르펜을 장기복용하고 있는 58세 여성이 운동 시 심한 피로감으로 왔다. 검사결과 헤모글로빈 수치가 9 g/dL(참고치: 13-15 g/dL)였다. 다음 중 흔히 관찰 가능한 이상소견은?

    A. 일산화탄소폐확산능 감소

    B. 기능잔기용량(functional residual capacity) 감소

    C. 잔기량(residual capacity) 감소

    D. 생리적사강 증가

    E. 폐첨부의 환기량 증가

9. 아래 그림은 정상폐와 미만성폐질환 환자의 조직병리학적 소견이다. 폐모세혈관은 각각의 폐포벽에 위치한다. 다음 중 정상폐와 비교하여 환자에서 발견될 것으로 예상되는 것은?

Normal   **Patient**

A. 운동 중 폐포와 말단모세혈관 간의 P_{O_2} 차이 증가
B. 폐포 P_{O_2} 증가
C. 일산화탄소확산능 증가
D. 혈액-가스장벽을 통한 산소전달속도 증가
E. 산소와 헤모글로빈 반응속도 증가

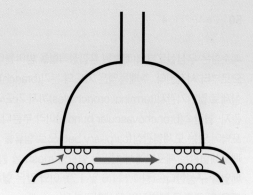

혈류와 대사
(Blood flow and metabolism)

폐순환이 어떻게 폐에서 가스를 배출하고
또 몇몇 대사물질을 변화시키는가?

4

이제부터는 폐로부터 어떻게 호흡가스가 제거, 즉 어떻게 호흡가스가 폐포에서 혈액으로 이동하는지 살펴보자. 먼저 폐혈관 내부와 외부의 압력을 생각해본 다음 폐혈관저항을 설명한다. 다음으로, 총폐혈류량을 측정해 보고 중력에 따라 변하는 균등하지 못한 폐혈류분포를 확인해 본다. 그 다음 폐순환의 능동적인 제어를 설명하고 폐 안에서의 수분균형(fluid balance)에 대해 설명한다. 마지막으로, 폐순환의 다른 기능, 특히 폐의 대사작용을 다루게 된다.

4장을 끝까지 공부하면 독자들은 다음과 같은 내용을 이해할 수 있을 것이다.

- 폐용적, 폐혈관압 그리고 폐포산소압의 변화가 폐혈관저항에 미치는 영향을 예측할 수 있다.
- 폐혈관저항, 심장박출량과 총모세혈관여과압을 계산한다.
- 폐포압과 폐동맥압 그리고 폐정맥압의 균형이 폐의 여러 다른 부위의 혈류에 미치는 영향을 설명한다.
- 저산소폐혈관수축(hypoxic pulmonary vasoconstriction)의 기전과 생리학적인 역할을 설명한다.
- 폐순환을 통과할 때 발생하는 다양한 물질의 변화를 설명한다.

폐순환은 우심실로부터 배출된 혼합정맥혈을 받아들이는 주폐동맥(main pulmonary artery)으로부터 시작된다. 주폐동맥은 기도의 분기(branch)를 따라 연속적으로 분기되고 폐동맥은 실제로 말단기관지(terminal bronchioles)까지 기도와 함께 주행하며(그림 1.3) 이를 종종 기관지-혈관속(bronchovascular bundle)이라 부른다. 말단기관지를 지나면서 폐동맥들은 폐포벽에 있는 모세혈관상(carpillary bed)으로 혈류를 공급하기 위해 퍼진다(그림 1.6 및 1.7)..
폐모세혈관은 폐포벽에서 치밀한 혈관망(mesh)을 형성하여 가스교환을 위한 매우 효율적인 배열을 구성한다(그림 1.1, 1.6 및 1.7). 이와 같은 혈관망은 너무나 풍부하여, 일부 생리학자들은 이 구조를 개별적인 모세혈관분절(carpillary segment)들이 연결된 네트워크라고 설명하는 것은 잘못된 오해를 일으킬 수 있다고 주장하면서 모세혈관상(capillary bed)을 다음과 같은, 즉 상, 하의 조직판(sheet) 사이에 혈액이 흐르며 기둥(post)에 의해 일부가 막힌 구조라는 개념을 선호한다(그림 1.6). 부연하면 드문드문 기둥(post)이 있는 지하 주차장의 바닥과 천장을 모세혈관상(carpillary bed)의 조직판으로 위, 아래 조직판을 연결하는 기둥은 폐포중격 그리고 주차된 자동차를 적혈구라고 비유할 수 있겠다(그림 4.1).
산소화된 혈액은 모세혈관상(capillary bed)으로부터 모이게 되고 소엽(lobule) 사이를 지나는 작은 폐정맥들이 합쳐지면서 최종적으로 4개의 큰 폐정맥을 지나서 좌심방으로 이동한다.
언뜻 보기에 폐순환계(pulmonary circulation)는 대동맥에서 시작하여 우심방에서 끝나는 전신순환계(systemic circulation)의 작은 복사판처럼 보인다. 그러나 두 순환계 사이에는 구조와 기능에 있어서 중요한 차이점이 있다.

그림 4.1. 지하주차장. 바닥과 천장은 폐포 모세혈관상(capillary bed)의 조직판, 이 둘을 연결하는 기둥은 폐포중격(interalveolar septum), 그리고 자동차는 적혈구로 비유할 수 있다.

폐혈관 내 압력(Pressures within pulmonary blood vessels)

폐순환계의 압력은 매우 낮다. 주폐동맥의 평균압은 겨우 15 mmHg에 불과하고 수축기 및 이완기압은 각각 약 25 및 8 mmHg이다(그림 4.2). 대동맥의 평균압은 약 100

mmHg이므로 폐동맥압은 대동맥압의 약 1/6에 불과하다. 그러나 우심방압과 좌심방압은 각각 약 2 mmHg와 5 mmHg로 크게 다르지 않다. 따라서, 폐순환계와 전신순환계의 입구와 출구의 압력차는 각각 약 (15 - 5) = 10 mmHg와 (100 - 2) = 98 mmHg이며 약 10배 차이가 난다.

폐동맥과 그 분지혈관벽은 이와 같이 낮은 압력에 적합하게 상당히 얇고 또 평활근도 비교적 적어 정맥으로 쉽게 오인된다. 이것은 전신순환계와는 뚜렷한 차이를 보여주는 것으로, 일반적으로 전신순환계는 동맥벽이 두껍고 특히 세동맥에는 평활근이 많이 존재한다.

두 순환계가 이와 같은 차이를 보이는 이유는 각 순환계의 기능을 비교할 때 분명해진다. 전신순환계는 심장 위치보다 훨씬 높게 위치한 장기(예: 뇌)를 포함하여 여러 다양한 장기의 혈액공급을 조절한다. 반면에, 폐는 심장에서 나오는 심박출량 전부를 언제든지 수용해야 할 필요가 있다. 폐색전증에서처럼 국소적인 폐포저산소증에 대한 반응(즉, 저산소폐혈관 수축)을 제외하고 폐순환계는 한 구역에서 다른 구역으로 혈류방향을 변환시키는 역할은 거의 없다(61-62페이지 참조). 결과적으로 폐동맥압은 혈액을 폐첨부까지 끌어올릴 수 있는 정도로 낮다. 이렇게 폐동맥압이 낮게 유지되면 폐에서 효율적으로 가스교환이 진행되는데 적합하면서 또한 가능한 한 우심장일(work of right heart)을 낮게 유지할 수 있다.

정확한 폐모세혈관(pulmonary capillaries) 내부압력은 잘 모른다. 그러나 가장 신뢰할 만한 근거는 폐동맥압과 폐정맥압의 중간 정도라는 것이고 아마도 모세혈관상(capillary bed) 그 자체 내에서 상당한 정도의 혈압하강이 발생한다. 전신순환계는 모세혈관에 도달하기 직전 대부분의 혈압하강이 발생하는 데 비해 폐순환계의 압력분포는 훨씬 대칭적, 즉 폐동맥과 폐정맥의 차이가 적다(그림 4.2). 더구나 폐모세혈관 안의 압력은 정수압효과(hydrostatic effect)에 의해서 폐 전체에 걸쳐 상당히 다르다(아래 참조).

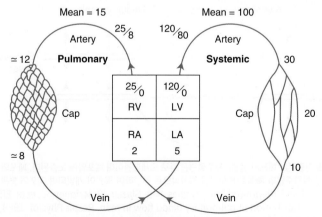

그림 4.2. 폐순환계와 전신순환계의 압력비교(mmHg). 압력은 정수압의 차이에 따라 달라진다.

폐혈관주위 압력(Pressures around pulmonary blood vessels)

폐모세혈관은 사실상 가스에 의해 둘러싸여 있다는 점에서 독특하다(그림 1.1 및 1.7). 폐포를 둘러싸고 있는 매우 얇은 상피세포층이 존재하는 것은 사실이나, 폐모세혈관은 상피세포층의 지지를 거의 받지 않고 있기 때문에 결과적으로 폐모세혈관 내부 또는 주변의 압력에 따라 허탈(collapse) 또는 팽창(distend)이 일어나기 쉽다. 폐모세혈관 주변의 압력은 폐포압과 매우 유사하다(폐포압은 일반적으로 대기압에 가깝다. 성문이 열려 있는 상태에서 호흡을 멈추고 있을 때 이 두 압력은 실제로 동일하다). 어떤 특별한 경우에는 모세혈관 주변의 유효압(effective pressure)이 폐포를 둘러싸고 있는 유체의 표면장력에 의해 감소된다. 그러나 일반적으로 유효압은 폐포압(alveolar pressure)과 같으며, 폐포압이 폐모세혈관 내부압보다 높아지면 폐모세혈관은 허탈상태가 된다. 폐모세혈관 안팎의 압력차를 종종 경벽압(transmural pressure)이라고 부른다.

그러면 폐동맥과 폐정맥 주변의 압력은 어느 정도일까? 이 압력은 폐포압에 비해 상당히 낮을 수 있다. 이는 폐가 팽창함에 따라, 탄성폐실질(elastic lung parenchyma)이 혈관들을 사방으로 견인하여 이와 같이 큰 혈관들을 개방시키기 때문이다(그림 4.3 및 4.4). 결과적으로, 이런 혈관주변의 유효압은 낮고 실제로 이 압력이 전체 폐 주위의 압력, 즉 흉막내압보다 훨씬 낮다는 어떤 증거가 있다. 이와 같이 혈관주변의 유효압이 흉막내압보다 낮다는 역설은 혈관이나 기관지와 같이 비교적 단단한 구조물이 폐실질과 같이 빠르게 팽창하는 탄성조직에 의해 둘러싸여 있을 때 발생하는 기계적 이점에 의해 설명될 수 있다. 폐가 팽창하면 어떤 경우든지 폐동맥과 폐정맥 모두에서 직경이 증가한다.

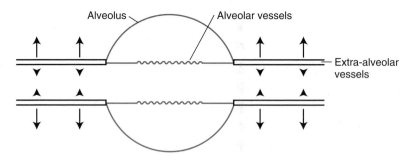

그림 4.3. '폐포혈관' 및 '폐포외 혈관'. 폐포혈관은 주로 모세혈관이며 폐포압에 노출된다. 폐포외 혈관은 조금 더 큰 혈관으로 혈관주변의 폐실질이 혈관을 방사상으로 견인하여 혈관이 개방되며 폐포외 혈관 주변의 유효 압력은 폐포압보다 낮다. (Reprinted from Hughes JMB, Glazier JB, Maloney JE, et al. Effect of lung volume on the distribution of pulmonary blood flow in man. Respir Physiol. 1968;4(1):58-72. Copyright © 1968 Elsevier. With permission.)

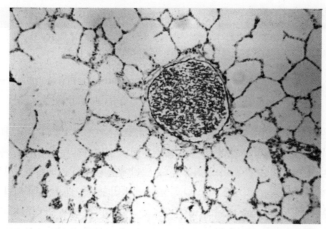

그림 4.4. 폐절단면은 많은 폐포혈관 및 폐포외 혈관(이 경우에는 소정맥)과 함께 혈관주위집(perivascular sheath)을 보여주고 있다.

폐모세혈관과 폐동맥 및 폐정맥과 같이 큰 혈관은 호흡과 관련하여 서로 매우 다른 행태를 보이기 때문에 이것들을 흔히 '폐포혈관(alveolar vessels)'과 '폐포외 혈관(extra-alveolar vessels)'으로 각각 구별해 부른다(그림 4.3). 폐포압에 노출되는 폐포혈관은 폐모세혈관과 폐포벽의 모서리에 있는 조금 더 큰 혈관을 포함한다. 이때 폐포혈관들의 직경은 폐포압과 폐포혈관 내 압력 사이의 관계에 의해 결정된다. 큰 혈관인 폐포외 혈관은 폐실질을 통과하는 폐동맥과 폐정맥을 모두 포함한다. 폐포외 혈관의 직경은 폐용적에 의해 크게 영향을 받는데, 이는 폐용적의 팽창 정도에 따라 혈관벽에 작용하는 폐실질의 견인확장효과 또는 방사상 견인력(radial traction)이 결정되기 때문이다. 폐문 근처의 매우 큰 혈관들은 폐조직 밖에 위치하므로 흉막내압(intrapleural pressure)에 노출된다.

폐포혈관과 폐포외 혈관들(Alveolar and extra-alveolar vessels)

- 폐포혈관들은 폐포압에 노출되며 폐포압이 증가하면 혈관들이 압박을 받게 된다.
- 폐포 외 혈관은 폐포보다 낮은 압력에 노출되며, 사방에서 이 혈관들에 작용하는 폐실질의 견인력에 의해 잡아 당겨져서 개방된다.

폐혈관저항(Pulmonary vascular resistance)

혈관계의 저항은 다음과 같이 설명하는 것이 유용하다.

$$혈관저항(vscular\ resistance) = \frac{입력압(input\ pressure) - 출력압(output\ pressure)}{혈류(blood\ flow)}$$

　이것은 전압차(= 입력전압 - 출력전압)를 전류로 나눈 전기저항과 유사하다. 그러나 혈관저항치는 혈관시스템의 압력-유량특성을 완전히 설명하지 못한다. 예를 들면, 혈관저항치는 보통 혈류의 크기에 따라 좌우된다. 그럼에도 불구하고 폐혈관저항치는 종종 다른 순환계나, 동일한 순환계를 서로 다른 조건에서 비교하는 데 도움이 된다.

　폐순환계를 볼 때 폐동맥에서 좌심방으로 이동할 때 전체 압력하강은 겨우 약 10 mmHg 정도이지만, 전신순환계에서(즉, 대동맥으로부터 우심방으로 이동할 때) 압력하강은 약 100 mmHg이다. 그런데 두 순환계를 통과하는 혈액유량은 사실상 같기 때문에, 폐혈관저항은 전신순환계의 저항에 비해 약 1/10에 불과하다. 폐혈류의 유량은 약 6 L/min이므로 폐혈관저항은 (15 - 5)/6 또는 약 1.7 mmHg/L·분이다.[*]

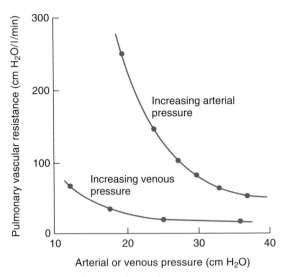

그림 4.5. 폐동맥 또는 폐정맥압이 상승함에 따라 폐혈관저항은 감소한다. 동맥압이 상승하더라도 정맥압은 12 cmH₂O로 일정하게 유지되고 정맥압이 상승하더라도 동맥압은 37 cmH₂O의 압력이 유지된다. (절제된 동물 폐 표본으로부터 얻은 결과임)

---

[*] 때때로 폐혈관저항은 $dyne \cdot s \cdot cm^{-5}$ 단위로 표시된다. 따라서 정상치 100 정도이다.

전신순환계의 높은 저항은 몸의 여러 장기에 공급되는 혈류를 조절하는 세동맥의 잘 발달된 평활근수축에 의해 주로 발생한다. 그러나 폐 순환계는 이런 구조의 혈관이 없으며, 넓은 폐포벽을 덮고 있는 얇은 필름과 같은 혈관에 혈액이 넓게 퍼지게 되므로 혈류저항은 낮은 것으로 보인다.

정상적으로 폐혈관저항은 매우 낮지만 어떤 상황(예를 들면 운동 시)에서 폐혈관 내 압력이 상승하더라도 폐혈관저항은 오히려 더 감소시키는 주목할 만한 기능이 있다. 그림 4.5에서 폐동맥압 또는 폐정맥압이 상승할 때 오히려 폐혈관저항은 감소하는 것을 보여준다. 여기에는 두 가지 기전이 관여한다. 정상적으로 안정상태에서 일부 폐모세혈 관들은 닫혀 있거나 아니면 열려 있더라도 혈류는 없는 상태이다. 그런데 폐모세혈관압 이 상승하면 혈류가 없던 이 혈관들을 통해 혈액이 흐르기 시작하면서 전체 저항은 오 히려 낮아진다. 이를 '동원(recruitment)'이란 용어로 표현하며(그림 4.6) 낮은 폐동맥압 이 점차 상승함에 따라 폐혈관저항은 오히려 감소하게 되는 주요 기전이 '동원'임은 명백 하다. 또한 폐동맥압이 낮을 때 왜 어떤 폐혈관에는 관류가 없는지 그 이유를 완전히 이 해하지 못하고 있지만, 아마도 복잡계 네트워크에서 기하학적 배열의 무작위적 차이에 의한 것으로 생각되며(그림 1.6) 결과적으로 혈류가 선호하는 혈관통로가 존재한다.

폐혈관압이 상승하면 개별적인 모세혈관구역들(capillary segments)은 각각 확장 된다. 이때 혈관직경의 증가 또는 '팽창(distension)'이 관찰되는데 폐포공간과 폐모세혈 관을 분리하는 폐포가 매우 얇은 막이라는 것을 생각할 때 그다지 놀라운 일은 아니다 (그림 1.1). 거의 납작한 폐모세혈관의 형태가 좀 더 원형으로 변하는 것은 아마도 '팽창' 에 의한 변화가 주된 기전으로 생각된다. 모세혈관벽이 견인력(stretching)에 대하여 견 디는 힘이 크다는 증거가 있다. 혈관압이 비교적 높을 때 '팽창'이 폐혈관저항을 낮추는 주된 기전임은 명백하다. 그러나 '동원'과 '팽창'은 종종 동시에 발생하며 이런 변화가 운 동 시 폐혈관저항이 감소하게 되는 주요한 기전이다.

폐혈관저항을 결정하는 또 다른 중요한 요인은 폐용적이다. 폐포외 혈관(extra-al-veolar vessels)의 직경(그림 4.3)은 여러 가지 힘의 균형에 의해 결정된다. 앞에서 본 것처

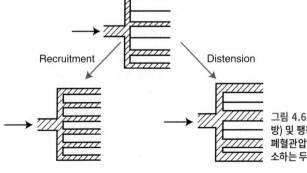

Recruitment   Distension

그림 4.6. 동원(이전에 막힌 혈관의 개 방) 및 팽창(혈관직경의 증가). 이것들이 폐혈관압이 높아져도 폐혈관저항은 감 소하는 두 가지 기전이다.

럼 폐가 팽창하면 폐포외 혈관은 사방으로 견인(radial traction)되므로 이 혈관은 개통된다. 따라서, 폐용적이 커지게 되면 혈관저항은 낮아진다. 반면에 평활근과 탄성조직을 포함하고 있는 폐혈관벽과 같은 조직은 폐의 팽창을 억제하고 또 혈관직경을 작게하는 경향을 보이기 때문에 폐용적이 작아지면 결과적으로 폐혈관저항은 증가한다(그림 4.7). 그리고 실제로 폐가 완전히 허탈에 빠지면, 폐혈관평활근은 매우 강하게 수축하므로 어떤 혈류든지 재개되려면 폐동맥압이 하류의 압력보다 수 cmH$_2$O 이상 높아져야 한다. 혈류재개를 위한 이 같은 압력을 임계개방압(critical opening pressure)이라고 한다.

폐용적에 의해 폐모세혈관저항은 어떤 영향을 받는가? 이는 폐포압의 변화가 폐모세혈관 내부압에 어떤 영향을 주는지, 즉 폐모세혈관경벽압(transmural pressure)에 어떤 변화를 일으키는지 따라 달라진다. 폐모세혈관압에 비해 폐포압이 높아지면 혈관을 압박하는 경향을 보이며 따라서 폐모세혈관저항은 증가한다. 보통 이런 상태는 정상인에서 깊은 흡기(deep inspiration) 시 발생하는데, 그 이유는 흡기를 깊게 할 때 감소하는 흉막내압에 의해 심장이 둘러싸여 있기 때문에 폐모세혈관압은 떨어진다. 그러나, 깊은 흡기 시에 폐순환계의 혈압(즉, 폐모세혈관압)의 감소는 지속되지 않는다. 더구나 폐용적이 커지면서 폐모세혈관직경은 좁아지는데 이때 작용하는 추가적 요소는 폐용적이 커질 때 폐모세혈관벽이 가로질러 당겨지기 때문이다. 이 상태의 폐모세혈관을 비유하면 직경을 가로질러 양쪽에서 잡아당겨지고 있는 두께가 얇은 고무튜브라고 생각하면 되겠다. 폐용적이 커질 때 고무튜브는 납작해져 직경이 크게 감소하게 된다. 그렇기 때문에 폐용적이 크게 팽창하면 폐모세혈관경벽압의 변화가 없더라도 혈관저항은 증가하게 된다(그림 4.7).

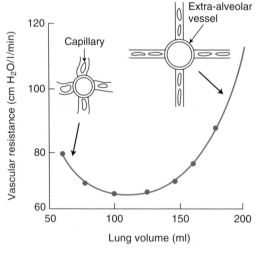

그림 4.7. 폐모세혈관의 경벽압(tranmu-ral pressure)이 일정하게 유지될 때 폐용적이 폐혈관저항에 미치는 영향. 폐용적이 작을 때 폐포외 혈관(extra-alveolar vessel)이 좁아지기 때문에 저항이 높아진다. 또한 어느 정도 이상 폐용적이 커지면 폐모세혈관을 잡아당겨서(stretched) 혈관직경은 오히려 감소한다. 그러므로 폐혈관저항은 정상폐용적에서 가장 낮다.

폐포외 혈관의 직경을 결정하는 데 평활근이 관여하기 때문에 평활근을 수축시키는 물질은 폐혈관저항을 증가시킨다. 여기에는 세로토닌, 히스타민, 노르에피네프린, 엔도텔린 등이 포함된다. 저산소증의 중요한 역할은 다음에 논의한다. 이런 약물은 폐용적이 작아서 폐포외 혈관을 확장시키는 힘이 약할 경우 특히 효과적으로 작용하는 혈관수축제이다. 폐혈관의 평활근을 이완시킬 수 있는 물질은 아세틸콜린, 칼슘통로차단제, 산화질소, 포스포디에스테라제-5 억제제, 프로스타사이클린(PGI$_2$) 등이 있다.

폐혈관저항(Pulmonary vascular resistance)

- 폐혈관저항은 정상적으로 매우 작다.
- 운동 시 폐혈관저항이 감소하는데 이는 운동 시 폐모세혈관이 동원(recruitment)과 팽창(distension)되기 때문이다.
- 폐용적이 정상보다 크거나 작을 때 모두 폐혈관저항은 증가하며 폐용적이 정상일 때 폐혈관저항은 가장 낮다.
- 폐혈관저항은 폐포저산소증은 물론 엔도텔린, 히스타민, 세로토닌, 트롬복산A$_2$에 의해서 증가한다.
- 폐혈관저항은 아세틸콜린, 칼슘통로차단제, 산화질소, 포스포다이에스터분해효소 억제제, 프로스타사이클린(PGI$_2$)에 의해 감소한다.

폐혈류량 측정(Measurement of pulmonary blood flow)

매분마다 폐를 통과하는 혈액량($\dot{Q}$)은 Fick원리를 이용하여 계산할 수 있다. 이는 구강에서 측정된 분당 산소소비량($\dot{V}o_2$)과 폐를 통해 혈액으로 흡수되는 분당산소양이 같다는 것을 의미한다. 폐 안에 들어오는 혈액의 산소농도를 $C_{\bar{V}o_2}$ 라 하고, 폐로부터 나가는 혈액의 산소농도를 Ca_{O_2}라고 하면,

$$\dot{V}o_2 = \dot{Q}(Ca_{O_2} - C\bar{v}_{O_2})$$

이를 정리하면 폐를 통과하는 혈액량(Q)은

$$\dot{Q} = \frac{\dot{V}o_2}{Ca_{O_2} - C\bar{v}_{O_2}}$$

대용량폐활량계로 호기가스를 수집하여 산소농도를 측정하면 분당 산소소비량($\dot{V}o_2$)을 확인할 수 있다. 조금 더 발전된 장비는 유량센서와 마우스피스에 연결된 산소농도분석기를 이용해서 매 호흡 시 산소소모량을 측정하고 이를 이용하여 매분당 총호

흡량의 산소농도를 계산할 수 있다. 그리고 폐동맥카테터를 통해 혼합정맥혈을, 요골동맥을 천자하여 동맥혈을 채혈한다. 또한 염료나 다른 지표물질을 정맥순환계에 주입하고 염료나 지표물질의 (폐)동맥혈액의 농도를 측정하거나 아니면 차가운 생리식염수를 주입한 후 하류혈액의 온도변화를 측정하는 방법으로 폐혈류를 측정할 수 있다. Fick원리나 희석법, 이 두 가지 방법은 모두 매우 중요하지만 심혈관생리의 영역에 속하기 때문에 여기에서는 더 자세히 언급하지 않는다.

혈류분포(Distribution of blood flow)

지금까지 폐순환이 모든 구역에서 동일하다고 가정해 왔다. 그러나 직립상태 사람 폐의 내부혈류는 상당히 불균등한 상태이다. 환기분포상태를 측정하기 위해 사용하는 방사성 크세논법을 변형하여 이것을 확인할 수 있다(그림 2.7). 혈류를 측정하기 위해서 식염수에 녹인 크세논을 말초정맥에 주입한다(그림 4.8). 크세논이 폐모세혈관에 도달하면 크세논의 용해도가 낮기 때문에 폐포가스로 변하게 되고 호흡을 정지한 상태에서 흉부위에 설치한 카운터를 통해 방사능(radioactivity)을 측정할 수 있다.

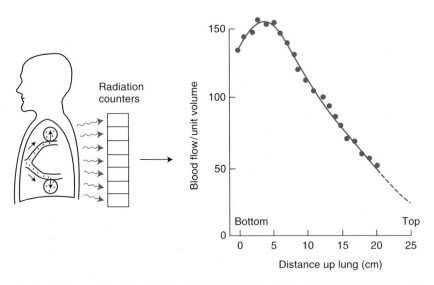

그림 4.8. 방사성동위원소 크세논을 이용하여 직립상태 사람 폐의 혈류분포를 측정하는 법. 용해된 크세논은 폐모세혈관으로부터 나와서 폐포가스로 변한다. 혈류가 균등하다면 혈류단위는 모두 100이 될 것이다. 그러나 폐첨부에서 혈류가 적은 것에 주목하라. (Redrawn from Hughes JMB, Glazier JB, Maloney JE, et al. Effect of lung volume on the distribution of pulmonary blood flow in man. Respir Physiol. 1968;4(1):58-72. Copyright © 1968 Elsevier. With permission.)

　직립상태 사람의 폐에서는 폐기저부의 혈류가 가장 크며 거의 직선적으로 혈류가
감소하여 폐첨부에서 매우 낮은 수치가 된다(그림 4.8). 이와 같은 분포는 자세 변경이나
운동에 의해 영향을 받는다. 자세를 복와위(supine)로 변경하면 폐첨부의 혈류는 증가
하지만 폐기저부의 혈류는 변화가 거의 없으므로 폐첨에서부터 폐기저부까지 혈류의 분
포는 거의 균등해진다. 그럼에도, 복와위자세에서, 폐의 뒤쪽(등쪽, dorsal side 또는 의
존적인) 영역의 혈류량은 폐의 앞쪽(배쪽, ventral side)의 혈류량보다 많다. 거꾸로 매달
려 있는 상태에서 혈류량을 측정하면, 폐첨부의 혈류가 폐기저부의 혈류보다 많은 것을
볼 수 있다. 가벼운 운동 시에는 폐의 상부, 하부구역의 혈류량이 동시에 증가하여 국소
적인 차이가 감소한다.

　혈류량분포가 불균등한 이유는 폐혈관 내 정수압(hydrostatic pressure)의 차이로
설명할 수 있다. 폐동맥계를 하나의 연속적인 혈액의 기둥이라고 가정해보면, 폐첨부와
폐기저부 사이에 약 30 cm 정도 높이차가 있어 폐첨부와 폐기저부 사이의 압력차는 약
30 cmH$_2$O 또는 23 mmHg이다. 폐순환계(그림 4.2)와 같은 저압순환계에서는 이 정도
의 압력차이도 큰 차이이며 국소적인 혈류에 미치는 영향은 그림 4.9에서 볼 수 있다.

　폐첨부에서 폐동맥압이 폐포압(=정상적인 경우 대기압)보다 낮은 zone1과 같은 구

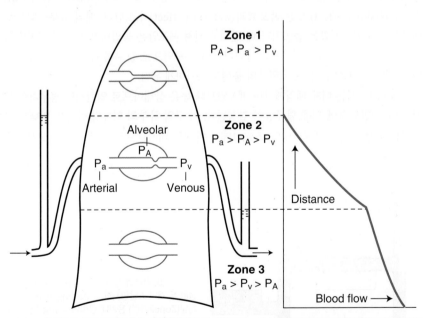

그림 4.9. 폐모세혈관에 영향을 주는 압(중)력에 의해 폐혈류분포가 불균등해지는 기전. 자세한 내용은 본문
을 참조하라. (Reproduced with permission from West JB, Dollery CT, Naimark A. Distribution of
blood flow in isolated lung; relation to vascular and alveolar pressures. J Appl Physiol. 1964;
19(4):713-724. Copyright © 1964 the American Physiological Society. All rights reserved.)

역이 있을 수 있다. 이 경우에는 폐포압이 모세혈관을 납작하게 누르므로 혈류가 흐르지 않는다. 정상상태에서 zone1과 같은 상태는 발생하지 않는데 이는 폐동맥압이 폐첨부까지 혈액을 밀어 올릴 수 있을 정도로 충분히 높기 때문이다. 그러나 폐동맥압이 떨어지거나(예: 패혈증 또는 출혈 시) 또는 양압환기 때문에 폐포압이 높아지는 경우 zone1과 같은 상태가 될 수 있다. 이와 같이 환기는 되나 관류가 없는 폐단위는 가스교환에 참여하지 못하므로 이를 폐포사강(alveolar dead space)이라고 한다.

조금 더 하부의 폐구역을 zone2라고 하는데 이 구역은 정수압의 작용에 의해 상승한 폐동맥압이 폐포압보다 높아지게 된다. 그러나 여전히 폐정맥압은 매우 낮고 또한 폐포압보다 낮아서 압력-유량 간에 주목할 만한 특징을 보여준다. 즉, 이러한 상태(zone2)에서는 혈류량이 폐동맥압과 폐포압의 차이에 의해 결정된다(일반적인 경우와 같이 혈류량은 동맥-정맥의 압력차로 혈류가 결정되지 않는다). 실제로 폐정맥압이 폐포압보다 높아지지 않는 한 혈류량의 변화에 별다른 영향을 주지 못한다.

이 상태(zone2)를 유연한 고무관이 유리 박스에 들어가 있는 상태로 모델화할 수 있다(그림 4.10). 유리박스 안의 압력이 하류(폐정맥)의 압력보다 높으면 고무호스의 하류 끝부분은 허탈에 빠지고 이 지점의 호스 내부압이 혈류를 제한한다. 그러나 폐모세혈관상(pulmonary capillary bed)은 분명히 고무호스와는 다르다. 그럼에도 불구하고 전반적으로 비슷한 현상을 보이는데 이런 현상을 종종 스탈링저항(Starling registor), 수문효과(sluice effect) 또는 폭포효과(waterfall effect)라고 한다. 폐의 하부구역으로 내려갈수록 폐동맥압은 높아지나 폐 전체에 걸쳐 폐포압은 동일하기 때문에 혈류량을 결정하게 되는 폐동맥과 폐정맥의 압력차는 하부구역으로 갈수록 증가하게 된다. 더구나 이 영역 아래쪽에서는 모세혈관의 동원도 증가하게 된다.

Zone3에서는 이제 폐정맥압이 폐포압보다 높은 상태이므로 일반적인 경우처럼 동맥-정맥의 압력차에 의해 혈류량이 결정된다. 이 구역 하부의 혈류량 증가는 명백히 모세혈관의 팽창에 의해 일어난다. Zone1에서 아래로 내려갈수록 하부구역 내 모세혈관

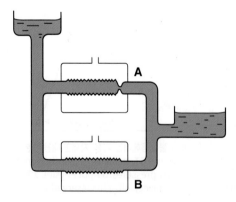

그림 4.10. 각각의 용기 안에 얇은 고무관으로 구성된 두 개의 스탈링저항기(Starling resistors). A처럼(Zone2처럼) 용기내 압력이 하류압력을 초과하면 유량은 하류압력에 의해 독립적으로 결정된다. 그러나 B처럼(Zone3처럼) 하류압력이 용기내 압력을 초과하면 유량은 상류압력-하류압력의 차에 의해 결정된다.

압(즉, 동맥-정맥 사이의 압력차)은 증가하나 외부압력(즉, 폐포압)은 동일하게 유지된다. 따라서 폐정맥의 경벽압(transmural pressure)은 상승하고 실제로 측정해보면 폐정맥의 평균 너비가 증가된 것을 보여준다. 이전에 폐쇄돼있던 폐모세혈관이 동원되어 혈류가 개통되면 하부구역의 혈류량 증가에 어느 정도 기여할 수 있다.

그림 4.9에 표시된 모식도는 혈류분포를 결정하는 데 관여하는 모세혈관의 역할을 요약한 것이다. 폐용적이 작은 상태에서는 폐포외 혈관(extra-alveolar vessels)의 저항이 중요해지고, 국소적인 혈류의 감소가 관찰되는데 이런 변화는 폐실질의 팽창이 가장 어려운 폐기저부로부터 시작한다(그림 7.8 참고). 이 같이 혈류량이 감소된 구역을 때때로 zone4라고 하며 폐포외 혈관을 둘러싸고 있는 폐포가 팽창하지 못한 상태에서 폐포외 혈관의 직경이 작아지기 때문이라고 설명할 수 있다(그림 4.7).

혈류분포(Distribution of blood flow)는

- 폐의 하부로 가면서 중력은 혈류분포에 큰 차이를 일으킨다.
- Zone1에서는 폐동맥압이 폐포압보다 낮기 때문에 혈류량이 없다. 정상적인 상태에서 이런 경우는 관찰되지 않는다.
- Zone2에서 혈류량은 폐동맥압과 폐포압의 차에 의해 결정된다.
- Zone3에서 혈류량은 폐동맥압과 폐정맥압의 차에 의해 결정된다.
- Zone2와 Zone3에서는 각 구역 모두 하부로 갈수록 혈류량이 증가한다.

폐의 혈류가 균등하지 못한 또 다른 요인들이 있다. 혈관과 모세혈관은 복잡하고 또 부분적으로 무작위배열(그림 1.6)을 보이기 때문에 주어진 폐의 어떤 같은 수준(높이)에서도 약간의 혈류량 불균등이 유발된다. 세엽(acinus)을 따라 혈류가 감소한다는 증거와 함께 세엽의 말초부위 또한 혈류공급이 잘 안된다. 어떤 측정결과들은 폐 전체적으로 중심부에 비해 말초부위에 혈류공급이 적다는 것을 시사하는 결과를 보여준다.

순환의 능동적 제어(Active control of the circulation)

정상상태에서는 중력 등과 같은 수동적 요인들이 폐순환의 혈관저항과 혈류분포를 주관한다는 것을 알았다. 그러나, 폐포가스Po_2가 감소될 때 주목할 만한 능동적 반응이 발생한다. 이 반응은 저산소성폐혈관수축(hypoxic pulmonary vasoconstriction)이라고 알려져 있으며 저산소 상태인 폐구역의 소동맥벽에 있는 평활근의 수축에 의해 발생한다. 절제된 폐에서도 주위 환경이 저산소상태가 되면 폐혈관수축이 발생하기 때문에 저산소성폐혈관수축은 중추신경계가 관여하지 않으며 저산소증에 대한 폐동맥의 자체적인 국소반응을 의미한다. 폐동맥혈 저산소혈증(hypoxemia)이 아니고 폐포가스Po_2 감소가 이 반응을 주로 결정한다. 이것은 폐동맥에 높은 Po_2의 혈액을 관류시키면서 폐포가스Po_2를 낮게 했을 때 저산소성폐혈관수축이 발생함을 관찰하여 증명할 수 있었다.

폐포를 둘러싸는 벽으로부터 매우 짧은 거리를 지나 혈관벽에 낮은 분압의 산소가 확산되면 혈관벽은 저산소상태가 된다. 작은 폐동맥이 폐포에 의해 매우 밀접하게 둘러싸여 있음을 기억하자(그림 4.4에서 폐포부터 작은 폐정맥까지의 근접성과 비교해 보라). 저산소 상태와 혈관수축 간의 자극-응답곡선은 매우 비선형적이다(그림 4.11). 100 mmHg 이상의 영역에서는 폐포Po_2가 변해도 혈관저항의 변화는 거의 관찰되지 않는다. 그러나, 폐포Po_2가 약 70 mmHg 미만으로 감소하면 현저한 폐혈관 수축이 발생할 수 있고, 또 매우 낮은 Po_2에서는 국소적인 폐혈류가 거의 사라진다.

저산소성폐혈관수축의 기전은 진행 중인 연구들이 많은 주제이다. 여러 가지 원인에 의해 세포질 내 칼슘이온의 농도가 증가하는 것이 평활근수축을 유발하는 주요 인자임이 알려졌다. 예를 들면 전위의존성 칼륨채널(voltage-gated potassium channels)과 세포막탈분극(membrance depolarization)이 억제되면 세포질 내 칼슘이온 농도가 증가된다는 것이 연구결과의 한 예이다.

내피유래혈관활성물질(endothelium-derived vasoactive substances) 또한 혈관수

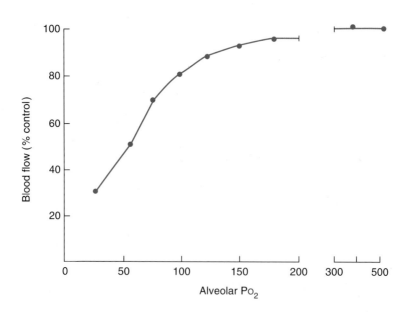

그림 4.11. 폐포Po_2 감소가 폐혈류에 미치는 영향(마취된 고양이로부터 얻은 결과임) (From Barer GR, et al. J Physiol. 1970;211:139.)

축을 조절하는 데 중요한 역할을 한다. 그 중 하나인 산화질소(NO)는 L-아르기닌으로
부터 내피세포산화질소합성효소(endothelial NO synthase, eNOS)에 의한 촉매작용
을 통해 생성된다(그림 4.12). NO는 가용성구아닐고리화효소(soluble guanylate cy-
clase)를 활성화시키고 구아노신 3′,5′-사이클릭GMP (cGMP)의 생성을 증가시킨다. 증
가된 cGMP는 칼슘통로를 차단하여 세포내 칼슘농도의 상승을 억제하며 결과적으로
혈관확장을 촉진하게 된다. 실험동물모델에서 내피세포산화질소합성효소억제제(NO
synthase inhibitors)는 저산소성폐혈관수축을 증가시키는 데 반해, 사람에게 흡입경로
를 통해 저농도(10-40 ppm)의 NO를 투여하면 저산소성폐혈관수축이 완화된다. 참고
로 eNOS 유전자제거동물모델(eNOS gene knockout animal model)에서 폐동맥고혈
압 발생이 관찰되었다.

또한 폐혈관내피세포는 엔도텔린-1 (ET-1)과 트롬복산A$_2$ (TXA$_2$)와 같은 강력한
혈관수축제를 방출하며 정상 생리작용과 폐질환의 병태생리에 중요한 역할을 한다. 엔
도텔린수용체길항제(endothelin receptor antagonists, 예: bosentan, Tracleer®)는 현
재 폐동맥고혈압 환자 치료제로 임상에서 널리 사용되고 있다.

저산소성폐혈관수축은 저산소영역의 폐포에 혈류공급을 차단하는 효과를 나타낸

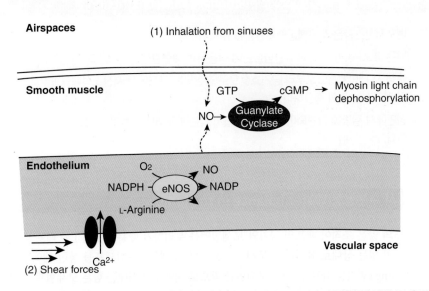

그림 4.12 폐혈관평활근에 대한 산화질소(NO)의 작용기전. 산화질소는 두 가지 기전을 통해 전달되는데 (1)
부비동에서 생성된 NO의 흡입과, (2) 전단력(shear force)에 반응한 내인성 생성 즉, 전단력이 칼슘의 유입을
유발하면 내피세포 산화질소 합성효소(endothelial nitric oxide synthase, eNOS)는 산소, NADP, 그리고
l-arginine으로부터 NO를 생성한다. 어디에서든 생성된 NO는 평활근으로 확산되어 GTP에서 cGMP로의 전
환에 촉매작용을 한다. cGMP농도의 증가는 마이오신경쇄탈인산화(myosin light chain dephosphoryla-
tion), 짝풀림(decoupling), 그리고 결과적으로 평활근의 이완을 유발한다.

다. 기관지폐색이나 폐포충만(alveolar filling)에 의해 해당 폐포구역이 저산소상태가 되면 이때 저산소상태의 폐포구역을 공급하는 혈류를 산소분압이 정상상태인 폐포구역으로 보내서 가스 교환에 미치는 악영향을 줄이게 된다(즉, V/Q불균등을 감소시킨다). 높은 고도에서는 P_{O_2}저하가 폐 전체에 걸쳐 나타나고 따라서 전체적으로 폐혈관의 수축이 발생하여 결국 폐동맥압이 상승한다. 그러나 이와 같은 기전이 작동하는 가장 중요한 상황은 아마도 태아기 중일 것이다. 태아기 중에는, 저산소혈관수축으로 인해 부분적으로 폐혈관저항이 매우 높으며, 따라서 심박출량의 15% 정도만 폐를 통과한다(그림 9.5 참고). 그러나 출생 후 최초 호흡이 시작되고 폐포가 산소화되면 폐혈관평활근이 이완되어 폐혈관저항은 급격히 감소하고 따라서 폐혈류량이 엄청나게 증가한다.

폐순환에 발생하는 기타 활성반응은 다음과 같다. 혈액pH가 낮을 때(산혈증), 특히 폐포가 저산소상태이면 폐혈관수축이 유발된다. 반면에 중증저체온증에서는 저산소성 폐혈관의 수축반응이 약화된다.

자율신경계는 저산소성폐혈관수축에 약하게 작용하나 교감신경이 활성화되면 폐동맥벽의 경직과 수축을 유발할 수 있다. 또한 철결핍은 폐포저산소증에 의한 폐혈관수축을 증가시킨다.

저산소성폐혈관수축(Hypoxic pulmonary vasoconstriction)은

- 폐포저산소증은 작은폐동맥혈관들을 수축시킨다.
- 낮은 폐포P_{O_2}가 직접 폐혈관평활근에 작용하여 폐혈관을 수축시킨다.
- 출생 시 태반호흡으로부터 공기호흡으로 전환되는 과정에서 저산소성폐혈관수축이 사라지는 것이 중요하다.
- 성인에서 질병에 이환되어 환기가 잘 되지 않는 폐구역에 혈류가 공급되지 않도록 한다.

폐에서 수분평형(Water balance in the lung)

0.3 μm의 얇은 조직이 폐포의 공기와 모세혈액을 분리하기 때문에(그림 1.1) 폐 내부를 체액이 없는 상태로 유지하는 문제가 중요하다. 모세혈관내피세포를 통한 체액교환은 Starling's법칙을 따르게 된다. 모세혈관 밖으로 체액을 밀어내는 힘은 모세혈관의 정수압(Pc)에서 간질액(interstitial fluid)의 정수압(Pi)을 뺀, 즉 Pc - Pi이다. 체액을 끌어당기는 힘은 혈액 내 단백질에 의한 콜로이드삼투압(πc)에서 간질액 내 단백질에 의한 콜로이드 삼투압(πi)을 뺀 즉 πc - πi이다. 이 힘은 반사계수(reflection coefficient) σ에 의해 달라지는데 반사계수σ는 단백질 통과를 막는 모세혈관벽의 효율을 측정한 것이다.

그러므로,

체액삼출총량(net fluid out) = K[(Pc - Pi) - σ(πc - πi)]

여기서 K는 여과계수(filtration coefficient)로 불리는 상수이다. 이 공식을 Staling 방정식이라고 부른다.

체액삼출총량(net fluid out)은 관계된 많은 수치들을 알 수 없기 때문에 임상에서 보통은 계산하지는 않는다. 그럼에도 불구하고 방정식에 요약된 원리는 여러 가지 생리 및 임상상황을 이해하는 데 도움이 된다. 모세혈관내 콜로이드삼투압은 약 25-28 mmHg이다. 아마도 모세혈관 정수압은 동맥압과 정맥압 사이의 중간 정도이며 폐기저부가 폐첨부보다 훨씬 높다. 간질액의 콜로이드삼투압은 알려지지 않았지만 폐임프(lung lymph)에서 약 20 mmHg 정도로 알려져 있다. 더구나 이 수치는 아마도 폐모세혈관 주위 간질액의 콜로이드삼투압보다 높다. 간질액의 정수압은 알려지지 않았지만 일부 측정 결과는 대기압보다 훨씬 낮다. 아마도 Starling방정식의 순압력(net pressure)은 바깥쪽을 향하고 있으며 정상상태의 사람에서 약 20 mL/hr 정도 소량의 림프액 흐름을 일으킨다.

체액이 모세혈관을 떠나면 어디로 이동하게 되는가? 그림 4.13의 ①은 폐포벽의 간질로 누출된 체액이 간질공간을 지나 폐 안의 혈관주위공간(perivascular spaces)과 기관지주위공간(peribronchial space)으로 이동하는 것을 보여준다. 많은 림프관이 혈

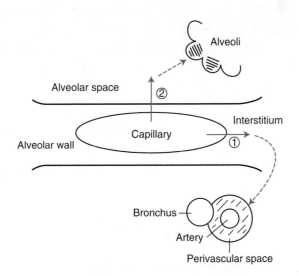

그림 4.13. 폐모세혈관을 빠져나가는 체액의 두 가지 가능한 경로. 초기에는 간질로 유입되는 체액이 혈관 내 공간(perivascular space, ①)으로 들어간다. 나중에 체액은 폐포벽(②)을 통과할 수 있다.

관주위공간을 지나가게 되며, 이러한 림프관은 체액을 폐문림프절로 운반하는 데 기여한다. 더구나 이 같은 혈관주위공간의 압력은 낮기 때문에 체액배출을 위한 자연적인 배수구(sump, 웅덩이) 역할을 한다. 폐부종[†]의 가장 초기 형태는 기관지주위 및 혈관주위공간의 울혈을 특징으로 하며 이것은 간질성부종으로 알려져 있다. 만약 장기간에 걸쳐 모세혈관압이 매우 높아지면 폐로부터 누출되는 림프액의 속도는 상당히 증가한다.

  폐부종 진행말기에는, 체액이 폐포상피세포를 가로질러 폐포공간으로 들어올 수 있다(그림 4.13의 ②). 이 같은 상황이 발생하면, 폐포는 하나씩 체액으로 채워지게 되고, 이런 폐포들은 환기가 되지 않기 때문에, 이 폐포들을 통과하는 혈액의 산소화는 진행되지 않는다. 폐포공간을 향해 체액의 이동을 촉진하는 요소가 무엇인지는 알려지지 않았지만, 간질공간(interstitial space)을 통해 배출 가능한 최대속도를 초과하거나, 폐동맥모세혈관압이 너무 높은 경우 체액의 이동이 촉진될 수 있다. 폐포공간에 채워진 체액은 상피세포에 있는 Na-K ATPase펌프에 의해 폐포외부로 능동적인 배출이 일어난다. 폐포부종은 폐의 중요기능인 가스교환장애를 초래하기 때문에 간질부종보다 훨씬 더 심각하다.

폐순환의 기타 기능(Other functions of the pulmonary circulation)

폐순환의 주기능은 혈액-가스장벽의 측면을 지나 혈액이 오고 가도록 해 가스교환이 가능하게 하는 것이다. 그러나 이 외에도 다른 중요한 기능이 있다. 그 중 하나는 혈액저장소의 역할을 하는 것이다. 앞에서 폐가 동원(recruitment)과 팽창(distention)이라는 기전을 통해 폐혈관압이 상승할 때 폐혈관 저항을 감소시키는 놀라운 능력을 가지고 있음을 보았다(그림 4.6). 동일한 기전으로 상대적으로 적은 폐동맥 또는 폐정맥압의 상승만으로도 폐혈액량을 증가시킬 수 있다. 예를 들어, 직립자세로 서 있다가 눕는 경우에 하지의 혈액이 폐로 이동하면서 이런 현상이 발생한다.

  폐의 또 다른 기능은 혈액을 여과하는 것이다. 작은 혈전이 뇌 또는 다른 중요한 장기에 도달하기 전에 폐순환 중 제거된다. 많은 백혈구가 폐에 모여(trapped) 있다가 나중에 방출(released)되지만 이런 현상의 역할은 확실하지 않다.

[†] 폐부종에 대한 좀 더 광범위한 공부는 다음 책의 해당 부분을 참고하자. West JB, Luks AM. West's Pulmonary Pathophysiology: The Essentials. 9th ed. Philadelphia, PA: Wolters Kluwer; 2017.

폐의 대사기능(Metabolic functions of the lung)

폐에는 가스교환 외에도 중요한 대사기능이 있다. 심장을 제외하고 순환되는 모든 혈액이 통과하는 유일한 장기가 폐이므로 많은 혈관작용물질들(vasoactive substances)을 포함, 특히 혈액매개물질들(bloodborne substances)을 변화시키는 데 적합하다(표 4.1). 체내 혈관내피세포의 상당부분이 폐 안에 존재한다. 혈관내피의 대사기능은 많은 부분 약리학의 영역에 속하기 때문에 여기서는 간단히 언급하겠다.

　폐순환을 통과하면서 생물학적으로 활성화가 되는 것으로 알려진 유일한 예는 상대적으로 불활성화 상태의 폴리펩타이드인 안지오텐신 I을 강력한 혈관수축작용이 있는 안지오텐신 II로 전환시키는 것이다. 안지오텐신 II는 전구물질인 안지오텐신 I에 비해 혈관수축작용이 최대 50배 정도 크고 폐를 통과하더라도 활성도의 변화가 일어나지 않는다. 안지오텐신 I이 안지오텐신 II로 전환될 때 모세혈관내피세포 표면의 작은 함요부에 위치한 안지오텐신전환효소(angiotensin converting enzyme, ACE)에 의해 촉매된다.

　폐를 통과하는 동안 많은 혈관작용물질이 완전하게 또는 부분적으로 불활성화된다. 안지오텐신전환효소는 브라디키닌(bradykinin)을 최대 80%까지 불활성화 한다. 또한 폐는 세로토닌(5-하이드록시트립타민)을 불활성화시키는 주요 장기인데 효소분해기전이 아닌 세로토닌의 흡수와 저장과정에 작용한다(표 4.1). 세로토닌의 일부는 폐 안에서 혈소판으로 이동하거나 다른 방법으로 저장되며 아나필락시스 상황에서 방출될 수 있다. 프로스타글랜딘 E_1, E_2 및 $F_2\alpha$ 또한 폐에서 불활성화되는데, 이는 폐가 이들과 관련된 효소의 풍부한 공급원이기 때문이다. 또한 노르에피네프린은 어느 정도(최대 30%) 폐를 통해 흡수된다. 히스타민은 정상폐(intact lung)에 의해 영향을 받지 않는 것처럼 보이나 폐절편에 의해서는 쉽게 불활성화된다.

　일부 혈관작용물질(vasoactive materials)은 뚜렷한 활성도 획득이나 손실 없이 폐를 통과한다. 여기에는 에피네프린, 프로스타글랜딘 A_1 및 A_2, 안지오텐신 II 및 바소프레신(ADH) 등이 포함된다.

　혈관이나 기관지에 작용하는 여러 물질이 폐에서 대사되어 어떤 특정한 상태에서 순환계로 방출될 수 있다. 이 중에서 중요한 것은 아라키돈산의 대사산물이다(그림 4.13). 아라키돈산은 세포막에 결합된 인지질에 포스포리파제A_2라는 효소가 작용하여 생성된다. 여기에는 두 가지 주요한 합성경로가 있으며, 초기반응은 각각 불포화지방산산화효소(lipoxygenase)나 고리산소화효소(cyclooxygenase)에 의해 촉매된다. 불포화지방산산화효소(lipoxygenase)은 류코트라이엔을 생산하는데, 과거에 지연형과민반응물질(slow-reacting substance of anaphylaxis, SRSA)이라고 기술되었던 매개물질을 포함한다. 아마도 이 화합물은 기도수축을 유발하고 천식에서 중요한 역할을 하고 있다. 다른 류코트라이엔은 염증반응에 관여한다.

표 4.1 폐순환에서 물질의 운명	
물질	**운명**
펩타이드	
안지오텐신 I	ACE에 의해 안지오텐신 II로 전환
안지오텐신 II	영향 없음
바소프레신	영향 없음
브라디키닌	80%까지 불활성화됨
아민	
세로토닌	거의 완전히 제거됨
노르에피네프린	30%까지 제거됨
히스타민	영향 없음
도파민	영향 없음
아라키돈산 대사산물	
프로스타글랜딘 E2와F2α	거의 완전히 제거됨
프로스타글랜딘 A1와 A2	영향 없음
프로스타사이클린(PGI2)	영향 없음
류코트라이엔	거의 완전히 제거됨

프로스타글랜딘은 강력한 혈관수축제 또는 혈관확장제이다. 프로스타글랜딘 E_2는 태아에서 중요한 역할을 하는데 동맥관개존증(patent ductus arteriosus)을 이완시키는 역할을 하고 있기 때문이다. 반면에 프로스타글랜딘 I_2는 강력한 혈관확장제로 폐동맥 고혈압 환자의 치료에 사용되고 있다. 프로스타글랜딘은 또한 혈소판응집에 영향을 미치는데 칼리크레인-키닌 응고연쇄반응과 같은 다른 시스템을 활성화시킨다. 또한 프로스타글랜딘은 천식 환자에서 기관지수축작용이 있을 것이다. 또한 정상 및 비정상적인 상태에서 폐가 혈액응고기전에 작용한다는 증거도 있다. 예를 들어, 간질조직에는 헤파린이 포함되있는 비만세포가 많이 있다. 또한 폐는 기관지점액에서 감염에 대한 방어기전으로 작용하는 특수 면역글로불린, 특히 IgA를 분비할 수 있다.

폐의 합성기능에는 폐표면활성물질의 성분인 dipalmitoyl phosphatidylcholine과 같은 인지질합성이 포함된다(7장 참조). 콜라겐과 엘라스틴이 폐의 구조적 골격을 형성하기 때문에 단백질합성 또한 매우 중요하다. 어떤 조건에서, 폐 속에 있는 백혈구로부터 단백질분해효소(protease)가 방출되어 콜라겐과 엘라스틴의 파괴를 유발하며, 그 결과 폐기종이 발생할 수 있다. 또 다른 중요한 영역은 탄수화물대사로, 특히 기관지점액의 점액다당류(mucopolysaccharides)들을 합성한다.

핵심개념(Key concepts)

1. 폐순환계의 압력은 전신순환계보다 훨씬 낮다. 또한 폐모세혈관은 폐포압에 노출된 반면, 폐포외 혈관(extra-alveolar vessels)주위압력은 조금 더 낮다.

2. 폐혈관저항은 낮으며 또 심박출량이 증가될 때 폐모세혈관의 동원(recruitment) 및 팽창(distension)에 의해 오히려 더 많이 떨어진다. 폐혈관저항은 폐용적이 매우 낮거나 또는 높을 때 증가한다.

3. 직립상태에서 폐혈류는 불균등하게 분포된다. 중력 때문에 폐첨부보다 폐기저부의 혈류량이 더 많다. 폐첨부처럼 폐모세혈관압이 폐포압보다 낮은 경우, 폐모세혈관은 허탈상태가 되고 따라서 혈류량도 없다(zone1). 혈관은 무작위변형(random variation)을 보이므로 주어진 어떤 같은 수준(높이)에서도 폐혈류량은 균등하지 않다.

4. 환기가 잘되지 않는 폐포단위로 공급되는 혈류량은 저산소성폐혈관수축에 의해 감소한다. 이와 같은 기전은 역으로 출산 시 첫 호흡 이후 폐혈류량이 크게 증가하는 기전이 된다.

5. 폐모세혈관내피를 지나는 체액의 이동은 Starling평형에 의해 좌우된다.

6. 폐순환에는 많은 대사기능이 있으며 이 중, 안지오텐신전환효소에 의해 안지오텐신 I을 안지오텐신 II로 전환하는 것은 특기할 만하다.

임상증례검토(Clinical vignette)

24세 남성이 고속의 자동차 충돌사고로 골반과 대퇴골이 골절되어 병원에 입원했다. 골절수술 후 병동에서 회복 중 갑자기 좌측 흉통과 함께 심한 호흡곤란이 발생했다. 흉통은 칼로 찌르는 것 같으며 움직임, 기침 또는 심호흡과 함께 악화되는 '흉막성' 통증이라고 표현했다. 심박수와 호흡수는 빨랐지만 혈압은 정상이었고 폐청진 소견은 정상이었다. 흉부엑스선 사진에서 좌측 폐하부의 혈관음영(vascular markings)이 감소했다. 정맥에 조영제를 투여한 후 시행한 CT소견에서 폐색전증(폐동맥의 혈전)과 일치하는 좌폐하엽 전체의 혈류감소를 보여주었다. 다음으로 심장초음파검사를 시행했는데 우심실기능은 정상이었고 폐동맥수축기압은 정상범위보다 약간 증가했다.

- 좌폐하엽 전체의 순환이 막혔는데도 폐동맥압이 정상보다 약간만 상승한 이유는?
- 우엽의 폐첨부로 가는 혈류에는 어떤 일이 발생할 것으로 예상되는가?
- 사강환기와 폐포환기에는 어떤 변화가 일어나게 되는가?

문제(Questions)

각 문항에 대해 가장 적절한 답 한 개를 선택하라.

1. 아래 그림은 폐용적에 대한 폐혈관저항의 변화를 보여준다. 다음 중 A 지점에서 B
    지점으로 폐용적이 변할 때 관찰되는 폐혈관저항의 변화를 가장 잘 설명한 것은
    무엇인가?

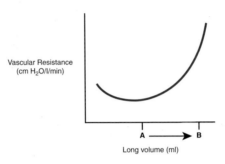

A. 폐혈관의 엔도텔린-1 농도 감소

B. 폐혈관의 산화질소농도 증가

C. 폐포외 혈관의 방사상 견인 증가

D. 혈류증가에 의한 동원과 팽창

E. 폐포내혈관의 늘어남(streching)

2. 연구계획의 하나로 건강한 사람에서 우심카테터를 삽입한 후 운동량을 점진적으
    로 증가시키는 심폐운동검사를 시행하면서 폐혈관저항을 측정하였다.
    다음 중 점진적인 운동량 증가에 따라 변하는 폐혈관저항을 설명하는 것은?

Time Point	Pulmonary Vascular Resistance (mmHg·L/min)
Pre-exercise	2.5
Mid-exercise	2.2
Maximal exercise	1.7

A. 혈액 pH 감소

B. 폐혈관에서 엔도텔린-1 농도 증가

C. Zone1의 혈류 증가

D. 교감신경계 활성도 증가

E. 폐모세혈관의 동원과 팽창

3. 폐혈관질환 환자에서 평균폐동맥압 및 폐정맥압이 각각 55 및 5 mmHg이고, 심박출량은 3 L/min이다. 이 환자의 폐혈관저항은 mmHg·L/min인가?

   A. 0.5

   B. 1.7

   C. 2.5

   D. 5

   E. 17

4. 장기간 흡연력이 있는 환자가 호흡곤란의 급성악화로 응급실에 왔다. 흉부엑스선 사진에서 좌하엽의 음영이 증가되었다. 흉부CT에서 종양이 좌하엽기관지를 막아 좌하엽 허탈이 관찰되었다. 이와 같은 결과로 좌하엽에서 다음 중 어떤 변화가 나타날 것으로 예상되는가?

   A. 안지오텐신 I에서 안지오텐신 II로의 전환이 감소

   B. 폐포외 혈관의 팽창

   C. 폐정맥압의 증가

   D. 폐동맥평활근의 수축

   E. 폐정맥평활근의 이완

5. 심장판막질환을 검사 중인 환자에서 우심카테터와 요골동맥카테터를 삽입하였다. 혼합정맥혈과 동맥혈 100 mL당 산소농도는 각각 16 mL, 20 mL이고 이때 산소소비량은 300 mL/min으로 추정된다. 환자의 폐혈류량(L/min)은 얼마인가?

   A. 2.5

   B. 5

   C. 7.5

   D. 10

   E. 75

6. 실험동물에서 폐를 적출, 환기와 관류가 인공적으로 진행되는 폐모델을 이용한 실험을 수행하고 있다. 폐의 특정부위에 폐동맥과 폐정맥 그리고 폐포압을 측정할 수 있는 카테터와 압력계를 설치하였다. 아래 표에서 관찰되는 변화를 볼 때 실험과정에서 시행한 중재로 인해 이 부위의 혈류에 어떤 현상이 발생했을까?

Time Point	$P_{arterial}$ (mmHg)	$P_{alveolar}$ (mmHg)	P_{venous} (mmHg)
Pre-intervention	12	4	7
Post-intervention	12	9	5

A. 구동압이 폐동맥압에서 폐정맥압을 뺀 것이므로 혈류량은 감소한다.

B. 구동압이 폐동맥압에서 폐포압을 뺀 것이므로 혈류량은 감소한다.

C. 구동압이 폐포압에서 폐정맥압을 뺀 것이므로 혈류량은 증가한다.

D. 구동압이 폐동맥압에서 폐정맥압을 뺀 것이므로 혈류량은 증가한다.

E. 혈류량에는 변화가 없다.

7. 건강한 사람이 어떤 실험연구에 참여하여 폐동맥카테터를 삽입을 하였다. 어떤 중재(intervention)를 시행하기 전, 후에 측정된 여러 검사결과를 정리한 표이다. 정리된 결과를 바탕으로, 다음 중 이 사람에게 시행되었을 가능성이 가장 높은 중재적인 조치는 무엇인가?

Time Point	Pulmonary Vascular Resistance (mmHg·L/min)	Mean Pulmonary Artery Pressure (mmHg)	Cardiac Output (L/min)
Pre-intervention	3.2	23	5.6
Post-intervention	2.5	21	6.4

A. 엔도텔린 정맥투여

B. 히스타민 정맥투여

C. 프로스타사이클린 정맥투여

D. 세로토닌 정맥투여

E. F_{IO_2} = 0.12인 혼합가스 흡입

8. 폐첨부 모세혈관과 간질조직 내 압력이 각각 3 mmHg, 0 mmHg이고 혈액과 간질액의 콜로이드삼투압이 각각 25 mmHg와 5 mmHg이면 모세혈관으로 체액을 이동시키는 압력차(net pressure)는 얼마인가?

A. 17

B. 20

C. 23

D. 27

E. 33

9. 45세 남성이 우하엽 중증폐렴으로 입원하였다. 입원 이틀째 저산소혈증의 악화와
   흉부엑스선 사진에서 양쪽폐의 음영증가가 확인되었다. 동맥혈액가스에서 pH
   7.47, Po_2 55 mmHg인 반면, 심초음파에서 좌심실기능과 좌심방크기는 정상이였
   고 수축기 폐동맥압의 유의한 증가가 관찰되었다. 다음 중 이 환자의 심장초음파
   소견을 설명할 수 있는 원인은?
   A. 폐포Po_2의 감소
   B. 동맥혈Po_2의 감소
   C. 교감신경계활동의 감소
   D. 혈액pH의 증가
   E. 폐정맥압의 증가

10. 중증 심근경색증으로 입원한 62세 여성에서 호흡곤란이 악화되고 있다. 검사결과
    에 따르면 혈청알부민은 4.1 mg/dL(정상 > 4.0 mg/dL)이고 동맥혈Po_2는 55
    mmHg이며, 흉부엑스선 사진은 폐부종과 일치하는 즉, 심비대와 양측폐의 미만
    성폐음영의 증가가 관찰되었다. 심장초음파에서 좌심실의 수축기 기능이 감소하였
    고 좌심방 확장과 수축기 폐동맥압이 약간 증가된 소견을 보여주었다. 다음 중 이
    환자의 흉부엑스선 소견을 가장 잘 설명하는 원인은 무엇인가?
    A. 동맥혈Po_2 감소
    B. 콜로이드삼투압 감소
    C. 폐간질에서 림프액 배출 증가
    D. 폐모세혈관정수압 증가
    E. 폐혈관의 동원 및 팽창

11. ACE억제제를 투여하면 다음 중 폐에 어떤 영향을 미칠 것으로 예상되는가?
    A. 브래디키닌 불활성화의 감소
    B. 세로토닌의 흡수와 저장 감소
    C. 아라키돈산에서 프로스타글랜딘으로 전환이 증가
    D. 효소에 의한 안지오텐신 II 분해 증가
    E. 폐에서 노르에피네프린의 흡수 증가

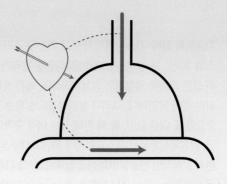

환기-관류관계
(Ventilation-perfusion relationships)

5

가스와 혈액의 조화가 어떻게 가스교환을 조절하는가?

5장에서는 폐의 주기능, 즉 가스교환에 대해 주로 설명한다. 첫째, 이론적으로 이상적인 폐를 고찰해 보겠다. 다음으로 저산소혈증의 세 가지 기전인 저환기, 확산장애 그리고 션트를 검토한다. 그다음 환기-관류불균등과 같이 어려운 개념을 소개하고 이를 잘 이해할 수 있도록 직립상태 사람의 폐에서 구역에 따른 국소적인 가스교환의 차이를 설명한다. 이어서 환기-관류불균등이 산소뿐 아니라 이산화탄소에 미치는 영향까지 포함해서 가스교환 전체에 어떤 장애를 초래하는지를 살펴본다. 끝으로 환기-관류불균등을 측정하는 방법에 대해 간략하게 논의한다.

5장을 끝까지 읽은 독자는 다음과 같은 것을 할 수 있어야 한다.

- 션트분율과 폐포-동맥혈Po_2차를 계산한다.
- 주어진 폐단위에서 환기-관류비 변화에 따른 Po_2와 Pco_2의 변화를 예측한다.
- 직립상태에서 사람 폐의 환기와 관류의 국소적인 차이를 설명하고 환기-관류비가 산소화에 미치는 영향을 설명한다.
- 임상소견과 검사결과를 이용하여 저산소혈증의 원인을 찾는다.
- 환기-관류불균등이 있는 상태에서 환기량을 증가시킬 때 산소화 그리고 이산화탄소 배출에 미치는 영향을 비교한다.

지금까지 혈액-가스장벽까지 오고 가는 공기의 이동인 '환기', 혈액-가스장벽을 통과하는 가스의 '확산', 또 혈액-가스장벽의 측면을 흘러가는 혈액의 이동인 '관류' 등을 공부했다. 만약 이 모든 과정이 적절하고 정상적이라면, 폐를 통한 확실한 가스교환을 보장할 수 있다고 가정하는 것이 당연하다. 그러나 불행하게도 실제는 그렇지 못한데, 그 이유는 적절한 가스교환에 중요한 또 다른 요인, 즉 폐 안에 있는 여러 구역의 환기-관류불균등이 있기 때문이다. 실제로 급, 만성폐질환에서 가스교환장애 원인의 대부분은 환기-관류불균등이다.

먼저 정상적인 산소운반과정을 살펴보고, 그 다음으로 개개인에서 발생하는 비정상적으로 낮은 동맥혈Po_2 즉, 저산소혈증(hypoxemia)의 일차적인 원인을 살펴본다.

공기에서 조직으로 산소운반(Oxygen transport from air to tissues)

그림 5.1은 우리가 살고 있는 대기 속의 공기가 산소의 최종 소비지인 미토콘드리아로 이동하면서 Po_2가 어떻게 떨어지는 것을 보여준다. 대기 중 산소분압(Po_2)은 대기건조가스압(즉, 수증기압 제외)의 20.93%이다. 해수면의 대기압은 760 mmHg이며, 체온 37°C에서 가습상태 공기의 수증기압(수증기로 완전히 포화된 상태)은 47 mmHg이다. 따라서, 흡기의 Po_2는 (20.93/100) × (760 – 47) 또는 149 mmHg(대략 150)이다.

그림 5.1은 가상적으로 완벽한 폐를 그린 것이며, 이 그림에서 보는 것처럼 산소가 폐포에 도달할 때쯤 Po_2는 약 100 mmHg로 떨어지며 이는 흡기가스의 Po_2인 150 mmHg에서 1/3 정도 감소한 것임을 알 수 있다. 이처럼 Po_2가 감소한 이유는 폐포의 산소가 한편으로는 폐모세혈액에 의해 제거(즉, Hb과 결합하여 전신 장기로 이송됨)되고 또 다른 한편으로는 폐포환기를 통해 산소가 계속 보충(공급)되는데 이 두 가지 과정의 균형에 따라 폐포가스Po_2가 결정되기 때문이다(엄밀하게 말하면 폐포환기는 연속적인 것이 아니고 매 호흡 사이에는 간격이 있다. 그러나 매 호흡 중 폐포내Po_2의 변동은 겨우 3 mmHg 정도에 불과하며 또 총 폐활량에 비해 일회호흡량은 아주 작기 때문에 폐포환기를 연속적인 것으로 간주해도 된다). 폐로부터 산소가 제거되는 속도는 조직의 산소소모량에 의해 결정되며 안정 시에는 변동이 적다. 따라서 임상에서, 폐포Po_2는 주로 폐포환기량의 수준에 따라 결정된다. 약 40 mmHg인 정상폐포Pco_2에도 같은 원리가 적용된다.

전신동맥혈이 조직의 모세혈관에 도달하게 되면 산소는 확산을 통해 미토콘드리아로 들어가는데, 이곳의 Po_2는 훨씬 낮다. 조직Po_2는 전신에 걸쳐 상당히 다를 수 있으며, 어떤 세포의 Po_2는 최저 1 mmHg까지 될 정도로 낮다. 그러나 폐는 산소연쇄전달계에서 필수적인 연결고리이며, 조금이라도 동맥혈Po_2가 감소하면 조직Po_2도 반드시 떨어지게 된다. 같은 이유로 폐의 가스교환장애가 발생하면 조직Pco_2도 상승한다.

이것이 정상적인 가스교환이 진행되는 방법인데, 어떤 상황에서 이와 같은 과정에 문제가 발생하면 환자들에게서 저산소혈증이 발생한다. 저환기, 션트, 확산장애 그리고

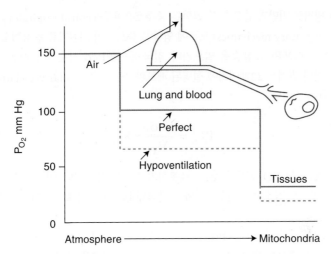

그림 5.1. 대기에서 조직으로 공기가 이동할 때 관찰되는 산소분압의 변화. 실선은 가상적으로 완벽한 상태이며 점선은 저환기상태를 나타낸다. 저환기는 폐포가스P_{O_2}를 감소시키고 결국은 조직P_{O_2}까지 감소시킨다.

환기-관류불균등이라고 불리는 여러 가지 이유 중 한 가지 이상의 원인에 의해 저산소혈증이 발생할 수 있다.

저산소혈증의 4가지 원인(Four causes of hypoxemia)

- 저환기
- 확산제한
- 션트
- 환기-관류불균등

저환기(Hypoventilation)

조직의 대사요구량에 따라 결정되며, 폐포로부터 혈액으로 흡수되는, 즉 '산소의 제거율'과 폐포환기에 의한 '산소의 공급률' 사이의 균형에 의해 폐포P_{CO_2}가 결정되는 것은 이미 공부했다. 따라서, 만일 폐포환기량이 비정상적으로 낮으면 폐포P_{O_2}는 감소한다. 같은 이유로 P_{CO_2}는 상승한다. 이를 '저환기(hypoventilation)'라고 한다(그림 5.1).

저환기의 원인으로는 호흡근을 조절하는 호흡중추를 억제하는 아편과 바르비튜레이트 등의 약물과, 흉벽손상, 호흡근의 약화나 마비, 높은 기도저항(예: 중증천식발작)

등이 있다. 병적인 비만과 같은 일부 질환은 중추호흡욕동(central respiratory drive)과 호흡역학(respiratory mechanics) 모두에 영향을 줌으로써 저환기증을 유발할 수 있다. 저환기는 항상 폐포P_{CO_2} 상승을 일으키며, 결국 동맥혈P_{CO_2} 상승을 초래한다. 폐포환기와 P_{CO_2} 간의 관계는 22페이지에 설명된 폐포환기방정식(alveolar ventilation equation)에서 나온 것이다.

$$P_{CO_2} = \frac{\dot{V}_{CO_2}}{\dot{V}_A} \times K$$

여기서 $\dot{V}_{CO_2}$는 CO_2생산량, $\dot{V}_A$는 폐포환기량, K는 상수이다. 이 공식은 만일 폐포환기량이 절반으로 감소하여 안정상태에 도달하면 P_{CO_2}는 2배로 증가하는 것을 의미한다.

저환기상태에서 발생하는 P_{O_2} 감소와 P_{CO_2} 상승 간의 관계는 만약에 흡기가스의 구성인 F_{IO_2}와 호흡교환비(respiratory exchange ratio)인 R을 알 수 있다면 폐포가스방정식(alveolar gas equation)을 이용해 계산할 수 있다. 호흡교환비(respiratory exchange ratio) R은 CO_2생산/O_2소모 간의 비율인데, 정상상태(steady state)에서는 조직대사에 의해 결정되며, 개인이 소비하는 연료(즉, 탄수화물, 지방, 단백질)의 균형에 따라서도 달라진다. 이것은 종종 호흡지수(respiratory quotient)라고 알려져 있다. 간단한 형태의 폐포가스방정식은 다음과 같다.

$$P_{A_{O_2}} = P_{I_{O_2}} - \frac{P_{A_{CO_2}}}{R} + F$$

여기서 F는 작은 보정계수(대기호흡 중인 경우 일반적으로 약 2 mmHg이므로)로 무시할 수 있다. R값이 0.8로 정상이라면 저환기상태에서 폐포P_{CO_2}의 상승수준보다 폐포P_{O_2}가 조금 더 많이 감소함을 이 방정식은 보여준다. 폐포가스방정식의 완전한 공식을 부록A에 수록하였다.

저환기상태에서 고농도산소를 호흡하지 않으면 폐포와 동맥혈P_{O_2}는 언제나 감소한다. 고농도산소를 호흡하는 경우 매 호흡당 추가되는 산소가 감소한 흡기가스의 유량을 쉽게 보충할 수 있다(제5장 끝부분에 수록된 문제3번을 풀어보라). 갑자기 폐포환기량이 증가(예: 자발적인 과호흡에 의해)할 때 폐포P_{O_2}와 P_{CO_2}가 새로운 안정상태에 도달하는데는 몇 분이 걸릴 수 있다. 이는 체내의 산소와 이산화탄소의 저장량이 다르기 때문이다. 이산화탄소는 혈액과 간질액 안에 중탄산염의 형태로 저장되기 때문에 이산화탄소 저장량은 산소 저장량보다 훨씬 크다(6장 참조). 따라서 폐포P_{CO_2}는 평형상태까지 도달하는 데 더 많은 시간이 걸리고 또 평형상태 도달 전, 즉 불평형인 상태에서 호기가스의 R은 높은데, 이는 저장되어 있던 이산화탄소가 빠져나가기 때문이다. 저환기상태가 시작되면 반대의 변화가 일어난다.

저환기(Hypoventilation)는

- 항상 폐포와 동맥혈P_{CO_2}를 증가시킨다.
- 보충산소를 흡입하지 않으면 P_{O_2}는 감소한다.
- 저산소혈증은 흡입가스에 보충산소를 추가하면 쉽게 회복된다.

확산제한(Diffusion limitation)

그림 5.1에서 완벽한 폐는 동맥혈P_{O_2}와 폐포P_{O_2}가 동일한 것을 보여준다. 그러나 실제 현실은 그렇지 못하다. 그 이유 중 한 가지는 폐모세혈관을 통과할 때 혈액P_{O_2}는 폐포가 스P_{O_2}에 가장 근접하나(그림 3.3), 결코 폐포가스P_{O_2}의 수준까지 같아지지 못하기 때문이다. 정상상태에서 확산제한에 의한 폐포가스와 폐모세혈관 간의 P_{O_2}차는 측정할 수 없을 정도로 작으며 이것은 그림 5.2에 도식적으로 표현되어 있다. 그러나 이런 차이는 운동 중 더 커질 수 있고(모세혈관 내 적혈구의 이동시간이 짧아져서), 혈액-가스장벽의 비후, 또는 산소농도가 낮은 산소혼합물을 흡입할 때(그림 3.3B) 그 차이는 커진다. 그렇지만, 폐질환에 의해 혈액-가스장벽에 변화가 발생해도 안정 시 해수면에서 저산소혈증이 발생하는 경우는 거의 없다. 그 이유는 적혈구가 확산에 필요한 충분한 시간 동안 폐

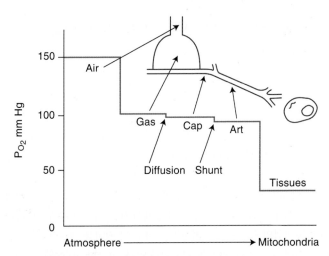

그림 5.2. 공기에서 조직으로 산소가 이동할 때 확산과 션트에 의해 동맥혈P_{O_2}가 감소됨을 보여준다. (Modified with permission of John Wiley & Sons from West JB. Ventilation/Blood Flow and Gas Exchange. 5th ed. Oxford, UK: Blackwell; 1990:3; permission conveyed through Copyright Clearance Center, Inc.)

모세혈관에서 머물수 있으므로 거의 완전한 평형에 도달할 수 있기 때문이다.

션트(Shunt)

동맥혈Po_2가 폐포가스Po_2보다 낮은 또 다른 이유는 션트 때문이다. 환기가 되는 폐와 접촉 없이 폐혈관의 혈액이 동맥순환계로 들어가는 것을 션트라고 한다. 정상적인 폐에 서 기관지동맥을 통과하는 혈액의 일부가 기관지를 관류한 다음 폐포가스와 접촉 없이 폐정맥을 통해 배출되는데, 이 혈액의 일부에서 산소가 결핍된 션트혈류가 발생한다. 션 트의 또 한 가지 원인은 소량의 심장정맥혈(coronary venous blood)로, 테베시안정맥을 통하여 좌심실로 직접 배출된다. 산소화되지 못한 혈액이 추가되면 동맥혈Po_2는 더욱 감소한다. 또 일부 환자에서 소폐동맥과 소폐정맥 사이에 비정상적인 혈관의 연결, 즉 폐 동정맥기형(pulmonary arteriovenous malformation, AVM)이 있는 경우도 있다. 어 떤 형태의 심장질환에서 우, 좌심장 사이의 결손을 통해 정맥혈이 직접 동맥혈에 합류하 여 션트의 원인이 되기도 한다.

폐모세혈관을 통과하면서 산소화(동맥화)된 폐모세혈관 말단의 혈액에 혼합정맥혈 이 추가되는 션트가 발생한 경우 션트 혈류량을 계산할 수 있다(그림 5.3). 동맥혈에서 조 직으로 공급되는 산소총량은 동맥혈의 산소농도인 Ca_{O_2}와 총혈류량인 $\dot{Q}_T$를 곱한 Ca_{O_2} 또는 $\dot{Q}_T \times Ca_{O_2}$이다. 이것은 션트혈류의 산소량($Qs \times C\bar{v}_{O_2}$)과 폐모세혈관 말단의 산 소량 $(\dot{Q}_T - \dot{Q}_S) \times Cc'_{O_2}$를 합친 것과 같다. 그러므로,

$$\dot{Q}_T \times Ca_{O_2} = \dot{Q}_S \times C\bar{v}_{O_2} + (\dot{Q}_T - \dot{Q}_S) \times Cc'_{O_2}$$

이를 정리하면

$$\frac{\dot{Q}_S}{\dot{Q}_T} = \frac{Cc'_{O_2} - Ca_{O_2}}{Cc'_{O_2} - C\bar{v}_{O_2}}$$

폐모세혈관 말단의 산소농도는 보통 폐포산소분압(P_{AO_2})과 산소해리곡선으로부터 계산할 수 있다(6장 참조). 총혈류량에 대한 션트혈류의 비율을 션트비(shunt fraction) 라고 한다.

그러나 혼합정맥혈과 산소농도가 동일하지 않은 혈액에 의해 션트가 발생하는 경우 (예: 기관지 정맥혈)에는 일반적으로 션트의 실제크기를 계산할 수 없다. 따라서 혼합정 맥혈이 합쳐져 동맥혈의 산소농도가 떨어지는 경우 그 원인을 션트라고 여기고 '마치' 션 트가 일어난 것처럼 계산하는 것이 유용할 때가 있다. 건강한 사람에서 기관지정맥과 테 베시안정맥의 혈류에 의해 발생하는 정상적인 션트비는 약 5%이지만, 어떤 특정 폐질환 에서는 훨씬 더 높은 수치까지 상승할 수 있다.

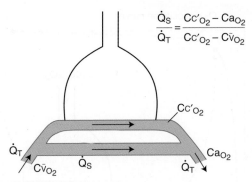

$$\frac{\dot{Q}_S}{\dot{Q}_T} = \frac{Cc'_{O_2} - Ca_{O_2}}{Cc'_{O_2} - C\bar{v}_{O_2}}$$

그림 5.3. 션트혈류의 측정. 동맥혈에 의해 운반되는 산소는 모세혈류를 통해 운반되는 산소와 션트혈류에 의해 운반되는 산소를 합친 것과 같다(본문 참조).

저산소혈증의 원인이 션트인 경우 100% 산소를 호흡하더라도 저산소혈증은 해결되지 않는 것이 션트의 중요한 특징이다. 이는 환기가 진행되어 폐포P_{O_2}가 높아지더라도 이 폐포단위를 우회한 션트혈류는 산소와 전혀 접촉이 없으므로 동맥혈P_{O_2}는 계속 낮은 상태가 되기 때문이다. 그럼에도 동맥혈P_{O_2}는 어느 정도까지는 상승할 수 있는데, 그 이유는 환기가 되는 폐포의 모세혈액에 산소가 추가될 수 있기 때문이다. 따라서 일부 환자들에서 보충산소투여는 유용할 수 있다. 추가된 O_2의 대부분은 헤모글로빈과 결합된 형태가 아니라 혈액에 용해된 형태인데, 그 이유는 환기되는 폐포를 관류한 폐모

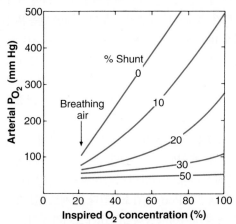

그림 5.4. 다양한 양의 션트가 존재하는 폐에서 흡기산소농도의 증가에 따른 동맥혈P_{O_2}. 션트가 존재할 때 동맥혈P_{O_2}는 100%산소를 투여할 때 보이는 정상적인 수준의 P_{O_2}보다 훨씬 낮다. 그러나 중증의 션트가 존재하더라도 산소화에는 유용한 이득이 발생한다(이 그래프는 전형적인 수치만을 보여준다. 심박출량과 산소흡수량의 변화등은 곡선의 위치에 영향을 준다). (West JB. Pulmonary Pathophysiology: The Essentials. 8th ed. Philadelphia, PA: Lippincott Williams & Wilkins, 2003: 그림 9-3)

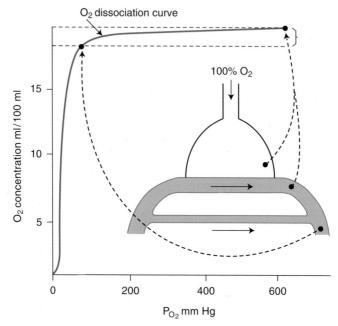

그림 5.5. 100%산소를 호흡할 때 션트에 의한 동맥혈Po_2 감소. 산소농도가 낮은 소량의 션트혈액이 추가되면 동맥혈Po_2는 많이 감소한다. 이는 Po_2가 매우 높은 상태에서는 산소해리곡선이 거의 평평하기 때문이다.

세혈관 말단의 혈액 내 헤모글로빈은 이미 폐포의 산소에 의해 거의 다 포화상태이기 때문이다(6장 참조). 션트가 존재할 때 보충산소 투여에 대한 반응은 션트비에 따라 달라진다(그림 5.4). 환자에게 100% 산소를 호흡하도록 하는 것은 션트를 측정할 수 있는 민감한 방법인데, 그 이유는 Po_2가 높은 상태에서 산소해리곡선(O_2 dissociation curve, 참고: 헤모글로빈-산소해리곡선과는 다름)은 거의 평탄한 기울기를 보이므로 션트혈류에 의해 동맥혈O_2농도가 조금만 감소하더라도 Po_2는 비교적 큰 감소를 보이기 때문이다(그림 5.5).

비록 션트혈액의 CO_2는 높지만 일반적으로 션트 때문에 전신동맥혈Pco_2가 상승하지는 않는다. 그 이유는 동맥혈Pco_2가 조금만 상승해도 화학수용체가 이것을 감지하여 환기량을 증가시키기 때문이다. 환기량이 증가하면 동맥혈Pco_2가 정상으로 될 때까지 션트가 발생하지 않은 혈액의 Pco_2도 감소시킨다. 실제로 션트가 있는 환자 중 일부는 저산소혈증이 호흡욕동을 증가시켜 동맥혈Pco_2가 오히려 낮다(8장 참조).

션트(Shunt)

- 흡기 시 산소를 추가하여도 션트에 의한 저산소혈증은 잘 교정되지 않는다.
- 100% 산소를 흡입하더라도 동맥혈Po_2가 예상수준까지는 상승하지 않는다. 이런 소견은 션트의 유용한 진단법이다.
- 혼합정맥혈에 의해 션트가 발생하는 경우 션트방정식을 이용해 션트의 크기를 계산할 수 있다.

환기-관류비(The ventilation-perfusion ratio)

지금까지 저산소혈증의 네 가지 원인 중 세 가지, 즉 저환기(hypoventilation), 확산(diffusion), 그리고 션트(shunt)를 공부했다. 이제부터 가장 흔하지만 또 가장 이해하기 힘든 저산소혈증의 마지막 원인, 즉 환기-관류불균등(ventilation-perfusion inequality)을 공부하게 된다.

가스교환을 효율적으로 유지하고 저산소혈증을 예방하기 위해 필요한 결정적인 요소는 각각의 폐단위에 환기와 관류가 균형 있게 공급되는 것이다. 만약 폐의 여러 구역에서 환기와 관류가 불일치하는 경우 O_2와 CO_2의 전달장애가 발생한다. 어떻게 이 같은 일이 발생하는지 이해하기 위한 열쇠는 환기-관류비이다.

그림 2.1의 폐단위 모델에서 염료와 물을 사용, O_2흡수를 시뮬레이션한다고 생각해 보자(그림 5.6). 분말염료가 지속적으로 폐단위에 공급되는 것은 폐포환기에 의해 지속적으로 O_2가 추가되는 것을 나타낸다. 물은 O_2를 흡수하여 제거하는 혈류를 의미하며 펌프작용에 의해 연속적으로 폐단위를 지나간다. 확산에 의해 정상적인 가스이동이 이루어지는 것처럼 교반기는 폐포 내 내용물을 혼합한다. 핵심질문은 다음과 같다: 폐포 내 염료(즉, O_2)의 농도 그리고, 유출수(즉, 혈액)의 염료농도를 결정하는 것은 무엇인가?

염료가 추가되는 속도(환기)와 펌프가 유출수를 이동시키는 속도(관류), 두 가지가 모두 폐단위 모델 안의 염료농도에 영향을 주게 되는 것은 분명하다. 직관적으로 명확하지 않을 수 있지만 염료농도는 이 두 가지, 즉 환기와 관류 간의 비율에 의해 결정된다. 다르게 말하면, 만일 V g/min의 속도로 염료가 추가(환기)되고 Q L/min의 속도로 물이 이동(관류)하는 경우 폐포구역과 유출수의 염료농도는 V/Q g/L이다.

정확히 같은 방식으로 어떤 폐단위이든지 O_2농도(또는 Po_2)는 환기에 대한 관류 비율에 의해 결정된다. 이는 O_2뿐 아니라 CO_2, N_2 그리고 안정상태(steady state)로 존재하는 다른 어떤 가스에도 적용된다. 이것이 폐의 가스교환에서 환기-관류가 핵심적인 역할을 하는 이유이다.

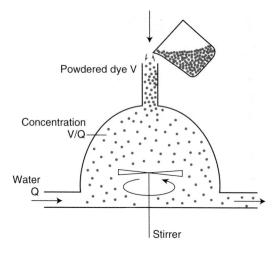

그림 5.6. 폐단위에서 환기-관류비가 어떻게 P_{O_2}를 결정하는지 설명하는 모델이다. 폐단위에 분말염료가 V라는 환기속도로 공급되고 이것이 Q라는 유출수에 의해 제거되는 관계가 폐포P_{O_2}를 결정하는 요소임을 나타낸다. 염료농도는 V/Q로 표시된다. (Republished with permission of John Wiley & Sons from West JB. Ventilation/Blood Flow and Gas Exchange. 5th ed. Oxford, UK: Blackwell; 1990; permission conveyed through Copyright Clearance Center, Inc)

폐단위의 환기-관류비 변화에 따른 영향(Effect of altering the ventilation-perfusion ratio of a lung unit)

폐단위의 환기-관류비 변화가 가스교환에 어떤 영향을 미치는지 자세히 살펴보자. 그림 5.7A에서 환기-관류비가 정상인 폐단위의 P_{O_2}와 P_{CO_2}를 보여준다(대략 1이며, 그림 2.1 참고). 흡입한 공기의 P_{O_2}는 150 mmHg(그림 5.1), P_{CO_2}는 0 mmHg이다. 그리고 폐단위에 유입되는 혼합정맥혈의 P_{O_2}는 40 mmHg, P_{CO_2}는 45 mmHg이다. 따라서 환기를 통한 O_2공급과 혈류에 의한 O_2제거 사이의 균형에 의해 폐포P_{O_2}은 100 mmHg로 결정된다. 정상폐포P_{CO_2}인 40 mmHg도 이와 유사하게 결정된다.

　이제 기도폐쇄로 환기는 감소되었으나 혈류는 아직 감소되지 않은 상태, 즉 폐단위의 환기-관류비가 점차 감소했다고 가정해보자(그림 5.7B). 이와 같은 경우는 예를 들면, 점액이나 종양 등으로 기도가 막힌 경우에 발생할 수 있다. 비록 O_2와 CO_2 이 두 가지의 상대적인 변화는 즉각적으로 분명하게 나타나지는 않지만, 이 폐단위에서 O_2가 감소하고 CO_2는 증가할 것이 분명하다.[*] 더구나 환기가 완전히 중단되면 어떤 일이 발생할 것인지 쉽게 예측할 수 있다(환기 - 관류비 = 0). 이 경우 폐포가스와 모세혈관의 말단혈액 O_2 및 CO_2는 틀림없이 혼합정맥혈의 O_2 및 CO_2와 동일하다(임상에서, 기류가 완전히 폐쇄된 폐단위는 결국 허탈에 빠지게 되지만, 지금은 이 같은 장기적인 효과는 무시해도 된다). 그리고 수많은 폐단위 중에서 폐단위 한 개의 변화는 혼합정맥혈의 가스구성에 영향을 주지 못함을 가정하고 있음을 주목하라.

---

[*] 이를 환기-관류비방정식이라고 한다. 자세한 내용은 부록 B를 참조하라.

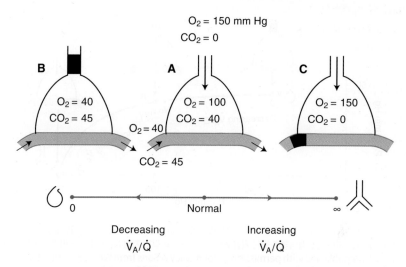

그림 5.7. 폐단위에서 환기-관류비의 변화가 P_{O_2}와 P_{CO_2}에 미치는 영향. (Republished with permission of John Wiley & Sons from West JB. Ventilation/Blood Flow and Gas Exchange. 5th ed. Oxford, UK: Blackwell; 1990; permission conveyed through Copyright Clearance Center, Inc.)

이번에는 혈류가 줄어들어 환기-관류비가 증가한다고 가정해보자(그림 5.7C). 예를 들어 이런 상태는 혈전에 의해 혈관이 부분적으로 차단되는 폐색전증에서 발생할 수 있다. 혈류가 없어지면(환기-관류비는 무한대) O_2는 상승하고 CO_2는 감소해서, 결국은 흡입가스의 구성과 같아지게 된다. 그러므로, 폐단위의 환기-관류비가 변경되면 가스구성 비율은 혼합정맥혈(V/Q = 0인 경우)이나 흡입가스(V/Q = ∞인 경우)와 비슷해진다.

이러한 변화를 설명하는 편리한 방법은 산소-이산화탄소도표(O_2-CO_2 diagram)를 이용하는 것이다(그림 5.8). 이 도식에서 P_{O_2}는 x축 P_{CO_2}는 y축에 표시된다. 먼저 정상폐가스의 구성을 나타내는 A지점(P_{O_2} = 100, P_{CO_2} = 40)을 설정한다. 폐모세혈관 말단의 혈액과 폐포가스의 구성이 동일한 평형상태가 되었다고 가정하면(그림 3.3), 이 지점은 폐모세혈관 말단의 혈액상태를 잘 대변한다고 할 수 있다. 다음으로 혼합정맥혈인 $\bar{v}$ 지점(P_{O_2} = 40, P_{CO_2} = 45)을 보자. v자 위의 막대표시($\bar{v}$)는 '혼합' 또는 '평균'을 의미한다. 끝으로 흡기 I지점 (P_{O_2} = 150, P_{CO_2} = 0)을 보자. 또한 그림 5.7과 그림 5.8의 유사성을 주목해 보자.

$\bar{v}$ 지점에서 A를 통과해 I지점을 연결한 선은 환기-관류비가 정상 이하로 감소할 때 ($A \rightarrow \bar{v}$) 또는 정상 이상으로 증가할 때($A \rightarrow \bar{v}$) 발생할 수 있는 폐포가스(즉, 폐모세혈관 말단의 혈액) 구성변화를 보여준다. 실제로, 이 선은 흡입가스 구성상태와 같은 I지점과 혼합정맥혈 구성상태와 같은 $\bar{v}$ 지점 사이의 폐 안에서 가능한 모든 폐포가스의 구성상태를 나타낸다. 예를 들어, P_{O_2}가 70 mmHg이고 P_{CO_2}가 30 mmHg인 폐포단위는

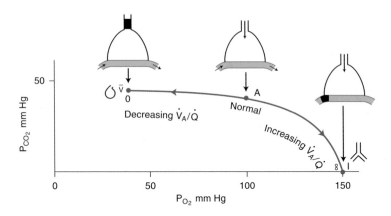

그림 5.8. 환기-관류비곡선을 보여주는 산소-이산화탄소도표(O_2-CO_2 diagram). 폐단위의 Po_2와 Pco_2는 환기-관류비 증가에 따라 혼합정맥혈과 같은 지점 $\bar{v}$에서 흡기가스와 같은 지점 I까지 이 선을 따라 이동한다(그림 5.7과 비교). (Republished with permission of John Wiley & Sons from West JB. Ventilation/Blood Flow and Gas Exchange. 5th ed. Oxford, UK: Blackwell; 1990; permission conveyed through Copyright Clearance Center, Inc.)

폐 안에 존재할 수 없는데 그 이유는 환기-관류선 내에 이런 구성상태와 동일한 지점이 없기 때문이다. 그럼에도 만약 혼합정맥혈이나 흡기가스의 변동으로 환기-관류선의 위치가 변하여 이런 지점, 즉 Po_2 70 mmHg, Pco_2 30 mmHg인 지점을 통과한다면 이와 같은 폐포가스의 구성도 존재할 수 있다.

폐 안에서 국소적 가스교환(Regional gas exchange in the lung)

환기와 관류는 폐 전체에 걸쳐 균등하지 않으며, 오히려 폐첨부에서 폐기저부까지 중력과 기타 다른 요인의 영향에 의해 달라진다. 이는 폐 전체에 걸친 환기-관류비 차가 각기 다른 폐구역에서 국소적인 가스교환에 영향을 주기 때문이다. 그림 2.7과 그림 4.7을 보면 폐첨부에서 폐기저부로 가면서 환기량은 서서히 증가하는 반면 관류량은 더 빠르게 증가하는 것을 볼 수 있다(그림 5.9). 따라서 환기-관류비는 폐첨부(혈류량이 최소인 구역)에서 비정상적으로 높고 반대로 폐기저부쪽에서는 훨씬 낮다. 그러므로 산소-이산화탄소도표(그림 5.8)에서 환기-관류비의 이러한 국소적 차이를 이용, 가스교환의 결과적인 차이를 나타낼 수 있다.

그림 5.10은 직립상태의 폐를 가상적인 '얇은 수평절편'으로 나눈 것이며, 각각의 절편은 환기-관류비가 각기 다르나 환기-관류곡선 안에 위치한다. 폐첨부는 환기-관류비가 높기 때문에 환기-관류비곡선의 오른쪽 끝 부근에 위치하는 반면, 폐기저부는 환기-

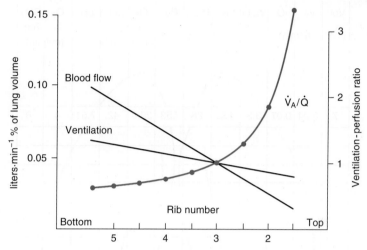

그림 5.9. 직립상태의 폐에서 환기-관류의 분포(그림 2.8 및 그림 4.8과 비교). 환기-관류비는 폐기저부로 갈수록 감소한다. (West JB. Ventilation/Blood Flow and Gas Exchange. 5th ed. Oxford, UK: Blackwell, 1990.)

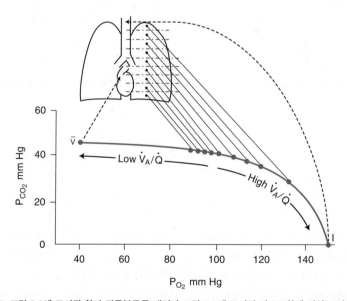

그림 5.10. 그림 5.9에 표시된 환기-관류불균등 패턴과 그림 5.8에 표시된 가스교환에 미치는 영향을 결합한 결과. 폐첨부는 환기-관류비가 높아 P_{O_2}는 높고 P_{CO_2}는 낮은 소견이 관찰됨을 유의하라. 폐의 기저부에서는 이와 반대의 결과가 관찰된다. (From West JB. Ventilation/Blood Flow and Gas Exchange. 5th ed. Oxford, UK: Blackwell; 1990).

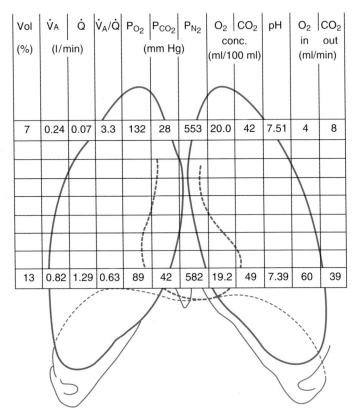

Vol (%)	$\dot{V}_A$ (l/min)	$\dot{Q}$	$\dot{V}_A/\dot{Q}$	P_{O_2}	P_{CO_2} (mm Hg)	P_{N_2}	O_2 conc.	CO_2 (ml/100 ml)	pH	O_2 in	CO_2 out (ml/min)
7	0.24	0.07	3.3	132	28	553	20.0	42	7.51	4	8
13	0.82	1.29	0.63	89	42	582	19.2	49	7.39	60	39

그림 5.11. 정상폐에서 가스교환의 국소적 차이. 명확성을 위해 폐첨부와 폐기저부의 수치만 표시하였다.

관류비가 낮기 때문에 환기-관류비가 정상인 지점의 왼쪽에 있다(그림 5.8과 비교). 폐기저부쪽(즉, 좌측방향으로)으로 이동할 때 폐포P_{O_2}(수평축)는 뚜렷하게 감소하는 반면, 폐포P_{CO_2}(수직축) 증가는 이에 비해 훨씬 적다.

그림 5.11은 그림 5.10 중에서 판독가능한 수치를 보여준다(물론, 개개인 간의 차이는 있을 것이다. 그러나 이렇게 설명하는 주목적은 특정한 수치를 확인하는 것보다는 가스교환에 숨겨져 있는 기본원리를 설명하기 위한 것이다). 먼저 폐첨부에 가까운 절편의 폐용적이 폐기저부 절편보다 작다는 점을 유의하라. 폐첨부는 폐기저부에 비해 환기량도 작지만 혈류량 또한 폐첨부에서 폐기저부에 비해 훨씬 더 작다. 결과적으로, 환기-관류비는 폐기저부로 갈수록 감소하고, 가스교환의 모든 차이점들은 이로 인해 발생한다. 폐첨부와 기저부간의 P_{O_2} 차이는 40 mmHg 이상이나, P_{CO_2}의 차이는 훨씬 적다. 기본적으로 폐전체에 걸친 총폐포가스압은 동일하므로 P_{O_2}, P_{CO_2}의 변화에 따라 자연스럽게 P_{N_2}는 달라진다.

P_{O_2} 및 P_{CO_2}의 국소적 차이는 폐모세혈관 말단의 혈액에서 이들 가스의 농도차를 의미하는데 이 가스들의 농도는 적절한 해리곡선을 통해 구할 수 있다(6장). 폐기저부로 내려갈수록 pH는 놀랄 정도로 큰 차이를 보이는데, 이는 혈액P_{CO_2}의 변동이 상당함을 반영한다. 전체 O_2흡수량 중 폐첨부를 통해 흡수되는 양이 가장 적은 주된 이유는 폐첨부의 혈류량이 매우 작기 때문이다. 폐첨부와 폐기저부 간 CO_2배출량의 차이는 훨씬 적다. 왜냐하면 CO_2배출량은 환기와 더 밀접하게 관련되어 있기 때문이다. 따라서 호흡교환비(respiratory exchange ratio, CO_2배출/O_2흡수)는 폐기저부보다 폐첨부에서 더 높다. 운동에 의해 혈류의 분포가 좀더 균등해져 폐첨부의 혈류량이 증가되면, 폐첨부는 O_2흡수에 더 큰 역할을 한다.

환기-관류불균등이 전체 가스교환에 미치는 영향(Effect of ventilation-perfusion inequality on overall gas exchange)

앞에서 설명한 가스교환의 국소적인 차이는 흥미롭지만, 전체적으로 몸에 더 중요한 것은 폐의 전반적인 가스교환, 즉 산소를 흡수하고 이산화탄소를 배출하는 능력에 대하여 '균등하지 못한 환기와 관류가 어떤 영향을 미치는가'이다. 다른 모든 조건이 동일하더라도 환기-관류가 불균등한 폐는 환기-관류가 균등한 폐만큼 산소와 이산화탄소를 교환할 수 있는 능력이 부족하다는 것이 밝혀졌다. 또는 동일한 양의 가스(이것들은 몸의 대사요구량에 따라 결정되기 때문에)가 이동할 때, 다른 모든 조건이 동일하더라도 환기-관류가 불균등한 상태의 폐는 환기-관류가 균등한 폐만큼 동맥혈P_{O_2}를 높게 또는 동맥혈P_{CO_2}를 낮게 유지할 수 없다.

환기와 관류가 균등하지 못한 폐에서 동맥혈산소화장애가 어떻게 발생하게 되는지 직립상태 폐의 위쪽에서 아래쪽으로 내려갈 때 관찰되는 차이를 통해 설명할 수 있다(그림 5.12). 폐첨부P_{O_2}는 폐기저부보다 약 40 mmHg 더 높다. 그러나 폐에서 나오는 혈류의 대부분은 P_{O_2}가 낮은 영역(즉, 폐기저부)으로부터 나온다. 이로 인해 동맥혈P_{O_2}가 낮아지게 되는 결과를 보인다. 이와는 대조적으로, 배출되는 폐포가스는 폐첨부와 폐기저부 모두에서 좀 더 균등하게 배출되는데 그 이유는 폐첨부와 폐기저부에서 환기량의 차이가 혈류의 차이보다 훨씬 적기 때문이다(그림 5.9). 동일한 원리로 폐첨부보다 폐기저부에서 이산화탄소농도가 높기 때문에 동맥혈P_{CO_2}는 상승한다(그림 5.11).

환기와 관류불균등이 동맥혈P_{O_2}를 낮추는 추가적인 이유를 그림 5.13에서 볼 수 있다. 이 그림에는 세 군의 폐포, 즉 환기-관류비가 낮거나 정상 그리고 높은 폐포들이 표현되어 있다. 각 군의 폐포에서 유출되는 혈액의 산소농도는 혈액 100 mL당 각각 16, 19.5 그리고 20 mL이다. 그런데 환기-관류비가 낮은 폐포수와 환기-관류비가 높은 폐포수가 같더라도 환기-관류비가 높은 폐포단위가 환기-관류비가 낮은 폐포단위 때문에

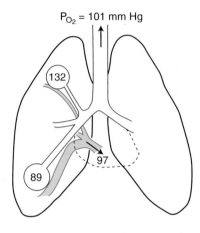

P_{O_2} = 101 mm Hg

132

97

89

그림 5.12. 환기-관류불균등에 의한 동맥혈P_{O_2}의 저하. 직립상태의 폐를 표시한 이 그림에서 두 군의 폐포만 보여준다. 하나는 폐첨부에 있고 다른 하나는 폐기저부에 있다. 기도와 혈관의 상대적 크기는 환기와 관류의 상대적인 양을 의미한다. 산소화가 상대적으로 저조한 폐기저부로부터 대부분의 관류가 나오기 때문에 혈액P_{O_2}가 낮아지는 것은 불가피하다. (Reprinted from West JB. Blood-flow, ventilation, and gas exchange in the lung. *The Lancet*. 1963;282(7316):1055-1058. Copyright ⓒ1963 Elsevier. With permission)

발생한 문제(저산소)를 보완할 수 없다. 그 이유는 산소해리곡선이 비선형형태를 보이기 때문에 환기-관류비가 높은 폐포단위는 상대적으로 높은 P_{O_2}임에도 불구하고 혈액의 산소농도를 많이 증가시키지 못한다. 결과적으로 환기-관류비가 높은 폐포단위는 환기-관류비가 낮은 폐포단위에 의해 발생한 산소농도의 저하 정도와 비교할 때 혈액의 산소농도를 상대적으로 거의 증가시키지 못한다. 따라서 혼합모세혈관의 혈액은 환기-관류비가 정상인 폐포단위의 혈액에 비해 산소농도가 낮다. P_{O_2} 감소에 대한 이 같은 설명은 P_{CO_2} 상승을 설명하는 데는 적용할 수 없는데 그 이유는 정상범위 내에서 이산화탄소해리곡선은 거의 선형인 형태를 보이기 때문이다(다음에 설명함).

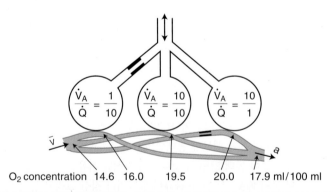

$$\frac{\dot{V}_A}{\dot{Q}} = \frac{1}{10} \qquad \frac{\dot{V}_A}{\dot{Q}} = \frac{10}{10} \qquad \frac{\dot{V}_A}{\dot{Q}} = \frac{10}{1}$$

$\bar{v}$ a

O_2 concentration   14.6   16.0   19.5   20.0   17.9 ml/100 ml

그림 5.13. 환기-관류불균등에 의해 동맥혈P_{O_2}가 감소하는 추가적인 이유. 환기-관류비가 낮은 폐포단위에 의해 감소되는 산소량에 비해 환기-관류비가 높은 폐포단위는 상대적으로 적은양의 산소를 혈액에 추가하기 때문이다. (Modified with permission of John Wiley & Sons from West JB. Ventilation/Blood Flow and Gas Exchange. 5th ed. Oxford, UK: Blackwell; 1990; permission conveyed through Copyright Clearance Center, Inc.)

이와 같은 기전들이 종합적으로 작용한 결과 동맥혈Po_2는 혼합폐포Po_2보다 더 낮게 된다(소위 폐포-동맥혈Po_2차). 그러나 직립상태의 정상폐에서 환기-관류불균등에 의한 폐포-동맥혈Po_2차는 약 4 mmHg에 불과할 정도로 아주 작다. 그렇지만 여기에서 폐포-동맥혈Po_2 차의 발생을 설명한 이유는 환기-관류불균등이 어떻게 동맥혈Po_2를 감소시키는 결과를 초래하는지 보여주기 위해서이다. 이 같은 기전으로 급, 만성폐질환에서 동맥혈Po_2는 매우 심각하게 감소할 수 있다.

환기-관류비의 분포(Distributions of ventilation-perfusion ratios)

다양한 용해도를 보이는 불활성가스들의 용해혼합물을 말초정맥에 주입한 후 동맥혈과 호기가스에서 각각의 불활성가스 농도를 측정하면 폐질환 환자에서 환기-관류비의 분포에 대한 정보를 얻을 수 있다. 이 검사법의 세부사항을 이 책에서 설명하기에는 너무 복잡하며, 병원의 폐기능검사실에서 시행할 수 있는 검사도 아니고 연구목적으로나 시행된다. 이 검사법은 로그스케일로 동일 간격의 50개 구획이 표시된 x축에 환기-관류비를 그리고 y축에 환기 및 관류의 분포를 각각 표시한다.

그림 5.14는 젊고 건강한 사람의 전형적인 결과를 보여준다. 모든 환기와 관류는 정상 환기-관류비인 약 1.0에 가까운 구획으로 모이며, 특히 환기가 이뤄지지 않은 구획으로 가는 관류(즉, 션트)가 없다는 점을 유의하라. 그러나 폐질환 환자의 분포는 종종 매우 다르다. 만성기관지염과 폐기종 환자(즉, COPD 환자)의 예를 그림 5.15에서 볼 수 있다. 환기와 관류의 대부분은 각각 환기-관류비가 거의 정상인 구획으로 이동하지만 그래도 상당량의 혈류는 환기-관류비가 0.03-0.3 사이인 구획으로 이동한다는 점에 유의하라. 이런 폐포단위로부터 나오는 혈류는 산소화가 되지 않아 동맥혈Po_2를 낮춘다. 또한 환기-관류비가 10까지 상승한 폐포단위에는 과다한 환기(즉, 사강환기)가 있다. 이와 같은 폐포단위는 이산화탄소를 제거하는 데 비효율적이다. 이와 같은 환자에서 동맥혈 저산소증이 관찰되지만 동맥혈Pco_2는 정상이다(아래 참조). 다른 유형의 폐질환에서는 또 다른 형태의 그래프가 관찰된다.

이산화탄소저류의 원인인 환기-관류불균등(Ventilation-perfusion inequality as a cause of CO_2 retention)

폐에서 환기 및 관류가 균등하여 정상적인 양의 산소와 이산화탄소가 전달된다고 상상해보자. 다른 모든 것들에는 아무런 변화 없이 마치 어떤 마술에 걸린 것처럼 갑자기 환기와 관류의 균형만 깨진다고 가정해 보자. 가스교환에 어떤 일이 발생할까? 이와 같이

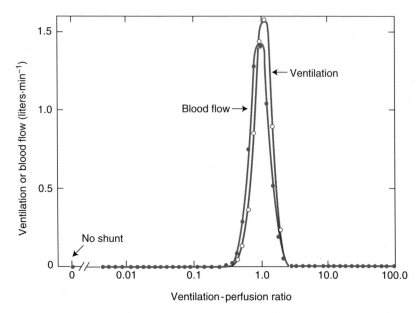

그림 5.14. 젊은 건강한 사람의환기-관류비의 분포. 1.0을 중심으로 좁게 분산되어 있고 또한 션트가 없는 것에 주목하자. (Redrawn from Wagner, et al. J Clin Invest. 1974;54:54.)

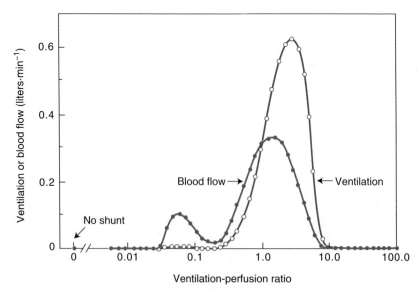

그림 5.15. 만성기관지염과 폐기종 환자의 환기-관류비의 분포. 특히 환기-관류비가 매우 낮은 폐포단위로 가는 혈류에 주목하자. 그림 5.14 과 비교한다. (Redrawn from Wagner, et al. J Clin Invest. 1974;54:54.)

'순수한(즉, 다른 모든 요소가 변함없이 일정한 경우)' 환기-관류불균등의 효과는 폐의 산소흡수량과 이산화탄소배출량을 모두 감소시킨다는 것을 알 수 있다. 다시 말해서, 두 가스(산소, 이산화탄소)의 가스교환기로서 폐의 효율이 떨어지게 된다. 그러므로, 환기-관류불균등은 저산소혈증과 고이산화탄소혈증(즉, 이산화탄소저류) 두 가지 모두를 야기하며, 그외 다른 것들은 동일하다.

그러나 임상에서 환기-관류불균등이 명백하게 관찰되는 만성폐쇄성폐질환이나 폐렴 환자들에서도 동맥혈P_{CO_2}는 정상인 경우가 종종 있다. 그 이유는 화학수용체가 P_{CO_2}의 상승을 감지하여 호흡욕동을 증가시키기 때문이다(8장). 폐포환기량이 증가하면 결과적으로 동맥혈P_{CO_2}를 정상으로 유지하는데 효과적이다. 그러나 이러한 환자에서는 폐포로 가는 환기량을 증가시키는 노력이 있어야 정상 P_{CO_2}를 유지할 수 있다. 정상적으로 필요한 환기량을 초과하는 환기를 종종 낭비환기(wasted ventialtion)라고 하며, 비정상적으로 높은 환기-관류비를 보이는 폐포단위는 이산화탄소를 제거하는 데 비효율적이기 때문에 이를 극복하기 위해서는 낭비환기가 필요하다. 이러한 폐포단위가 폐포사강(alveolar dead space)을 구성한다고 알려져 있다. 이것은 앞에서 설명한 해부학사강에 추가된 것이다. 폐포사강과 해부학사강을 합쳐 생리적사강이라고 한다.

환기-관류불균등이 있는 폐에서 환기량을 증가시키면 보통은 동맥혈P_{CO_2}가 감소하는 데는 효율적이지만 동맥혈P_{O_2}가 증가하는 데는 훨씬 더 비효율적이다. 이렇게 두 가스가 다른 특성을 보이는 이유는 이산화탄소 및 산소의 해리곡선의 형태가 각기 다르기 때문이다(6장). 생리적 범위 안에서 이산화탄소해리곡선은 거의 직선적이며, 그 결과 환기-관류비가 높고 낮음에 관계없이 환기량이 증가하면 폐포단위에서 이산화탄소의 배출이 증가한다. 이와는 대조적으로, 산소해리곡선의 상단은 거의 평탄한 형태이므로 환기량 증가효과는 환기-관류비가 다소 낮은 폐포단위에서만 나타날 수 있음을 의미한다. 따라서 산소해리곡선의 최상단에 위치한 폐포단위(즉, 높은 환기-관류비를 보이는)는 이 폐포단위로부터 나오는 혈류의 산소농도 증가에 거의 기여하지 못한다(그림 5.13). 또한 환기-관류비가 매우 낮은 폐포단위에서는 산소농도가 혼합정맥혈과 비슷한 혈액을 계속 내보낸다. 최종적으로 혼합동맥혈P_{O_2}는 약간만 상승하고, 어느 정도의 저산소혈증은 계속 남아 있다(표 5.1).

표 5.1 저산소혈증의 4가지 원인과 폐포-동맥혈 PO_2차 및 100%산소를 투여했을 때 반응

저산소혈증의 원인	폐포-동맥혈 PO_2차	산소투여에 대한 반응
저환기	없음	좋음
확산제한	증가	좋음
션트	증가	작으나 종종 유용함
환기-관류 불균형	증가	좋음

환기-관류불균등(Ventilation-perfusion inequality)

- 어떤 단일 폐단위의 가스교환은 환기-관류비($\dot{V}_A/\dot{Q}$)가 결정한다.
- 직립상태 사람의 폐에서 $\dot{V}_A/\dot{Q}$의 국소적 차이에 의해 국소적으로 가스교환패턴이 달라진다.
- 환기-관류불균등은 폐를 통한 모든 가스들의 흡수나 배출에 장애를 일으킨다.
- 환기-관류불균등으로 이산화탄소배출에 장애가 발생하지만, 이는 폐포환기량을 증가시킴으로써 교정할 수 있다.
- 이와 달리 환기-관류불균등에 의해 발생하는 저산소혈증은 폐포환기량을 증가시켜도 교정할 수 없다.
- 산소와 이산화탄소의 특성이 다른 것은 두 가스의 해리곡선모양이 각각 다르기 때문이다.

환기-관류불균등의 측정(Measurement of ventilation-perfusion inequality)

폐질환에서 환기-관류불균등의 양은 어떻게 측정할 수 있을까? 직립상태의 정상폐에서 환기와 관류의 지형적 차이를 확인하는 데 방사성가스를 사용할 수 있지만(그림 2.7과 4.7), 대부분 환자에서 인접한 폐포단위 간에 많은 양의 불균등이 존재하기 때문에, 흉곽 밖에 위치한 계수기로 환기와 관류의 지형적 차이를 구별할 수 없다. 따라서 임상에서는 가스교환장애의 결과를 기반으로 한 지수를 사용한다.[†]

한 가지 유용한 측정치는 소위 이상적인 폐포P_{O_2}에서 동맥혈P_{O_2}를 뺀 결과인 폐포-동맥혈P_{O_2}차(alveolar-arterial P_{O_2} difference)이다. 이상적인 폐포P_{O_2}는 환기-관류불균등이 없는 상태의 폐포P_{O_2}이며, 실제 폐와 동일한 호흡교환비로 가스를 교환한다. 폐포P_{O_2}는 폐포가스방정식(alveolar gas equation)으로 계산할 수 있다.

$$P_{A_{O_2}} = P_{I_{O_2}} - \frac{P_{A_{CO_2}}}{R} + F$$

폐포$P_{A_{CO_2}}$대신 동맥혈$P_{a_{CO_2}}$를 사용한다.

예를 들어 명확하게 살펴보자. 해수면에서 대기호흡 중인 환자의 동맥혈P_{O_2} 50

[†] 이 어려운 주제에 대한 보다 자세한 설명은 "West JB, Luks AM. West's Pulmonary Pathophysiology. 9th ed. Philadelphia, PA: Wolters Kluwer; 2017."를 참조하라.

mmHg, 동맥혈P_{CO_2} 60 mmHg, 그리고 호흡교환비를 0.8이라고 가정하자. 이 상태에서 P_{CO_2}가 높은 경우 저환기 때문에 환자의 저산소혈증이 발생했음을 의미한다. 그런데 문제는 저산소혈증의 유일한 원인이 저환기인지 아니면 다른 요인 즉, 환기-관류불균등이 관여했는지 여부이다. 이것은 폐포-동맥혈P_{O_2}차를 계산하면 확인할 수 있다.

폐포가스방정식에서 이상적인 폐포P_{O_2}는 다음과 같이 계산할 수 있다.

$$P_{A_{O_2}} = 149 - \frac{60}{0.8} + F = 74\,mm\,Hg$$

여기서 흡기P_{O_2}는 149 mmHg이고 작은 인자(small factor)인 F는 무시한다. 따라서 폐포-동맥혈P_{O_2}차는 약 (74 - 50) = 24 mmHg이다. 폐포-동맥혈P_{O_2}차는 나이가 들수록 증가하며 정상치는 약 10-15 mmHg이다. 만약 저산소혈증의 유일한 원인이 저환기 때문이라면 환자의 폐포-동맥혈P_{O_2}차는 정상범위여야 한다. 그러나 환자의 폐포-동맥혈P_{O_2}차가 비정상적으로 높다는 것은 저환기외에도 환기-관류불균등이 환자의 낮은P_{O_2}의 추가적인 원인임을 의미한다.

이 방정식을 사용하려면 환자가 대기호흡 또는 기계환기 등 어떤 상황에서도 흡기$P_{O_2}(Fio_2)$를 정확히 알아야 한다. 그러나, 어떤 형태의 보충산소투여법(nasal cannular, nonrebreather mask)에서는 흡기P_{O_2}가 가변적이어서, 임상에서 이 방정식의 적용이 쉽지 않을 수 있다. 환기-관류불균등의 측정에 대한 추가적인 정보는 10장에서 확인할 수 있다.

핵심개념(Key concepts)

1. 저산소혈증의 4가지 원인은 저환기, 확산제한, 션트, 환기-관류불균등이다.

2. 과탄산혈증, 즉 CO_2저류의 두 가지 원인은 저환기와 환기-관류불균등이다.

3. 환자에게 100% O_2를 공급했을 때 동맥혈P_{O_2}가 예상수준까지 상승하지 않는 저산소혈증의 유일한 원인은 션트이다.

4. 어떤 폐포단위에서든지 환기-관류비가 P_{O_2}와 P_{CO_2}를 결정한다. 폐첨부에서는 환기-관류비가 높아 이 부위의 P_{O_2}는 높고 P_{CO_2}는 낮다.

5. 환기-관류불균등은 모든 종류의 가스에 대한 폐의 가스교환효율을 감소시킨다. 그러나 환기-관류불균등이 있는 많은 환자에서는 폐포환기량이 증가하여 정상 동맥혈P_{CO_2}를 유지한다. 이에 반해 동맥혈P_{O_2}는 항상 낮다. 이렇게 두 가스의 반응이 다른 것은 두 가스의 해리곡선이 각각 다른 형태를 보이기 때문이다.

6. 폐포-동맥혈P_{O_2}차는 환기-관류불균등을 측정하는 데 유용하다. 폐포P_{O_2}는 동맥혈P_{CO_2}를 사용, 폐포가스방정식을 통해 계산한다.

임상증례검토(Clinical vignette)

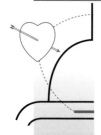

60대 남성이 바이러스성 상기도감염 이후 발생한 이틀간의 호흡곤란, 기침, 객담 등의 증상이 악화되어 응급실에 왔다. 이 환자의 외래환자 진료기록에는 오랜 기간 하루에 2갑씩 담배를 피워 온 흡연자였으며, 운동 시 호흡곤란과 화농성객담 등으로 수년간 호흡기내과 진료를 받은 기록이 있었다. 외래진료 중 시행하였던 폐기능검사 결과 만성폐쇄성폐질환(COPD)으로 확진된 과거력이 있다. 외래진료 중 대기호흡 상태에서 시행한 동맥혈가스검사 결과는 pH 7.38, Pco_2 45 mmHg, Po_2 73 mmHg였다.

응급실에서 눈에 띄게 호흡곤란이 심하였다. 입술은 약간 파랬고, 청진소견에서 높은음의 미만성천명음이 호기 시 들렸다. 흉부엑스선에서 폐가 과팽창되었고 또 방사선투과성이 비정상적으로 증가된 소견을 보였으며 국소적인 폐침윤 소견은 관찰되지 않았다. 대기호흡 상태에서 채취한 동맥혈 가스검사 결과는 pH 7.30, Pco_2 55 mmHg, Po_2 45 mmHg였다. 치료의 일환으로, 비강캐뉼라를 통해 분당 2 L의 산소를 투여하였다. 30분 후에 동맥혈을 다시 채취하였는데 검사 결과 Po_2가 90 mmHg까지 증가된 것을 확인하였다.

- 호흡교환비를 0.8이라고 가정했을 때, 외래진료 시 폐포-동맥혈Po_2 차는 얼마이며, 당시 저산소혈증의 원인은 무엇인가?
- 응급실 내원 시 환자의 폐포-동맥혈Po_2 차는? 이와 같은 폐포-동맥혈Po_2 차의 변화를 고려할 때 현재 이 환자의 저산소혈증 원인은 무엇인가?
- 응급실에서 측정한 이 환자 Pco_2가 외래진료 시 보다 더 높은 이유는?
- 보충산소투여 이후 Po_2가 증가된 소견으로 저산소혈증 원인을 어떻게 설명할 수 있나?

문제(Questions)

각 문항에 대해 가장 적절한 답 한 개를 선택하라.

1. 대기압이 447 mmHg인 고도 4,500 m (14,800 ft)에 도착한 등산가에서 동맥혈가스검사를 시행하였다. 동맥혈Po_2 55 mmHg, Pco_2 32 mmHg이었다. 수분포화 상태의 흡기가스(mmHg 단위)의 Po_2는 얼마인가?

   A. 44
   B. 63
   C. 75
   D. 84
   E. 98

2. 해수면에 거주하며 동맥혈P_{CO_2} 40 mmHg, 호흡교환비(R) 0.8인 건강한 사람이 마약성진통제를 과다복용하여 폐포환기량이 50% 정도 감소하였다. 이산화탄소생산이나 산소소비량에 변화가 없다면, 이 사람에서 대략적인 폐포P_{O_2}는(mmHg 단위)?

  A. 40
  B. 50
  C. 60
  D. 70
  E. 80

3. 질문 2의 사람에서, 폐포P_{O_2}를 마약성진통제 투여 전 수준으로 되돌리려면 흡기산소농도(%)를 얼마나 많이 증가시켜야 하나?

  A. 7
  B. 11
  C. 15
  D. 19
  E. 23

4. 폐렴에 의한 중증호흡부전으로 기계환기를 시행받고 있는 환자가 있다. 동맥혈P_{O_2}가 75 mmHg에서 55 mmHg로 감소하여 분당환기량을 10 L에서 15 L로 증가시켰다. 이와 같이 환자상태가 변할 때 다음 중 예상되는 것은 무엇인가?

  A. 폐혈관저항 감소
  B. 폐포-모세혈관장벽을 통한 더 빠른 이산화탄소 확산
  C. 환기-관류비가 높거나 낮은 폐포단위 모두에서 이산화탄소제거 증가
  D. 환기-관류비가 높은 폐포단위에서만 산소흡수 증가
  E. 환기-관류비가 높거나 낮은 폐포단위 모두에서 산소흡수 증가

5. 에베레스트산 정상(대기압 253 mmHg)에 있는 등산가의 폐포P_{O_2}가 34 mmHg를 유지하고 호흡교환비(R)가 ≤ 1로 안정된 상태를 유지한다면, 폐포P_{CO_2}(mmHg)는 다음의 어떤 수치보다 높을 수 없을까?

  A. 5
  B. 9
  C. 11
  D. 13
  E. 15

6. 환자1과 환자2의 환기-관류비($\dot{V}_A/\dot{Q}$)의 분포가 아래 그림에 표시되어 있다. 두 환자는 모두 대기호흡 중이다.

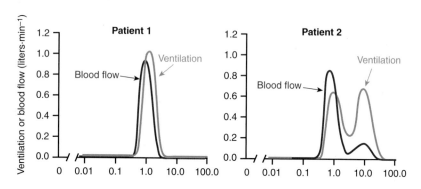

환자1과 비교할 때 환자2에서 관찰될 것으로 예상되는 항목은 다음 중 무엇인가?

A. 폐포-모세혈관장벽을 통한 확산속도 감소

B. 션트분율 감소

C. 폐포-동맥혈 산소차 증가

D. 동맥혈Po_2 증가

E. 동맥혈Po_2 변화 없음

7. 어떤 실험모델에서, 직립상태 사람 폐의 폐첨부와 기저부에 있는 폐모세혈관의 말단부위(즉, 가스교환이 진행된)에서 채취한 혈액으로 측정한 여러 지표들이다. 결과는 다음 표에 나타나 있다.

Location	Po_2(mmHg)	Pco_2(mmHg)	pH
Base	87	43	7.38
Apex	128	29	7.50

다음 중 폐기저부에서 폐첨부로 이동할 때 관찰되는 검사항목의 변화원인을 가장 잘 설명한 것은?

A. 폐첨부에서 션트를 보이는 폐포단위수 감소

B. 폐기저부에서 폐첨부로 이동함에 따라 증가된 혈류량

C. 폐첨부에서 증가된 폐동맥혈관 수축

D. 폐기저부에서 폐첨부로 이동함에 따라 증가된 환기량

E. 폐첨부에서 평균 환기-관류비 증가

8. 평소 건강했던 사람이 자동차사고로 부상을 당해 입원 중, 좌하엽폐동맥을 막는 큰 혈전에 의한 폐색전증이 발생하였다. 만약 폐 전체에 걸쳐 환기가 일정하게 유지된다면 좌하엽폐동맥에 의해 혈류가 공급되었던 폐포단위에는 다음 중 어떤 변화가 있을 것으로 예상하는가?

   A. 종말모세혈액의 pH 감소
   B. 저산소성폐혈관수축
   C. 폐포P_{CO_2} 증가
   D. 폐포P_{O_2} 증가
   E. CO_2 제거 증가

9. 만성폐질환 환자가 운동폐기능검사를 시행 중이다. 호기가스를 감시하면서 동맥혈가스검사를 시행하였다. 안정 시 검사결과는 아래의 표에 나와 있다.

CO_2 production (mL/min)	O_2 consumption (mL/min)	Pa_{O_2} (mmHg)	Pa_{CO_2} (mmHg)
200	250	49	48

   안정 시 대략적인 폐포-동맥혈P_{O_2}차(mmHg 단위)는 얼마인가?

   A. 10
   B. 20
   C. 30
   D. 40
   E. 50

10. 흡연력이 있는 52세의 남성이 이틀간의 호흡곤란, 발열, 화농성객담에 의한 기침 등으로 응급실에 왔다. 응급실에 도착한 직후와 그리고 보충산소투여 후에 동맥혈 가스를 시행하였다. 결과는 다음 표와 같다.

F_{IO_2}	pH	Pa_{CO_2}	Pa_{O_2}	HCO_3^-
0.21	7.48	32	51	23
0.80	7.47	33	55	23

이 환자의 저산소혈증의 주된 기전은?

A. 확산제한

B. 저환기

C. 션트

D. 환기-관류불균등

E. 저환기 및 환기-관류불균등

11. 평소 건강했던 60세 여성이 좌하엽 중증폐렴으로 입원했다. 상태 감시를 위해 폐 동맥과 요골동맥에 카테터를 삽입했다. 동맥 및 혼합정맥혈의 산소함량은 혈액 100 mL당 각각 17 mL, 12 mL로 계산되며, 폐모세혈관 말단의 혈액 내 산소함량 은 100 mL당 20 mL로 계산되었다. 동맥혈Po_2는 55 mmHg이고 동맥혈Pco_2는 41 mmHg였다. 다음 중 이 환자의 임상상태의 결과로 예상되는 것은 다음 중 어 떤 것인가?

A. 폐포Po_2 감소

B. 환기욕동 감소

C. 동맥혈Pco_2 증가

D. 정상 폐포-동맥혈Po_2차

E. 보충산소투여에 대한 불충분한 반응

12. 35세 남성이 우하엽의 가장 아래쪽 분절에 있는 큰 동정맥기형(누공)을 발견했다. 다음 중 환자가 반듯이 누워있다가 기립자세를 취할 때 나타나는 변화는 무엇인 가?

A. 폐포Po_2 감소

B. 폐포-동맥혈 산소차 감소

C. 동맥혈 Pco_2 증가

D. 사강비(dead-space fraction) 증가

E. 션트분율 증가

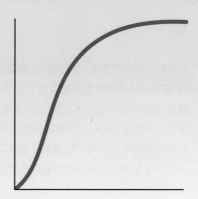

혈액에 의한 가스운반
(Gas transport by the blood)

6

말초조직으로 어떻게 가스가 오고 가는가?

이제부터는 혈액에 의한 호흡가스의 운반, 즉 산소와 이산화탄소의 운반에 대해 공부해보자. 우선, 산소가 운반되고, 혈액에 용해되며, 헤모글로빈에 결합하는 것과 관계된 두 가지 요소 즉, 헤모글로빈의 산소해리곡선 및 헤모글로빈의 산소친화도에 영향을 주는 요인들을 살펴보자. 그리고 나서 혈액을 통해 이산화탄소가 운반되는 3가지 방법을 살펴보자. 다음으로는 혈액의 산-염기상태 및 4가지 주요한 산-염기장애인 호흡산증, 호흡알칼리증, 대사산증 그리고 대사알칼리증을 공부한다. 마지막으로, 말초조직에서 가스교환 그리고 조직과 혼합정맥의 산소농도를 결정요인들을 살펴본다.

6장을 끝까지 읽은 독자는 다음과 같은 것을 할 수 있어야 한다.

- 산소와 이산화탄소를 운반하는 주요 기전과 이들이 혈액의 산소와 이산화탄소농도에 기여하는 상대적 역할에 대해 설명한다.
- 헤모글로빈의 산소친화도를 변화시키는 요인을 식별한다.
- 산소와 이산화탄소의 해리곡선을 비교하고 대조해 본다.
- 혈액가스검사 결과와 Davenport다이어그램을 이용해 산-염기상태를 해석한다.
- 산소공급의 변화와 조직의 산소이용에 따라 조직과 혼합정맥Po_2의 변화를 예측한다.

5장에서, 어떻게 혈액-가스장벽의 한쪽 면으로 공기가 들어오고 나가는지(환기), 그리고 어떻게 혈액-가스장벽을 통과하여 가스가 확산되는지, 또한 어떻게 혈액-가스장벽의 다른 쪽 면으로 혈액이 지나가는지(관류), 그리고 효율적인 가스교환과정에서 환기-관류균등이 어떻게 중요한 역할을 하는지 공부했다. 이번 장에서는 주요한 호흡가스인 산소와 이산화탄소가 혈액 안에서 어떻게 운반되는지 그리고 혈액과 체내 산-염기상태의 주된 결정요소를 전반적으로 학습한다. 먼저 산소와 이산화탄소의 운반으로부터 시작한다.

산소(Oxygen)

혈액 속에 O_2는 용해산소, 헤모글로빈에 결합된 산소 이 두 가지의 형태로 운반된다.

용해산소(Dissolved O_2)

산소의 용해는 Henry's법칙을 따른다. 즉, 용해된 산소의 양은 산소분압에 비례한다(그림 6.1). P_{O_2} 1 mmHg 혈액 100 mL당 0.003 mL의 O_2가 용해된다. 따라서 P_{O_2}가 100 mmHg인 일반동맥혈 100 mL에는 0.3 mL의 O_2가 용해되어 있다.

그러나 이와 같이 '용해'란 방법을 통해 O_2를 수송하는 것이 적절하지 못함은 쉽게 알 수 있다. 예를 들어 고강도 운동 시 심박출량을 30 L/min라고 가정해보자. 동맥혈 100 mL당 0.3 mL의 O_2(즉, 혈액 1 L에 3 mL의 O_2)가 용해되므로 조직으로 전달되는 O_2 총량은 30 × 3 = 90 mL/min에 불과하다. 그런데 고강도 운동 시 조직의 산소요구량이 2,000 mL O_2/min 이상 증가될 수 있다는 점을 감안할 때, 혈액에 용해된 형태로만 O_2를 운반하는 것은 불충분하며 추가적인 방법이 필요하다.

헤모글로빈과의 결합(Combination with hemoglobin)

포르피린고리에 철이 결합된 화합물이 헴(heme)이며 헴분자를 붙잡고 있는 폴리펩타이드사슬(polypeptide chain)인 글로빈단백질 4개가 합쳐서 하나의 헤모글로빈이 된다. 폴리펩타이드사슬(polypeptide chain)은 α체인과 β체인 두 종류로 되어 있고, 사람에서 아미노산 염기서열의 차이는 다양한 종류의 헤모글로빈을 만든다. 정상 성인의 헤모글로빈은 A로 알려져 있다. 헤모글로빈F(태아)는 신생아 헤모글로빈의 일부분을 구성하나 출산 후 1년 정도에 걸쳐 서서히 헤모글로빈A로 대체된다. 헤모글로빈F는 산소친화도가 높은데, 이는 저산소상태가 심한 태아환경에 도움되기 때문이다. 헤모글로빈S(낫, sickle)는 β체인의 글루탐산이 발린으로 대체된 것이다. 이로 인해 산소친화도가 감소되고 또 산소해리곡선은 우측으로 이동하지만, 더 중요한 것은, 탈산소화된 형태의 헤모글

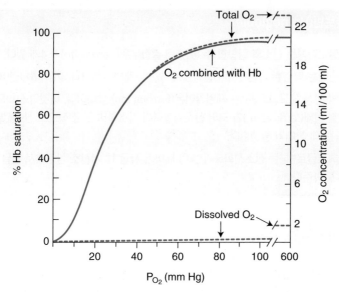

그림 6.1. pH 7.4, 이산화탄소분압 40 mmHg, 37°C에서의 산소해리곡선(실선). 혈액 100 mL당 15 g의 혈색소농도에 대한 혈액의 총산소농도를 보여준다.

로빈은 용해도가 떨어져 적혈구 안에서 결정화된다는 것이다. 그 결과, 양면오목(bicon-cave) 모양의 적혈구세포가 초승달 또는 낫 모양으로 변하게 되고 또 삼투압의 변화에 취약하여 혈전형성 경향을 보인다. 현재 다른 많은 종류의 헤모글로빈이 기술되고 있으며 그중 몇몇은 이상한 산소친화도를 보이지만, 이것들은 이 책의 범위를 넘는다.

정상 헤모글로빈 A는 아질산염(nitrites), 설폰아마이드(sulfonamides), 항균제인 답손(dapsone), 국소마취제(예: lidocaine)를 포함한 다양한 약물과 화학물질에 의해 제일철이온(ferrous ion)에서 제이철형태(ferric form)로 산화될 수 있다. 제이철형태의 헤모글로빈을 메트헤모글로빈(methemoglobin)이라고 한다. 선천적으로 적혈구 내 메트헤모글로빈환원효소가 결핍된 사람이 있다. 메트헤모글로빈은 산소와 효과적으로 결합하지 못할 뿐만 아니라 산소해리곡선을 좌측으로 이동시키므로 메트헤모글로빈에 결합된 산소는 말초조직으로 전달(방출)되기 어려워진다. 또 다른 비정상적인 형태의 헤모글로빈은 설프헤모글로빈(sulfhemoglobin)이다. 이 혈색소도 산소운반에 유용하지 못하다.

> ## 헤모글로빈(Hemoglobin)
>
> - 헤모글로빈에는 산소와 결합할 수 있는 헴 결합부위(heme site)가 4개 있다.
> - 글로빈에는 다양한 돌연변이가 발생할 수 있는 2개의 α체인과 2개의 β체인이 있다.
> - 성인의 정상 헤모글로빈A는 제일철이온(ferrous ion) 상태이다. 이것이 산화되면 제이철 형태(ferric form)가 되어 산소결합력이 감소하며 또 조직으로 산소전달(방출)하는 데 장애가 발생한다.
> - 태아헤모글로빈F는 산소친화도가 높아 태아가 자궁 내 저산소 환경에서 견딜 수 있도록 도와준다.

산소해리곡선(O_2 dissociation curve)

산소는 헤모글로빈(Hb)과 쉽게 그리고 가역적으로 결합하여 옥시헤모글로빈(O_2 + Hb = HbO_2)을 생성한다. 어떤 주어진 시간 내 결합된 산소량은 Po_2와 함수관계이다. 소량의 혈액이 들어 있는 유리용기(안압계, tonometer) 여러 개를 준비하여 다양한 농도의 산소가스를 첨가한다고 가정해 보자. 가스와 혈액이 평형에 도달할 수 있는 시간을 허용한 다음, 가스의 Po_2와 혈액의 산소농도를 측정하게 된다. 때때로 **산소농도(O_2 concentration)**를 **산소함량(O_2 content)**이라고 부른다. 혈액 100 mL에 Po_2 1 mmHg당 0.003 mL의 산소가 용해된다는 것은 알고 있으므로, Hb과 결합된 산소를 계산할 수 있다(그림 6.1). Hb에 의해 운반되는 산소량은 대략 Po_2 60 mmHg까지는 빠르게 증가하지만, 그 이상에서는 천천히 증가하게 된다.

　　Hb과 결합할 수 있는 최대산소량을 **산소용량(O_2 capacity)**이라고 한다. 이때 Hb과 결합가능한 모든 부위는 산소에 의해 점유된다. 매우 높은 Po_2(예: 600 mmHg)에 혈액을 노출시킨 후 용해된 산소를 빼면 산소용량을 측정할 수 있다. 순수한 Hb 1 g은 1.39 mL의 산소*와 결합할 수 있고, 정상혈액은 100 mL에 약 15 g의 Hb이 있기 때문에 혈액 100 mL당 산소용량은 약 20.8 mL이다.

Hb의 **산소포화도(O_2 saturation)**는 산소결합이 가능한 부위 중 산소가 결합되어 있는 부위의 백분율이며 다음과 같이 계산한다.

$$\frac{O_2 \text{ combined with Hb}}{O_2 \text{ capacity}} \times 100$$

---

* 과거의 어떤 측정치는 1.34 또는 1.36 mL이다. 그 이유는 정상적인 상태의 신체에서 헤모글로빈의 일부는 메트헤모글로빈과 같은 형태로 있어서 O_2와 결합할 수 없기 때문이다.

Po$_2$가 100 mmHg인 동맥혈의 산소포화도는 약 97.5%인 반면에 Po$_2$가 40 mmHg 인 혼합정맥혈의 산소포화도는 약 75%이다. Hb이 산소로 완전히 포화된 상태(fully oxygenated state)에서 탈산소상태(deoxygenated state)로 변할 때는 Hb분자의 형태학 적 변화가 동반된다. 산소화된 형태는 R(이완, relaxed) 상태이고, 탈산소화된 형태는 T(긴장, tense) 상태이다.

일반적으로 혈액의 산소농도(혈액 100 mL당 산소 mL)는 다음과 같이 계산한다.

$$\left(1.39 \times \text{Hb} \times \frac{\text{Sat}}{100}\right) + 0.003\text{P}_{\text{O}_2}$$

여기서 Hb은 g/dL단위로 표시된 헤모글로빈농도이고, Sat는 Hb의 %산소포화이 며, Po$_2$는 mmHg로 표시된다. 이 방정식을 생각할 때, Po$_2$, 산소포화도 그리고 산소농 도와의 관계를 파악하는 것이 중요하다. 예를 들어, 어떤 사람의 Hb농도가 혈액 100 mL당 15 g이고 동맥혈Po$_2$는 100 mmHg이라고 가정해보자. 이 환자의 산소용량은 100 mL당 20.8 mL, 산소포화도는 97.5%(정상pH, Pco$_2$ 및 온도에서), Hb과 결합된 산소는 100 mL당 20.8 mL, 용해된 산소가 0.3 mL임을 감안하면 혈액 100 mL당 총 산소농도 는 20.6 mL(즉, 1.39 × 15 × 97.5/100 + 0.3)가 된다. 만약 이 사람에서 빈혈이 발생 Hb 농도가 혈중 100 mL당 10 g으로 떨어졌는데 Po$_2$는 동일하다고 가정해보자. 산소포 화도는 달라지지 않겠지만 산소운반용량과 산소농도는 둘 다 감소한다(그림 6.2).

곡선 모양을 보이는 산소해리곡선에는 몇 가지 생리학적 이점이 있다. 곡선상부가 평평한 것은 폐포가스Po$_2$가 어느 정도 감소하더라도 산소를 헤모글로빈으로 이동시키 는 데는 거의 영향이 없음을 의미한다. 더구나 적혈구가 폐모혈세관을 통과하면서 산소

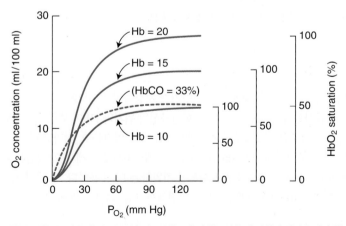

그림 6.2. 빈혈과 적혈구증가증이 산소농도와 산소포화도에 미치는 영향. 추가하면 점선은 정상 헤모글로빈의 1/3이 일산화탄소와 결합하였을 때의 산소해리곡선을 나타낸다. 곡선이 왼쪽으로 이동함을 유의하자.

를 흡수하는데(그림 3.3), 흡수 가능한 대부분의 산소가 이동한 뒤에도 폐포가스와 혈액 간의 커다란 산소분압차는 계속 유지된다. 결과적으로, 확산과정이 촉진된다. 한편으로 해리곡선의 가파른 아랫부분에서는 모세혈관P_{O_2}가 조금만 감소해도 말초조직으로 많은 양의 산소가 공급될 수 있는 것을 의미한다. 혈액P_{O_2}가 이와 같이 유지되면 조직세포로 산소가 확산되는데 도움이 된다.

환원Hb은 보라색이기 때문에 동맥혈산소포화도가 낮으면 청색증(cyanosis)이 발생한다. 그러나 청색증은 조명상태나 피부색소침착 정도 등 매우 많은 변수에 따라 인식률이 달라지기 때문에 경증의 산소불포화(desaturation) 상태를 판단하는 데 신뢰할 수 있는 징후는 아니다. 또 청색증에서는 감소된 Hb의 양이 중요하기 때문에, 적혈구증가증(polycythemia)이 있을 때는 청색증이 심해 보일 수 있고 반면에 빈혈 환자에서는 인지하기 어렵다.

Hb의 산소친화도는 고정된 것은 아니며, 다양한 요소에 의해 변한다. H^+ 농도, P_{CO_2}, 체온 그리고 적혈구 내 2,3-디포스포글리세르산(DPG)의 농도 등의 증가에 의해 산소해리곡선은 오른쪽으로 이동하며 이에 따라 Hb의 산소친화도는 감소한다(그림 6.3). 그러나 이와 반대의 변화들은 산소해리곡선을 왼쪽으로 이동시킨다. P_{CO_2}에 의한 대부분의 영향은 보어효과(Bohr effect; 역자주 CO_2의 증가나 pH 감소 시 Hb의 산소결합능력이 감소하므로 동일한 P_{aO_2}에서 조직에 전달 또는 공급되는 산소량이 많아지는 효과)라고 알려졌는데 이 작용은 H^+농도에 의한 것이다. 산소해리곡선이 우측으로 이동한다는 것은 어떤 주어진 동일 P_{O_2}에서 조직 내 모세혈관에서 조직 쪽으로 더 많은 산소가 공급되는 것을 의미한다. 이와 같은 산소해리곡선의 이동을 간단히 기억하는 방법은 운동 시 근육이 산성, 고탄산혈증이 되고 또 열이 발생하므로, 산소해리곡선은 우측으로 이동하는데 이로 인해 모세혈액으로부터 조직세포로 산소공급이 증가되는 효과가 발생하는 것이라고 암기하면 된다.

또한 적혈구 내 Hb의 환경도 산소해리곡선에 영향을 미친다. 적혈구대사의 최종산물인 2,3-DPG의 증가는 해리곡선을 오른쪽으로 이동시킨다. 이 물질의 농도는 예를 들어, 높은 고도에 지속적으로 노출되거나, 만성폐질환 환자처럼 만성적으로 저산소증 상태인 경우에 증가한다. 이렇게 되면, 말초조직으로 산소를 공급하는 데 도움이 된다. 이와는 대조적으로, 혈액은행에 혈액을 장기간 저장하면 2,3-DPG가 고갈되어, 산소를 조직으로 공급하는데 지장을 초래한다. 해리곡선의 위치와 Hb에 대한 산소친화도를 확인하는 유용한 기준은 산소포화도가 50%인 P_{O_2}이다. 이것을 P_{50}이라고 한다. 사람의 혈액에서 P_{50}의 정상치는 약 27 mmHg이다. 산소해리곡선에서 세 개의 지점은 주어진 어떤 P_{O_2}에 상응하는 대략적인 산소포화도를 기억하는 데 유용하다. 세 개의 지점은 각각 정상 동맥혈: P_{O_2} 100, S_{O_2} 97%, 정상 혼합정맥혈: P_{O_2} 40, S_{O_2} 75% 그리고 P_{50}: 27, S_{O_2} 50%이다.

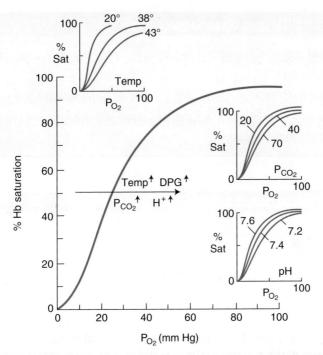

그림 6.3. H⁺, Pco₂, 체온 그리고 2,3-디포스포글리세르산(DPG) 증가에 따른 산소해리곡선의 우측 이동

담배연기나 자동차 배기가스에서 발견되고 또 화재현장에서 발생하는 일산화탄소는 Hb과 결합하여 카복시헤모글로빈(COHb)을 형성함으로써 혈액의 산소수송기능을 방해한다. Hb에 대한 일산화탄소 친화성은 산소에 비해 약 240배 높다. 즉, 일산화탄소 분압이 산소분압보다 240배 정도 낮아야 같은 양의 일산화탄소와 산소가 Hb과 결합한다는 것을 의미한다. 사실 일산화탄소해리곡선은 Pco축이 크게 압축되어 있다는 점을 제외하고 그림 6.3의 산소해리곡선과 거의 동일한 모양이다. 예를 들면 Pco 0.16 mmHg에서 약 75%의 Hb이 일산화탄소와 결합하여 COHb가 된다. 이러한 이유로, 일산화탄소는 양이 적더라도 혈액에서 많은 비율의 Hb과 결합하여 Hb을 산소운반에 사용할 수 없게 만든다. 이와 같은 경우 혈중Hb농도와 Po₂는 정상일 수 있으나 산소농도는 크게 떨어진다. 또한 COHb이 있는 경우 산소해리곡선을 왼쪽으로 이동시켜 조직으로 산소 공급을 방해한다(그림 6.2). 이것은 일산화탄소의 추가적인 독성이다.

산소해리곡선(Oxygen dissociation curve)

- 기억하면 유용한 '기준점'은 각각 Po_2 40 → So_2 75%, Po_2 100 → So_2 97%, P_{50} 27 → So_2 50%이다.
- 산소해리곡선은 체온상승, Pco_2, H^+ 및 2,3-DPG의 증가에 의해 우측으로 이동한다.
- 혈액에 소량의 일산화탄소가 추가되면 산소해리곡선을 좌측으로 이동시켜 조직내 산소공급장애가 발생한다.

이산화탄소(Carbon dioxide)

이산화탄소의 운반(CO₂ carriage)

이산화탄소는 용해된(dissolved) 형태, 중탄산염(bicarbonate), 그리고 단백질과 결합된 카바미노화합물(carbamino compounds)의 세 가지 형태로 혈액 내에서 운반된다.

1. 용해된 이산화탄소는 산소와 같이 Henry's법칙을 따르지만, 이산화탄소는 산소보다 용해성이 약 24배 더 높으며, 용해도는 0.067 mL/dL/mmHg이다. 따라서 용해라는 형태가 산소운반보다 이산화탄소 운반에서 더 중요한 역할을 하지만, 조직에서 생성된 모든 이산화탄소를 이 방법을 통해 폐로 운반하는 것은 여전히 충분하지 못하다.

2. 중탄산염은 다음과 같은 순서로 혈액에서 형성된다.

$$CO_2 + H_2O \overset{CA}{\rightleftharpoons} H_2CO_3 \rightleftharpoons H^+ + HCO_3^-$$

첫 번째 반응은 혈장 안에서 매우 느리게 진행되나 탄산탈수효소(carbonic anhydrase, CA)가 존재하는 적혈구 내에서는 빠르게 진행된다. 두 번째 반응인 탄산(carbonic acid)의 이온해리(ionic dissociation)과정은 효소작용 없이 빠르게 진행된다. 적혈구 내에서 이온농도가 상승할 때 HCO_3^-는 세포 밖으로 이동하지만, H^+는 쉽게 세포 밖으로 빠져나가지 못하는데 그 이유는 세포막이 양이온에 대해 상대적으로 불투과성이기 때문이다. 따라서 전기적 중립성을 유지하기 위해 혈장의 Cl^-이온이 염소-중탄산이온교환(chloride-bicarbonate exchanger)을 통하여 세포 속으로 들어가는 이른바 '염소이동(chloride shift)'이 일어난다(그림 6.4). 염소이동은 깁스-도난평형(Gibbs-Donnan equilibrium)에 따른다.

유리된 H^+이온의 일부는 환원헤모글로빈(reduced Hb)과 결합한다.

$$H^+ + HbO_2 \rightleftharpoons H^+ \cdot Hb + O_2$$

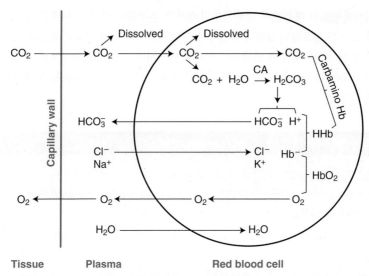

그림 6.4. 전신모세혈관에서 CO_2흡수와 O_2유리과정 설명도. 폐모세혈관에서는 이와 정반대의 과정이 일어난다.

그 이유는 환원헤모글로빈(reduced Hb)이 산화헤모글로빈(oxygenated Hb)보다 덜 산성(즉, 양성자를 잘 받아들임)이기 때문이다. 따라서 조직의 말초혈액에 존재하는 환원헤모글로빈은 이산화탄소를 헤모글로빈에 싣는 데(CO_2 loading) 도움이 되는 반면 폐모세혈관에서 진행되는 산소화과정은 이산화탄소를 내리는 데(CO_2 unloading) 도움이 된다. 탈산소화된 혈액 내 환원헤모글로빈의 이산화탄소 운반능력이 증가되는 것을 할덴효과(Haldane effect)라고 한다. 혈액에 의해 이산화탄소가 흡수되는 것과 관련하여 적혈구의 삼투압(osmolar content)이 증가하고, 결과적으로, 적혈구 내로 물이 들어가 적혈구의 부피는 팽창하게 된다. 그러나 적혈구가 폐를 통과하면서 이산화탄소가 배출되면, 반대로 적혈구는 약간 수축한다.

3. 카바미노화합물(carbamino compounds)은 혈청단백질의 말단 아민기(terminal amine groups)와 이산화탄소가 결합하여 생성된다. 가장 중요한 단백질은 헤모글로빈의 글로빈이며 $Hb·NH_2 + CO_2 \rightleftharpoons Hb·NH·COOH$의 반응을 통해 카르바미노헤모글로빈(carbaminohemoglobin)이 생성되는 것이다. 이 반응은 효소의 관여없이 빠르게 일어나며, 카르바미노헤모글로빈으로써 환원헤모글로빈은 산화헤모글로빈보다 더 많은 이산화탄소와 결합할 수 있다. 다시 말해 조직내 말초모세혈관에서 산소를 내리는 과정(즉, 조직으로 산소를 공급하는 과정)은 혈액으로 이산화탄소를 싣는 과정을 촉진하는 반면, 폐에서 산소를 싣는 과정(즉, 적혈구의 헤모글로빈에 산소가 결합되는 과정)은 이와 반대효과를 나타낸다. 즉 이산화탄소를 폐포로 배출하는 것을 촉진한다.

이산화탄소의 대부분은 중탄산염의 형태로 존재한다. 따라서 용해된 형태의 양은 카르바미노헤모글로빈의 형태와 마찬가지로 적다. 그러나 이런 비율은 혈액에 의해 이산화탄소가 실리거나 내릴 때 발생하는 변화를 반영하지 못한다. 혼합정맥혈 전체 이산화탄소의 약 60%는 HCO_3^-, 30%는 카르바미노헤모글로빈 그리고, 10%는 용해된 CO_2형태로 존재한다.

혈액에 의한 이산화탄소 수송(Transport of CO_2 by blood)

- 호기가스로 배출되는 이산화탄소의 주된 생성기전은 중탄산염반응(bicarbonate reactions)이며, 이 반응은 적혈구 안의 탄산탈수효소(carbonic anhydrase, CA)에 의해 결정된다.
- 혈청에 용해되어 수송되는 이산화탄소는 폐로부터 배출되는 이산화탄소의 약 10%를 차지한다.
- 카르바미노화합물은 주로 헤모글로빈에 의해 형성되며 폐에서 배출되는 이산화탄소의 약 30%를 차지한다.
- 혈액이 탈산소화(deoxygenation)되면 카르바미노헤모글로빈의 형태로 운반되는 이산화탄소가 증가한다.

이산화탄소해리곡선(CO_2 dissociation curve)

Pco_2와 혈액의 총이산화탄소농도 사이의 관계는 그림 6.5와 같다. Po_2와 총산소농도의 관계인 산소해리곡선과 비슷하다고 (막연하게) 유추하여 이 곡선을 종종 이산화탄소해리곡선이라고 하는데, 산소해리곡선보다는 훨씬 더 선형적이다(그림 6.1). Hb의 산소포화도가 낮을수록 주어진 동일한 Pco_2에 대해 이산화탄소농도는 증가한다. 이미 공부한 것처럼, 이와 같은 Haldane효과는 환원헤모글로빈(reduced Hb)이 탄산(carbonic acid)의 해리과정에서 생성되는 H^+이온을 더 잘 제거하는 능력이 있다는 것 그리고 환원헤모글로빈이 더 쉽게 카르바미노헤모글로빈을 형성하는 능력이 있다는 것으로 설명할 수 있다. 그림 6.6은 이산화탄소해리곡선이 산소해리곡선보다 상당히 가파르다는 것을 보여준다. 예를 들어 40-50 mmHg 범위에서 이산화탄소 및 산소분압이 변할 때 이산화탄소농도는 100 mL당 약 4.7 mL 변하지만 산소농도는 100 mL당 약 1.7 mL 변한다. 이 때문에 동맥혈과 혼합정맥혈 간의 Po_2 차는 크지만(일반적으로 약 60 mmHg) 동맥혈과 혼합정맥혈 간의 Pco_2 차는 작아(약 5-7 mmHg)진다. 5장에서 언급한 바와 같이, 이런 차이가 환기-관류불균등이 있는 환자에서 환기량을 소량 증가시키는 경우 Po_2는 정상이 되기 어렵지만 Pco_2는 쉽게 정상이 되는 이유를 설명해준다.

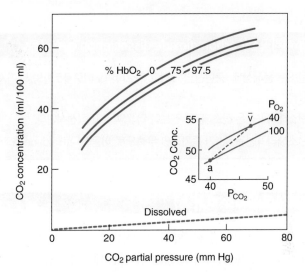

그림 6.5. 각기 다른 산소포화도(%Hbo$_2$ 0%, 75%, 97.5%)의 혈액에서 이산화탄소해리곡선. 산소화가 더 높은 혈액은 같은 Pco$_2$에서 더 적은 CO$_2$를(즉, 더 낮은 CO$_2$농도) 운반한다는 점에 유의하자. 삽입된 작은 그래프는 동맥혈과 혼합정맥혈 사이의 '생리학적' 곡선을 보여준다.

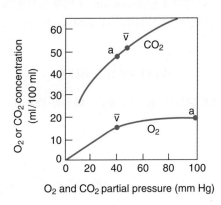

그림 6.6. 전형적인 산소해리곡선과 이산화탄소해리곡선을 각각 동일한 단위로 표시하였다. 이산화탄소해리곡선이 훨씬 가파르다는 점에 유의하자. 'a'와 V̄는 각각 동맥혈과 혼합정맥혈을 의미한다.

이산화탄소해리곡선(Carbon dioxide dissociation curve)은

- 이산화탄소는 용해상태, 중탄산염 그리고 카르바미노헤모글로빈의 세 가지 형태로 운반된다.
- 이산화탄소해리곡선은 산소해리곡선보다 더 가파르고 직선적이다.
- 이산화탄소해리곡선은 So_2가 증가되면 우측으로 이동한다(Haldane 효과).

산-염기상태(Acid-base status)

이산화탄소의 수송은 혈액과 몸 전체의 산-염기상태에 큰 영향을 준다. 폐는 하루 동안 10,000 mEq 이상의 탄산(carbonic acid)을 배출하는 데 비해 콩팥은 겨우 100 mEq 미만의 고정산(fixed acids, metabolic acid나 nonvolatile acid라고도 표현됨)을 배출한다. 그러므로 폐포환기량을 조절해 이산화탄소를 적절히 제거하면 산-염기균형을 확실히 조절할 수 있다. 이 주제에 대해서는 신장생리학의 영역과 겹치기 때문에 이번 장에서는 간단히 다룬다.

이산화탄소가 포함된 혈액의 용액(solution)과 이때 생성된 탄산의 해리에 의한 결과인 pH는 헨더슨-하셀바흐 방정식(Henderson-Hasselbalch equation)에 의해 결정된다. 이것은 다음과 같이 계산한다. 방정식에서

$$H_2CO_3 \rightleftharpoons H^+ + HCO_3^-$$

질량작용의 법칙에서 탄산의 해리상수 Ka'는 다음과 같이 표시한다.

$$\frac{(H^+) \times (HCO_3^-)}{(H_2CO_3)}$$

탄산의 농도는 용해된 이산화탄소의 농도에 비례하기 때문에, 상수를 바꿔 다음과 같이 정리할 수 있다.

$$K_A = \frac{(H^+) \times (HCO_3^-)}{(CO_2)}$$

로그를 취하면,

$$\log K_A = \log(H^+) + \log \frac{(HCO_3^-)}{(CO_2)}$$

그러면

$$-\log(\mathrm{H}^+) = -\log\mathrm{K_A} + \log\frac{(\mathrm{HCO_3^-})}{(\mathrm{CO_2})}$$

pH는 음수로그이기 때문에

$$\mathrm{pH} = \mathrm{pK_A} + \log\frac{(\mathrm{HCO_3^-})}{(\mathrm{CO_2})}$$

이산화탄소는 Henry's법칙을 따르기 때문에 이산화탄소농도(mEq/L)는 ($P\mathrm{co_2}$ × 0.03)로 대체할 수 있다. 그러면 방정식은 다음과 같다.

$$\mathrm{pH} = \mathrm{pK_A} + \log\frac{(\mathrm{HCO_3^-})}{0.03P\mathrm{co_2}}$$

pKa 값은 6.1이며, 동맥혈의 정상HCO$_3^-$의 농도는 24 mEq/L이다.
이 수치를 대체하면

$$\begin{aligned}\mathrm{pH} &= 6.1 + \log\frac{24}{0.03\times40}\\ &= 6.1 + \log 20\\ &= 6.1 + 1.3\end{aligned}$$

그러므로, **pH = 7.4**가 된다.

($P\mathrm{co_2}$ × 0.03)에 대한 중탄산염($\mathrm{HCO_3}$) 농도의 비율이 20으로 유지되는 한, pH 7.4는 유지된다. 중탄산염농도는 주로 신장에 의해 결정되는 반면, $P\mathrm{co_2}$는 주로 폐에 의해 결정된다. 정상 pH의 범위는 약 7.38-7.42이다.

pH, $P\mathrm{co_2}$, $\mathrm{HCO_3^-}$의 관계는 Davenport 다이어그램에 간편하게 정리되어 있다(그림 6.7A). x, y축에는 각각 pH와 $\mathrm{HCO_3^-}$ 그리고 동일한 $P\mathrm{co_2}$를 나타내는 검은색 선이 다이어그램 위를 통과해 지나간다. 정상혈장은 점 A에 표시되어 있다. CAB를 지나는 파란색 선은 전혈(whole blood)에 탄산을 추가할 때 변하는 $\mathrm{HCO_3^-}$와 pH 사이의 관계를 보여주는데, 즉 이는 혈액에 대한 적정곡선의 일부이며 따라서 완충선(buffer line)이라고 불린다. 또한, 이 선의 기울기는 전혈로부터 분리한 혈장에서 측정한 것이 전혈에서 측정한 것보다 더 가파른데, 이는 전혈 안에 추가적인 완충작용이 있는 헤모글로빈이 존재하기 때문이다. 실험실에서 전혈을 측정했을 때 선의 기울기는 보통 환자에서 측정되는 기울기와 조금 다른데 이는 간질액이나 다른 신체조직의 완충작용 때문이다.

만약 신장에 의해 혈장의 중탄산염 농도가 달라지면 완충선도 이동한다. 예를 들어 중탄산염의 농도가 증가하면 그림 6.7B의 완충선은 위쪽 방향에 있는 DE선으로 이동한

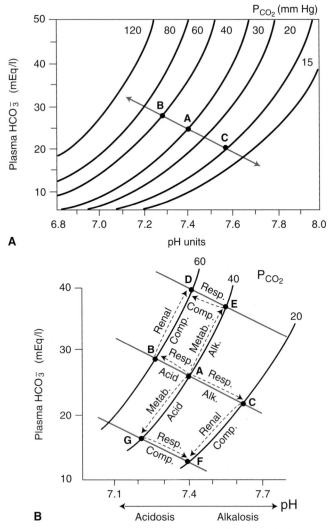

그림 6.7. pH, HCO₃⁻와 Pco₂의 관계를 보여주는 Davenport 다이어그램. A. 파란색 선으로 표시된 정상 완충선(buffer line)인 BAC가 보인다. B. 호흡과 대사산증 및 알칼리증에서 발생하는 변화를 보여준다(본문 참조). 완충선 DE와 BAC 사이의 수직거리는 염기과잉(base excess)이고 GF와 BAC 사이의 수직 거리는 염기결핍(또는 역염기과잉, negative base excess)이다.

다. 이 경우 염기과잉이 존재하며 그 정도는 두 완충선인 DE와 BAC 사이의 수직거리에 의해 결정된다. 반대로, 중탄산염 농도가 감소되면 완충선은 아래쪽 방향으로 이동하고 (GF선) 역염기과잉(negative base excess) 또는 염기결핍(base deficit)이 발생한다. 염기 과잉이 2 mEq/L 이상이면 대사알칼리증이며, 염기과잉이 -2 mEq/L 이하이면 대사산 증이다.

P_{CO_2}에 대한 중탄산염의 비율은 네 가지 방법 즉, 중탄산염과 P_{CO_2}를 높이거나 낮 추는 방법으로 장애가 발생할 수 있다. 이 네 가지의 변화는 각각 특징적인 산-염기장애 를 일으킨다(표 6.1).

표 6.1. 산-염기장애의 4가지 유형

$$pH = pK + \log \frac{HCO_3^-}{0.03 \ P_{CO_2}}$$

	일차적 장애	보상작용
산증		
-호흡산증	P_{CO_2} 증가	HCO_3^- 증가
-대사산증	HCO_3^- 감소	P_{CO_2} 감소
알칼리증		
-호흡알칼리증	P_{CO_2} 감소	HCO_3^- 감소
-대사알칼리증	HCO_3^- 증가	다양함

호흡산증(Respiratory acidosis)

호흡산증은 P_{CO_2} 증가에 의해 발생하며, P_{CO_2}가 증가하면 HCO_3^-/P_{CO_2}의 비율이 감소 하게 되므로 pH는 낮아진다. 이는 그림 6.7에서 A에서 B까지 이동하는 것에 해당한다. P_{CO_2}가 증가할 때마다 생성되는 탄산은 해리되므로 중탄산염 또한 어느 정도는 반드 시 증가해야 한다. 이는 그림 6.7의 혈액완충선 중 좌상향에 있는 곡선에 반영돼 있다. 더구나 HCO_3^-/P_{CO_2}비율도 감소한다. 이런 소견을 보이는 이산화탄소저류(CO₂ reten-tion)는 저환기(hypoventilation) 또는 환기-관류불균등(V/O inequality)에 의해 발생 할 수 있다.

호흡산증이 지속되면 신장에서 HCO_3^-를 보존하는 보상반응을 보인다. 이는 신세 관세포(renal tubular cell)의 P_{CO_2}증가에 의해 신속히 진행되며, 이로 인해 H⁺이온이 배출되므로 좀 더 산성화된 소변이 배설된다. H⁺이온은 $H_2PO_4^-$ 또는 NH_4^+ 형태로 배 설되며, HCO_3^-이온은 재흡수된다. 결과적으로 혈장 HCO_3^-가 증가하므로 HCO_3^- /P_{CO_2}비율은 다시 정상 수준으로 복귀한다. 이는 그림 6.7에서 P_{CO_2} = 60 mmHg인 선을 따라 B에서 D로 이동하는 것에 해당하며, 호흡산증에 대한 보상(compensation for the respiratory acidosis)으로 알려져 있다.

전형적인 반응은 다음과 같다.

$$pH = 6.1 + \log \frac{24}{0.03 \times 40} = 6.1 + \log 20 = 7.4 \quad \text{(정상)}$$

$$pH = 6.1 + \log \frac{28}{0.03 \times 60} = 6.1 + \log 15.6 = 7.29 \quad \text{(호흡산증)}$$

$$pH = 6.1 + \log \frac{33}{0.03 \times 60} = 6.1 + \log 18.3 = 7.36 \quad \text{(보상된 호흡산증)}$$

수일 정도 걸리는 신장의 보상은 전형적으로 완전히 보상되지는 않기 때문에 pH가 정상수준인 7.4까지 완전히 돌아오지 않는다. 신장보상이 어느 정도 가능한지는 염기과잉(base excess), 즉 완충선 BA와 DE 간의 수직거리로부터 판단할 수 있다.

호흡알칼리증(Respiratory alkalosis)

호흡알칼리증은 일차적으로 P_{CO_2}가 감소함에 따라 HCO_3^-/P_{CO_2} 비율이 증가하면서 pH가 상승한다(그림 6.7의 A에서 C로 이동). 예를 들어 P_{CO_2} 감소는 높은 고도에 노출되거나(9장 참조) 또는 불안발작에 의한 과호흡 등에 의해 발생한다. 신장을 통한 보상은 중탄산염 배설이 증가함에 따라 진행되며, 이를 통해 HCO_3^-/P_{CO_2} 비율이 정상으로 돌아온다(P_{CO_2} = 20 mmHg선을 따라 C에서 F로 이동). 지속적인 과호흡에 대해서 신장은 거의 완전하게 보상할 수 있다. 정상에 비해 총염기가 부족한 역염기과잉(negative base excess) 또는 염기부족(base deficit) 상태이다.

대사산증(Metabolic acidosis)

이러한 맥락에서 '대사'가 의미하는 것은 일차적으로 HCO_3^-의 변화, 즉 헨더슨-하셀바흐 방정식(Henderson-Hasselbalch equation)에서 분자(HCO_3^-)가 일차적으로 변하는 것이다. 대사산증에서는 HCO_3^-/P_{CO_2} 비율이 감소하여 pH가 낮아진다. 당뇨케톤산증, 조직저산소증에 의한 젖산(lactic acid) 증가, 또는 심한설사에 의한 HCO_3^- 손실 등과 같은 상황에서는 혈액 내 산이 축적되어 HCO_3^-가 감소할 수 있다. 이와 같은 변화는 그림 6.7의 A에서 G로 이동하는 것에 해당한다.

대사산증이 발생하면, 폐포환기량이 증가하게 되어 P_{CO_2}는 감소하므로 낮아졌던

HCO_3^-/P_{CO_2} 비율이 결국 다시 높아지게 되는 호흡보상이 발생한다. 환기량을 증가시키는 자극들 중에서 말초화학수용체에 작용하는 H^+이온이 중요하다(8장). 그림 6.7의 G에서 F 방향으로 이동하는 과정이다(그렇다고 해도 F까지 이동하는 것은 아니다). 염기부족(base deficit) 또는 역염기과잉(negative base excess) 상태이다. 전형적으로 대사장애에 대한 호흡보상은 매우 빠른 반면 일차적인 호흡장애에 대한 대사보상은 느리다.

대사알칼리증(Metabolic alkalosis)

HCO_3^-가 증가하면 HCO_3^-/P_{CO_2} 비율도 증가하므로 pH는 상승한다. 알칼리과다섭취와 구토에 의한 위산손실 등은 대사알칼리증의 원인이다. 그림 6.7의 A에서 E 방향으로 이동한다. 대사알칼리증이 발생하면, 폐포환기량이 감소하게 되어 P_{CO_2}가 증가하므로 어떤 때는 일정한 정도의 호흡보상이 진행된다. 그림 6.7B에서 E점이 D점 방향으로 이동한다(하지만 늘 그렇지는 않다). 그러나 대사알칼리증에 대한 호흡보상은 흔히 부족하거나 없을 수도 있다. 이때는 염기과잉(base excess)이 증가한다.

혼합호흡-대사장애도 종종 발생하는데, 이 경우 장애발생 순서를 밝히기가 어려울 수 있다. 산-염기장애를 일으키는 일차적인 원인과 대표적인 예는 표 6.2에 나열되어 있다.

표 6.2. 1차 산-염기장애의 원인으로 대표적인 예

호흡산증	호흡알칼리증	대사산증	대사알칼리증
아편제과다복용	불안발작	젖산산증	구토
중증만성폐쇄성폐질환	높은 고도	당뇨병성, 기아 또는 알코올케토산증	고리작용이뇨제
신경근육질환	저산소혈증폐질환	요독증	알칼리과다섭취
비만성 저환기증후군		신세관산증 중증설사	고알도스테론증

혈액-조직 간 가스교환(Blood-tissue gas exchange)

확산(Diffusion)

폐모세혈관에서 혈액과 폐포 간의 가스이동과 동일하게 전신모세혈관의 혈액과 조직세포 사이에서 산소와 이산화탄소는 확산과정을 통해 이동한다. 이미 3장에서 조직판을 통한 가스전달속도는 조직판의 '면적' 그리고 조직판 양측의 '가스분압차'와는 비례관계이고 조직판의 '두께'와는 반비례임을 공부했다. 혈액-가스장벽의 두께는 0.5 μm 미만이지만, 안정 시 근육 속에 혈류가 흐르는 각각의 모세혈관 간의 거리는 50 μm 정도이다. 운동 중, 근육의 산소소모량이 증가하면, 모세혈관이 추가적으로 개통되어 확산거리가 줄어들고 또한 확산면적도 증가한다. 조직에서 이산화탄소가 확산되는 속도는 산소에 비해 약 20배 정도 더 빠르며(그림 3.1), 따라서 산소전달(O_2 delivery)과정보다는 이산화탄소 배출(elimination of CO_2)과정에 훨씬 문제가 더 적게 발생한다.

조직PO_2 (Tissue PO_2)

혈류가 개통된 모세혈관들 사이에 접해 있는 조직Po_2가 감소하는 방법은 그림 6.8에 도식적으로 표시하였다. 조직 내 모세혈관으로부터 산소가 확산되면서 조직이 산소를 소모하게 되면 조직Po_2는 감소한다. A조직과 같이 산소전달과 산소소모(모세혈관Po_2와 모세혈관 사이의 거리에 의해 결정됨) 간의 균형이 유지되면 혈관 사이에 있는 모든 조직 Po_2는 적절하게 유지된다. B와 같은 조직은 모세혈관들 간의 거리가 멀거나, 조직 내 한 지점의 Po_2가 0이 될 때까지 산소소모량이 증가된 상태이다. 이와 같은 상태를 위기상황이라고 한다. C와 같은 조직에서는 유산소대사(즉, 산소가 이용되는)가 불가능한 무산소영역이 있다. 이러한 상태의 조직에서는 유산소대사가 무산소당분해과정(anaerobic glycolysis)으로 전환되면서 젖산이 발생한다.

　말초조직에서 Po_2 저하는 대부분 모세혈관벽 인근에서 발생한다는 증거가 있는데 예를 들어 근육세포Po_2는 매우 낮고(1-3 mmHg) 또 거의 균등하다. 이 같은 형태는 세포내 미오글로빈 때문이라고 설명할 수 있는데 미오글로빈은 산소저장고의 역할과 세포내 산소확산을 촉진한다.

　산소이용(O_2 utilization)이 중단되기 전 조직Po_2는 얼마나 낮아질 수 있을까? 실험실에서 간세포의 미토콘드리아 부유물을 측정했을때, Po_2가 3 mmHg로 감소할 때까지도 동일한 속도로 산소소모(O_2 consumption)는 지속된다. 따라서, 모세혈액Po_2를 이보다 훨씬 더 높은 수준으로 유지하는 목적은 산소가 미토콘드리아에 효과적으로 확산될 수 있도록 적절한 분압차를 보장하는 것으로 보이며, 실제로 산소가 이용되는 부위의 Po_2는 매우 낮을 수 있다.

　조직Po_2가 비정상적으로 낮은 상태를 조직저산소증(tissue hypoxia)이라고 한다. 이것은 심박출량($\dot{Q}$)에 동맥혈산소농도(Ca_{O_2})를 곱한, $\dot{Q} \times Ca_{O_2}$ 즉, 산소전달(O_2 delivery)이 낮을 때 자주 발생한다. 산소전달장애를 결정하는 데 관계된 인자는 105-106페이지에서 설명하였다. 조직저산소증은 예를 들어 (1) 폐질환('저산소성저산소증, hypoxic hypoxia')에 의해 동맥혈Po_2가 낮아지기 때문에 조직저산소증이 발생할 수 있고, (2) 빈혈이나 일산화탄소중독('빈혈저산소증, anemic hypoxia')처럼 산소를 운반하는 혈액의 능력이 감소되거나, 또는 (3) 쇼크처럼 전신적으로 조직 내 혈류가 감소하거나 또는 국소적폐색('순환저산소증, circulatory hypoxia') 때문에 발생할 수 있다. 끝으로

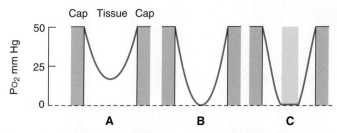

그림 6.8. 혈류가 개통된 모세혈관 사이에 접해 있는 조직Po2의 감소를 보여주는 그림이다. A조직은 산소전달이 적절하고, B조직은 위기상황이며, C조직은 조직중심부의 유산소대사가 부적절하다.

(4) 조직에서 사용 가능한 산소의 이용을 방해('세포독성저산소증, cytotoxic hypoxia') 하는 어떤 독성물질 때문에 발생할 수 있다. 예를 들어 사이안화물(cyanide)은 사이토크롬산화효소(cytochrome oxidase)에 의한 산소의 이용을 방해한다. 이 경우는 조직의 산소소모량이 극도로 낮기 때문에 정맥혈의 산소농도는 오히려 높다. 예를 들어 사이안화물중독(cyanide poisoning)은 설치류살충제나 고편도(bitter almonds, 역자주; 아몬드는 맛에 따라 감편도와 고편도로 구분된다. 일반적인 식용은 감편도이며, 고편도는 맛이 쓰고 사이안산을 함유하기 때문에 식용으로는 부적합하다)를 섭취할 때 발생할 수 있다. 사이안화물중독은 또한 폴리머제품과 같은 인화물질로 인한 화재 시에도 발생할 수 있다.

혼합정맥혈Po2 (Mixed venous Po2)

산소전달(O2 delivery)과 조직의 산소이용(O2 utilization) 간의 균형에 의해 혼합정맥혈 Po2와 산소농도가 결정된다. 예를 들어, 조직의 산소이용은 일정한데 산소전달이 감소되면, 대사요구를 충족시키기 위해 혈액으로부터 산소추출이 증가되며, 따라서 혼합정맥혈Po2와 산소농도는 감소한다. 중증패혈증이나 사이안화물중독(cyanide intoxication) 같은 경우에는 미토콘드리아의 산소이용이 억제되고, 이 경우에는 혼합정맥혈Po2와 산소농도는 오히려 증가한다. 표 6.3에 저산소혈증의 다양한 유형의 특징과 동맥과 혼합정맥 Po2 및 산소농도에 미치는 영향을 요약하였다.

표 6.3. 저산소혈증 또는 조직저산소증의 종류와 특징[a]

	$P_{A_{O_2}}$	$P_{A_{CO_2}}$	Pa_{O_2}	Pa_{CO_2}	Ca_{O_2}	Sa_{O_2}	P	Cv_{O_2}	산소투여가 유효한가?
폐									
-저환기	↓	↑	↓	↑	↓	↓	↓	↓	예
-확산제한	O	O	↓	O	↓	↓	↓	↓	예
-션트	O	O	↓	O	↓	↓	↓	↓	예[b]
-V_A/Q 불균등	다양함	↑ 또는 O	↓	↑ 또는 O	↓	↓	↓	↓	예
혈액									
-빈혈	O	O	O	O	↓	O	↓	↓	예[b]
-일산화탄소 중독	O	O	O	O	↓	O[c]	↓	↓	예[b]
-메트헤모글로빈혈증	O	O	O	O	↓	↓[d]	↓	↓	아니오
조직									
-사이안화물중독	O	O	O	O	O	O	↑	↑	아니오

[a] O, 정상; ↑ 증가; ↓ 감소
[b] 약간(그러나 제한적) 증가하는데 이는 용해산소의 증가 때문(션트에 대한 그림 5-4 참고)
[c] 만약 일산화탄소와 결합하지 않은 헤모글로빈에 대해 계산한 산소포화도
[d] 맥박산소측정기로 산소포화도를 측정할 때

핵심개념(Key concepts)

1. 혈액을 통해 운반되는 대부분의 산소는 헤모글로빈과 결합되어있다. 헤모글로빈과 결합할 수 있는 산소의 최대량을 산소용량(O_2 capacity)이라고 한다. 산소포화도는 헤모글로빈에 결합된 산소량을 산소용량으로 나눈 값이며 산소에 의해 점유된 헤모글로빈의 결합부위의 비율과 같다.

2. P_{CO_2}, H^+, 온도 그리고 2,3-디포스포글리세르산(DPG)이 증가하면 산소해리곡선은 오른쪽으로 이동한다(즉, 헤모글로빈의 산소친화력이 감소하여 조직으로 산소전달이 증가한다).

3. 혈액 내 이산화탄소는 대부분 중탄산염의 형태이며, 소량은 혈액에 용해된 형태 또는 카르바미노화합물의 형태로 존재한다.

4. 이산화탄소해리곡선은 산소해리곡선보다 훨씬 더 가파르고 직선적이다.

5. 혈액의 산-염기상태는 헨더슨-하셀바흐 방정식(Henderson-Hasselbalch equation)에 의해 결정되며 특히 HCO_3^-/P_{CO_2}의 비율로 결정된다. 산-염기장애에는 호흡산증, 호흡알칼리증, 대사산증 그리고 대사알칼리증이 포함된다.

6. 일부 조직P_{O_2}는 5 mmHg 미만이며, 모세혈관혈액P_{O_2}가 훨씬 높은 이유는 확산에 필요한 적절한 기울기(분압차)를 제공하기 위함이다. 조직으로의 산소전달을 결정하는 요인은 혈액의 산소농도와 혈류, 즉 심박출량이 포함된다.

임상증례검토(Clinical vignette)

85세 여성이 점차 심해지는 피로감과 운동 중 호흡곤란으로 응급실에 왔다. 환자는 평생 비흡연자였으며 기침, 흉통 또는 객담은 없었으나 지난 수 주간 동안 검은색 변을 보았다고 한다. 환자는 안정협심증의 치료를 위해 매일 아스피린을 복용하고 있었다. 진찰결과 환자의 손바닥과 결막은 창백하였다. 폐음은 정상이었고 경미한 빈맥 외에는 심음도 정상이었다. 직장수지검사를 시행하였고, 대변잠혈검사에서 양성반응을 보였다. 채혈검사 결과 헤모글로빈농도는 5 g/dL(정상: 14-15 g/dL)이였다.

- 동맥혈가스를 측정하면 P_{O_2}와 산소포화도에는 어떤 변화가 예상되는가?
- 예상되는 동맥혈산소농도는?
- 환자의 심박수가 증가한 원인은?
- 예상되는 혼합정맥혈의 산소농도는?

문제(Questions)

각 문항에 대해 가장 적절한 답 한 개를 선택하라.

1. 52세 여성이 심한 위장관출혈로 헤모글로빈농도가 13 g/dL에서 6 g/dL으로 떨어졌다. 이때 예상되는 헤모글로빈-산소포화도, Pa_{CO_2}, 동맥혈산소농도(Ca_{O_2}), 혼합정맥산소량($C\bar{v}_{O_2}$)의 변화는?

Choice	Hb-O₂ saturation	Paco₂	Cao₂	Cv̄o₂
A.	Decreased	Increased	Decreased	Decreased
B.	No change	No change	Decreased	Decreased
C.	No change	No change	No change	No change
D.	Decreased	No change	No change	Decreased
E.	No change	Decreased	Decreased	Increased

2. 아래 그림은 헤모글로빈-산소포화도와 Po_2 간의 관계를 보여준다.

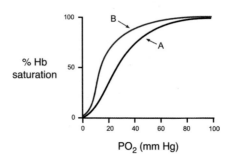

다음 중 곡선A로 부터 곡선B로 이동시키는 요인은?

A. 격렬한 운동
B. 저체온증
C. 저환기
D. 2,3-디포스포글리세르산 증가
E. 젖산증

3. 38세의 직업잠수부가 잠수병(decompression sickness)으로 응급실에 왔다. 환자는 치료를 위해 고압실로 들어가기 전에 비강캐뉼라로 산소를 공급받았고 이때 동맥혈P_{O_2} 120 mmHg, P_{CO_2} 41 mmHg이다. 고압실에서 기압은 3 atm (2,280 mmHg)으로 상승하여 동맥혈산소함량이 혈액 100 mL당 산소 20 mL에서 혈액 100 mL당 산소 23 mL로 증가하였다. 다음 중 환자의 동맥혈산소함량 증가와 관계되는 주된 요인은 무엇인가?

   A. 혈장에 용해된 산소량 증가
   B. 헤모글로빈-산소포화도 증가
   C. 헤모글로빈의 P_{50} 증가
   D. 헤모글로빈의 아민그룹 말단에 산소결합 증가
   E. 헤모글로빈-산소해리곡선 좌측이동

4. 43세 남성이 의식저하로 응급실에 왔다. 환자는 차고 안에서 시동이 걸려 있는 자기 차 안의 앞좌석에서 발견되었다. 대기호흡 중 환자SpO_2는 99%, 피부색은 정상이며 혈청젖산염 8 mmol/L(정상: < 2 mmol/L), 헤모글로빈 14.5 g/dL(정상: 13-15 g/dL), 동맥혈P_{O_2}는 90 mmHg였다. 흉부방사선 소견은 정상이였다. 입원 후 폐동맥카테터를 삽입하였고 혼합정맥혈 산소포화도는 50%였다. 이 환자에게서 관찰된 이상소견의 기전은 무엇인가?

   A. 헤모글로빈의 산소결합 부위에서 산소이탈
   B. 미토콘드리아 사이토크롬산화효소의 활성도 증가
   C. 헴분자에서 철의 산화
   D. 헤모글로빈-산소해리곡선 우측이동
   E. 환기-관류불균등

5. 다음 중 혈액이 근육의 모세혈관을 지나 동맥에서 정맥으로 이동할 때 발생할 수 있는 가장 적절한 변화는 무엇인가?

   A. 중탄산염농도 감소
   B. 헤모글로빈 P_{50} 감소
   C. 혈장내 이산화탄소 저장량 감소
   D. 카르바미노헤모글로빈 증가
   E. 이산화탄소 농도와 P_{CO_2} 간의 관계가 우측으로 이동

6. 실험준비의 하나로 사두근(quadriceps muscle)의 P_{O_2}와 혼합정맥혈($C\bar{v}_{O_2}$)의 산소농도를 2개 지점에서 측정하였다. 측정치는 아래 표와 같다.

Variable	Time 1	Time 2
Quadriceps P_{O_2} (mmHg)	5	2
$C\bar{v}_{O_2}$ (mL per 100mL)	15	12

다음 중 시간1과 시간2 사이의 측정치에서 관찰되는 변화를 설명할 수 있는 것은?
   A. 사이안화물중독
   B. 헤모글로빈농도 감소
   C. 사두근의 체온 감소
   D. 심박출량 증가
   E. 흡입산소비($F_{I_{O_2}}$) 증가

7. 만성폐쇄성폐질환 환자가 호흡곤란의 악화로 응급실에 왔다. 동맥혈가스결과 pH 7.20, Pa_{CO_2} 50 mmHg 그리고 Pa_{O_2} 50 mmHg이였다. 다음 중 이 환자의 산-염기상태에 대해 가장 적절한 설명은?
   A. 완전히 보상된 대사산증
   B. 완전히 보상된 호흡산증
   C. 혼합 호흡 및 대사산증
   D. 보상되지 않은 대사산증
   E. 보상되지 않은 호흡산증

8. 중환자실에 입원한 환자의 동맥혈가스 결과가 pH 7.25, Pa_{CO_2} 32 mmHg, HCO_3^- 25 mEq/L였다. 다음 중 산-염기상태에 대한 가장 적절한 해석은?
   A. 급성호흡산증
   B. 검사실 오류
   C. 호흡보상된 대사산증
   D. 호흡보상된 대사알칼리증
   E. 대사보상된 호흡알칼리증

9. 건강한 사람이 헬리콥터를 타고 해발 4,000 m 산의 정상으로 이동하였다. 도착 직후 정상에서 대기호흡 중 동맥혈가스검사를 시행하면, 다음 중 어떤 결과를 얻을 수 있을까?

Choice	pH	Pa_{CO_2} (mmHg)	Pa_{O_2} (mmHg)	HCO_3^- (mEq/L)
A.	7.32	50	55	25
B.	7.39	41	90	24
C.	7.49	32	58	23
D.	7.50	31	92	24
E.	7.43	30	63	20

10. 가구창고 화재에서 구조된 46세 남성이 병원에 입원하였다. 입원 초기 진찰 시 환자는 호흡곤란과 어지럼증을 호소했으나 현재는 의식저하 상태이다. 보충산소 투여 중 측정한 동맥산소포화도는 99%이다. 흉부엑스선 소견은 정상이었으나 심전도는 빈맥소견을 보였다. 검사결과 동맥혈Po_2 200 mmHg, 헤모글로빈 15 g/L였고 젖산수치가 높았다. 폐동맥카테터를 삽입한 뒤 측정한 혼합정맥산소포화도는 85%였다. 다음 중 환자의 임상상태로 가장 적절한 것은?
A. 카복시헤모글로빈혈증
B. 사이안화물중독
C. 저혈량 쇼크
D. 메트헤모글로빈혈증
E. 폐부종

11. 41세의 여성환자가 약물 과다복용으로 기계환기 중이다. 입원 후 5일째 되는 날 발열(39.0°C)과 함께 혈류감염이 확인되었다. 그러나 당일 아침 동맥혈가스 검사결과는 Po_2 72 mmHg로 전날의 수치와 비교할 때 변화가 없었다. 다음 중 어떤 생리학적 변화를 예상하는가?
A. 이산화탄소 생산 감소
B. 션트비율 감소
C. 동맥혈 산소농도 증가
D. 동맥혈 산소포화도 증가
E. 헤모글로빈 P_{50} 증가

12. 응급실 환자의 동맥혈가스 검사결과는 pH 7.48, Pa_{CO_2} 45 mmHg 그리고 HCO_3^- 32 mEq/L였다. 이와 같은 결과를 설명할 수 있는 임상상황은 다음 중 어떤 경우인가?

A. 불안발작

B. 아편제과다복용

C. 중증 만성폐쇄성폐질환

D. 조절되지 않는 당뇨병

E. 구토

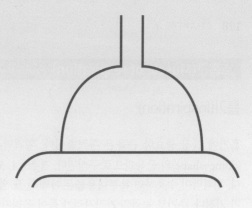

호흡의 역학
(Mechanics of breathing)

7

폐는 어떻게 유지되고 움직이는가?

이번 장에서 폐와 흉곽을 움직이는 힘 그리고 이들이 극복해내는 저항에 대해 공부한다. 첫째로, 흡기, 호기와 관련된 호흡근을 살펴보자. 그 다음, 폐탄성의 특성을 결정하는 요소 즉 조직성분과 공기-액체 표면장력을 살펴보자. 또한, 환기의 국소적 차이와 소기도폐쇄의 기전을 살펴본다. 폐가 탄력이 있는 것처럼 흉벽 또한 탄력이 있으므로 이 둘 사이의 상호작용을 살펴본다. 기도저항의 물리적 원리를 살펴보는데 이때 기도저항측정법과 함께 폐에서 기도폐쇄의 주요 부위, 그리고 기도폐쇄에 영향을 주는 생리학적 요인들도 함께 검토한다. 동시에 강제호기 중 동적기도압박을 분석해 본다. 마지막으로, 폐와 흉곽을 움직이기 위해 필요한 호흡일과 양압환기의 기전을 살펴본다.

7장을 끝까지 읽은 독자는 다음과 같은 것을 할 수 있어야 한다.

- 호흡의 흡기근과 호기근의 역할을 비교, 대비할 수 있다.
- 폐유순도를 증가 또는 감소시키는 요인들을 나열한다.
- 표면활성물질이 폐의 표면장력과 폐포안정성에 미치는 영향을 설명한다.
- 환기가 폐구역에 따라 달라지는 원인들을 설명한다.
- 호흡주기 동안 기도와 흉막내압의 변화를 개략적으로 설명한다.
- 기도저항을 결정하는 요소를 나열한다.
- 동적기도압박의 기전과 결과를 설명한다.

호흡근(Muscle of respiration)

흡기(Inspiration)

흡기에 가장 중요한 근육은 횡격막이다. 횡격막은 늑골하부에 부착되는 얇은 돔형(dome-shape)의 근육판으로 구성된다. 경추3, 4, 5번 신경(C_{3-5})이 횡격막신경을 공급한다. 횡격막이 수축하면 복부내용물은 아래쪽, 또 앞쪽으로 밀려나면서 흉강의 수직높이가 커진다. 추가로 늑골의 가장자리가 들어 올려지면서 바깥쪽으로 벌어져서 흉곽의 횡경(transverse diameter)도 커진다(그림 7.1).

정상적인 평상호흡(tidal breathing) 중에 횡격막은 1 cm 정도 움직이나 강제적인(노력성) 흡기와 호기 중에는 10 cm까지도 움직일 수 있다. 만약 한쪽 횡격막이 마비되면 흡기 중 흉강내압이 감소하기(음압이 되기) 때문에 마비된 횡격막은 아래로 내려가지 않고 오히려 위로 딸려 올라간다. 이것을 모순운동(paradoxical movement)이라고 하는데 환자에게 코를 킁킁거리게 하면서 형광투시를 해보면(sniff test) 확인할 수 있다.

외부늑간근(external intercostal muscles)은 인접한 위, 아래의 늑골 사이를 연결하며 아래쪽과 앞쪽으로 경사져 있다(그림 7.2). 만일 외부늑간근이 수축하면 갈비뼈가 위쪽, 앞쪽으로 당겨져서 흉곽의 측면직경(lateral diameter)과 전후직경(anteroposterior diameters)이 증가한다. 늑골이 '양동이의 손잡이(bucket-handle)'와 같이 움직이면 측면직경이 증가하게 된다. 동일한 레벨의 척수에서 나오는 늑간신경이 늑간근을 공급한다. 횡격막은 매우 효율적으로 작용하므로 늑간근의 마비만으로는 안정 시 호흡기능에 심각한 영향을 주지 못한다.

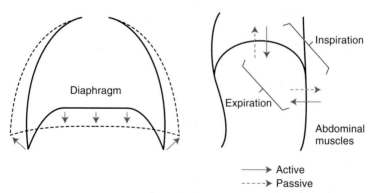

그림 7.1. 흡기 중 돔형의 횡격막이 수축하면 복부내용물은 아래로 움직이며 흉곽(rib cage)은 넓어진다. 둘 다 흉곽용적을 증가시킨다. 강제호기 시 복부근육이 수축하여 횡격막을 위로 밀어 올린다.

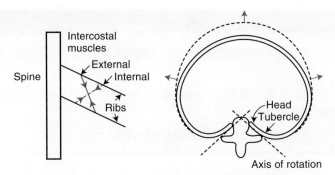

그림 7.2. 외늑간근(external intercostal muscles)이 수축하면 늑골이 위쪽, 앞쪽으로 당겨지고, 늑골결절(tubercle of a rib)과 늑골두(head of a rib)를 연결하는 축을 따라 회전한다. 그 결과, 흉부의 측면직경(lateral diameter)과 전후방직경(anteroposterior diameters)이 모두 증가한다. 내늑간근(internal intercostals muscle)의 작용은 반대이다.

흡기보조근(accessory muscles of inspiration)으로는 1, 2번 늑골을 들어 올리는 사각근(scalene muscles)과 흉골을 올리는 흉쇄유돌근(sternocleidomastoids) 등이 있다. 정상호흡(quiet breathing, eupnea) 중에는 이러한 보조근의 활동이 거의 없지만 운동 중에는 강하게 수축할 수 있다. 그 외 호흡에 역할이 작은 근육으로는 콧구멍을 넓히는 비익근(alae nasi)과 두경부에 있는 소근육들이 있다.

호기(Expiration)

정상호흡(quiet breathing; 역자 주, 반대는 panting breathing) 중 호기는 수동적으로 진행된다. 흡기 시 능동적으로 팽창된 폐와 흉벽은 그 자체의 탄력성에 의해 평형위치(흡기 전 상태)로 되돌아오려는 경향이 있다. 그러나 운동 또는 자발적인 과호흡 시에는, 호기과정도 능동적으로 변한다. 호기근 중 가장 중요한 것은 복직근(rectus abdominis), 내, 외복사근(internal and external oblique muscles)과 복횡근(transversus abdominis) 등을 포함한 복벽이다. 이 근육들이 수축하면 복강내압은 상승하고 횡격막이 위로 밀리게 된다. 이런 근육들은 기침, 구토, 배변 중에도 강한 수축을 보인다.

내늑간근(internal intercostals muscle)은 늑골을 아래쪽과 안쪽으로 잡아당겨서 (외늑간근의 작용과는 반대임) 흉곽용적을 감소시켜 능동적으로 호기과정을 돕는다. 게다가, 힘을 주는 동안 흉곽이 바깥쪽으로 팽창되는 것을 막기 위해 내늑간근이 늑골 사이의 공간을 고정한다. 호흡근, 특히 늑간근의 작용은 이처럼 간단한 설명에 비해 훨씬 더 복잡하다는 것을 실험연구에서 보여주었다.

호흡근(Respiratory muscles)

- 흡기는 언제나 능동적이지만, 호기는 안정 시에는 수동적이고 운동 중에는 능동적이다.

- 횡격막은 흡기근 중 가장 중요한 근육으로, 경추신경 C_3, C_4, C_5에서 유래한 횡격막신경에 의해 조절된다.

- 복근의 수축은 능동적 호기과정에서 핵심적인 역할을 한다.

폐탄성의 특성(Elastic properties of the lung)

압력-용적곡선(Pressure-volume curve)

동물 폐를 적출하여 기관삽관 후 그림 7.3과 같이 항아리 안에 설치한다고 가정해 보자. 항아리 안의 압력을 대기압보다 낮게 하면 폐는 팽창하게 되고 폐활량계를 이용하면 용적변화를 측정할 수 있다. 일정한 지점에서 각 단계마다 압력변동을 정지한 상태로 수 초간 유지하면 폐를 안정상태로 고정할 수 있다. 이렇게 하여 폐의 압력-용적곡선을 그릴 수 있다.

그림 7.3에서 폐 주변의 팽창압은 펌프에 의해 발생하지만 사람에서는 흉곽용적이 팽창하여 발생한다. 그림 7.3에서 보이는 폐와 항아리 사이 공간에 대비하면 폐와 흉벽

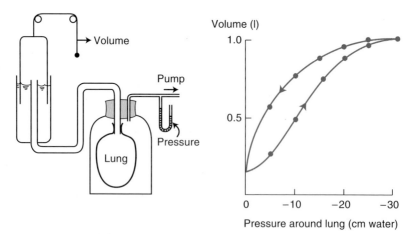

그림 7.3. 적출된 폐의 압력-용적곡선 측정. 용적을 측정하는 동안 각각의 압력에서 폐를 수 초간 정지시킨다. 곡선은 비선형이며 고팽창압에서 평평해진다. 팽창곡선과 수축곡선은 서로 다른데 이를 이력현상(hysteresis)이라고 한다.

사이에 있는 사람의 흉막내강(intrapleural space)은 훨씬 작으나 본질적인 특성의 차이는 없다. 정상적으로 흉막내강에는 겨우 수 mL의 액체가 들어있다.

그림 7.3에서 팽창(inflation)과 수축(deflation) 시 폐의 압력-용적곡선이 서로 상이한 것을 보여준다. 이 현상을 이력현상(*hysteresis*)이라고 한다. 주어진 임의의 압력에서 수축 중인 폐용적은 팽창 중인 폐용적보다 크다는 점을 유의하자. 또한 팽창압이 전혀 없는(= 0인) 상태의 폐 안에도 공기가 남아 있는 점을 유의해야 한다. 실제로 폐주변 압력이 대기압보다 높아지면 소기도는 폐쇄되어 폐포 내 공기가 갇혀 추가로 공기가 거의 빠져나오지 못한다(그림 7.9와 비교해 보라). 연령이 증가하면 이와 같은 기도폐쇄가 폐용적이 높은 상태에서도 발생하며 또한 폐기종을 포함한 일부 유형의 폐질환에서도 이와 같은 기도폐쇄가 발생한다.

그림 7.3에서 기도내부압과 폐의 폐포압은 대기압과 동일하며 수평축에 보이는 것과 같이 0이다. 따라서, 이 축은 또한 폐의 안쪽과 바깥쪽 사이의 압력의 차이를 측정한다. 이것은 '경폐압(transpulmonary pressure)'이라고 알려져 있으며 폐포압이 대기압일 때 폐주변의 압력(pressure around lung)과 같은 수치이다. 또한 흉막표면을 대기에 노출시킨 상태에서 양압으로 폐를 팽창시키면 그림 7.3과 같은 폐의 압력-용적 관계를 측정할 수 있다. 이 경우에 수평 축을 '기도압(airway pressure)'이라고 표시할 수 있으며 측정치는 양수가 된다. 곡선은 그림 7.3에 나타난 것과 동일하다.

유순도(Compliance)

압력-용적곡선의 기울기 또는 단위압력변화에 대한 용적변화를 유순도라고 한다. 따라서 방정식은 다음과 같다.

$$\text{Compliance} = \frac{\Delta V}{\Delta P}$$

정상범위(-5~-10 cmH$_2$O의 팽창압)에서 폐는 팽창이 잘되고 유순도가 매우 좋다. 사람 폐의 유순도는 약 200 mL/cmH$_2$O이다. 그렇지만 팽창압이 높아지면 폐는 점점 딱딱해지고 유순도곡선은 평평한 경사를 보이며 유순도는 점점 더 감소한다.

유순도는 변하지 않는 폐의 특성이 아니며, 다양한 요인에 따라 변할 수 있다. 폐섬유조직이 증가(폐섬유증)하거나 또는 폐포부종에 의해 일부 폐포의 팽창이 억제되면 유순도는 감소한다. 또한 장기간 폐의 환기가 없으면 유순도가 감소하는데 특히 폐용적이 작을 때 더욱 감소한다. 이 경우 부분적으로는 일부 폐포단위의 무기폐(허탈)가 원인이지만 다른 한편으로는 표면장력의 증가도 원인이 된다(아래 참조). 또한 폐정맥압의 상승으로 폐가 혈액으로 충혈되는 경우에도 유순도는 다소 감소한다. 반면에 폐기종과 정상노인의 폐에서 유순도는 증가한다.

폐의 유순도는 폐의 크기에 따라서도 달라진다. 단위압력에 대한 용적변화는 분명히 사람의 폐가 쥐의 폐보다는 더 클 것이다. 이런 이유로 만일 폐조직의 내적탄성의 특성을 알고 싶으면 종종 폐의 단위용적에 대한 유순도 또는 특이유순도(specific compliance)를 측정해보면 된다.

그림 7.3을 보면 살아있는 사람의 흉곽 안에서 폐를 둘러싼 압력은 폐의 탄성반동 때문에 대기압보다 낮다. 폐탄성의 특성, 즉 흡기 중에는 팽창되었다가 호기 중에는 안정 시의 폐용적으로 되돌아오는 경향을 보이는 이유는 무엇일까? 한 가지 이유는 조직절편에서 관찰할 수 있는 탄성조직이다. 엘라스틴과 콜라겐섬유는 폐포벽과 혈관 그리고 기관지의 주변에서 볼 수 있다. 폐의 탄성작용(elastic behavior)은 단순히 탄성섬유들이 늘어나는 것보다는 아마도 탄성섬유의 기하학적 배열과 더욱 관계가 있을 것이다. 비유하자면 팽창성이 매우 좋은 나일론스타킹에서 각각의 나일론섬유는 신전성이 매우 낮지만 뜨개질한 것과 같은 구조 때문에 팽창성은 매우 좋다. 고령이나 폐기종 환자의 폐에서 발생하는 탄성반동의 변화는 아마도 이러한 탄성조직의 변화에 의한 것으로 추정된다.

폐의 압력-용적변화(Pressure-volume behavior of the lung)

- 압력–용적곡선은 비선형이며, 용적이 증가하면 폐는 점차 딱딱해진다.
- 팽창곡선과 수축곡선이 서로 다른 '이력(hysteresis)' 현상을 보인다.
- 유순도는 $\Delta V/\Delta P$의 경사도이다.
- 유순도는 구조단백질(콜라겐, 엘라스틴)과 표면장력에 따라 달라진다.

표면장력(Surface tension)

폐의 압력-용적변화에 있어서 또 하나의 중요한 요소는 폐포내면에서 막을 형성하는 액체필름의 표면장력이다. 표면장력은 액체표면에서 1 cm 떨어진 가상의 선에 작용하는 힘(예: dynes으로 표시)이다(그림 7.4A). 이것은 인접한 액체 안의 분자간인력(attractive forces)이 액체와 기체 사이에 존재하는 인력보다 훨씬 강하기 때문에 발생하며, 그 결과 액체의 표면적은 가능한 작아지게 된다. 이러한 성향은 빨대 끝에 부풀려진 비눗방울에서 명확하게 관찰된다(그림 7.4B).

비눗방울 안과 밖 2개의 표면은 최대한 수축해 비눗방울의 구(sphere, 주어진 용적에서 가장 적은 표면이 되도록)를 형성하며 이때 비눗방울 내부에 발생하는 압력은 라플라스의 공식(Lapalce law)을 이용하여 계산할 수 있다.

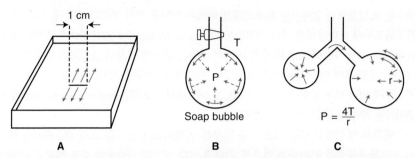

그림 7.4. A. 표면장력은 액체표면에서 1 cm 거리에 있는 가상의 선에 작용하는 힘(예: dyne으로)이다. B. 비눗방울의 표면장력은 표면의 면적을 줄이고 비눗방울 내 압력을 증가시키는 경향이 있다. C. 비눗방울이 작을수록 표면장력에 의한 압력이 더 커지므로 작은 비눗방울과 연결된 큰 비눗방울의 크기는 더 커지게 된다.

$$P = \frac{4T}{r}$$

여기서 P는 압력, T는 표면장력, r은 반지름이다. 구형인 폐포의 한쪽 면(내측)에만 액체가 막을 형성한 경우 이 공식의 분자는 4가 아니라 2이다(즉, 폐포 내 표면장력만으로 발생하는 압력은 P=2T/r임).

표면장력이 폐의 압력-용적곡선에 관여하는 첫 번째 증거는 식염수를 채운 폐가 공기로 팽창된 폐보다 훨씬 더 높은 유순도(쉽게 팽창함)를 보인다는 것이다(그림 7.5). 식

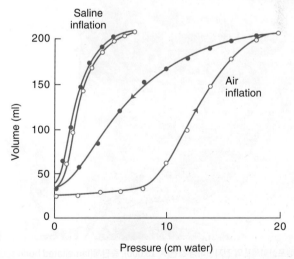

그림 7.5. 고양이 폐에 공기를 채우거나(air inflation) 생리식염수를 주입한(saline inflation) 후 측정한 압력-용적곡선의 비교. ○: 흡기팽창, ●: 호기수축. 식염수를 채운 폐가 공기를 채운 폐보다 유순도가 높고 이력현상(hysteresis)도 훨씬 적다는 점에 유의하라. (From Radford EP. Tissue Elasticity. Washington, DC: American Physiological Society; 1957.)

염수는 표면장력을 없애지만 폐조직의 장력에는 영향을 주지 못하기 때문에, 이 같은 관찰결과로부터 표면장력은 폐의 정적반동력(static recoil force)에 많이 관여하고 있는 것을 알수있다. 유독가스에 노출된 동물 폐에서 나오는 부종의 거품인 소기포가 매우 안정적이라는 것을 후일 연구자들이 알게 되었다. 이와 같은 연구를 통해 연구자들은 이 물질의 표면장력이 매우 낮은 것을 알게 되었고 폐표면활성물질(pulmonary surfactant)의 발견이라는 주목할 만한 결과를 얻었다.

　　폐포를 형성하고 있는 세포들 중 일부는 액체의 표면장력을 크게 감소시키는 물질인 표면활성물질을 분비하는 것으로 알려져 있다. 표면활성물질의 주요 성분은 디팔미토일포스파티딜콜린(dipalmitoyl phosphatidylcholine, DPPC)이라는 인지질(phospholipid)이다. 폐포의 상피세포는 두 가지 유형이 있는데 제I형 세포는 계란프라이 모양을 하고 있으며 폐포벽 위에 세포질이 길게 확장되어 얇게 퍼져 있다(그림 1.1). 좀 더

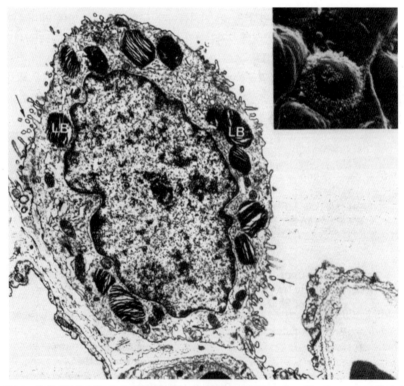

그림 7.6. 제II형 폐포상피세포의 전자현미경 소견(× 10,000). 층판체(lamellated bodies, LB), 큰 핵 및 미세융모(microvilli, 화살표)를 주목하자. 오른쪽 상단에 삽입된 그림은 미세융모(microvilli, × 3,400)의 특징적인 분포와 함께 제II형 폐포상피세포의 표면을 보여주는 주사전자현미경 소견이다. (Republished with permission of Springer from Weibel ER, Gil J. In: West JB, ed. Bioengineering Aspects of the Lung. New York, NY: Marcel Dekker; 1977; permission conveyed through Copyright Clearance Center, Inc.)

촘촘한(그림 7.6) 제II형 세포에서는 폐포로 배출되어 표면활성물질로 변형되는 층판체 (lamellated body)들을 전자현미경으로 관찰할 수 있다. 동물 폐를 생리식염수로 세척하면 표면활성물질의 일부를 분리할 수 있다.

혈액을 통해 공급되거나 폐 자체에서 합성된 지방산을 이용하여 폐에서 인지질 (DPPC)을 합성한다. 합성과정은 신속하며 표면활성물질의 회전속도는 빠르다. 예를 들어 색전(embolus)에 의해 폐의 어떤 부위로 가는 혈류가 없어지면, 그 부위의 표면활성물질도 빠르게 사라질 수 있다. 표면활성물질은 태아기 중 비교적 늦게 생성되는데, 적정량이 부족한 상태로 태어난 신생아에서 호흡곤란이 발생하므로 환기보조 치료를 받지 못하면 사망할 수 있다.

표면활성물질이 표면장력에 미치는 영향은 표면저울(surface balance)연구를 통해 알 수 있다(그림 7.7). 이 실험은 소량의 시험재료를 식염수 위에 올려 놓는 트레이로 구성된다. 가변벽(movable barrier)으로 표면적을 늘려보고 또 줄여보면서 백금띠(platinum strip; force transducer)에 작용하는 힘인 표면장력을 측정한다. 순수식염수는 표면적과 관계없이 약 70 dynes/cm (70 mN/m)의 일정한 표면장력을 나타낸다. 여기에 세제를 첨가하면 표면장력이 감소되며, 이때도 표면적의 크기와 표면장력의 크기는 관계가 없다. 그런데 식염수 위에 폐세척액을 추가하면 그림 7.7B에 표시된 것과 같은 곡선을 얻을 수 있다. 표면장력은 표면적의 넓이에 따라 크게 달라지며 이력현상(hysteresis)도 있는 것을 기억하자(그림 7.3과 비교). 따라서 표면적이 작아지면 표면장력도 매우 낮은 수치로 감소한다.

표면활성물질이 어떻게 표면장력을 큰 폭으로 감소시키는가? DPPC분자의 한쪽 끝은 소수성이며 반대쪽 끝은 친수성인데, 이들이 표면에서 정렬하게 된다. 이렇게 정렬

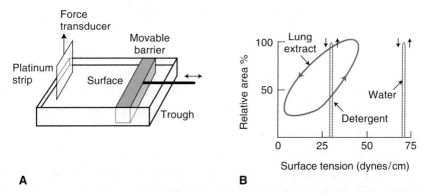

A **B**

그림 7.7. A. 표면저울(surface balance). 표면적이 변할때, 액체표면에 담겨있는 백금띠에 가해지는 힘을 표면장력으로 측정한다. B. 표면저울(surface balance)을 이용하여 측정한 표면장력과 표면적의 관계. 폐세척액에서는 면적에 따라 표면장력이 변하는 것을 보여주며 최소장력이 매우 낮음을 유의하라. 폐의 압력-부피곡선과 비교해 보도록 물과 세제에서 관찰되는 축모양의 곡선을 표시하였다(그림 7.3 및 7.5).

되면, DPPC분자 간의 반발력(repulsive force)이 표면장력의 원인인 액체표면에 있는 분자 간의 정상적인 견인력(attracting forces)에 대해 반대로 작용한다. 또한 액체표면적이 압축될(작아질) 때 표면장력은 더 크게 감소하는데, 그 이유는 DPPC분자들이 근접할수록 서로 밀어내는 힘이 더 커지기 때문이다.

표면활성물질의 생리학적 이점은 무엇일까? 첫 번째로, 폐포의 표면장력이 줄어들면 폐의 유순도가 증가하여 매 호흡 시 폐를 팽창시키는 데 필요한 호흡일이 감소한다. 두 번째 역할은 폐포안정성이 높아진다. 5억 개의 폐포로 구성된 폐는 본질적으로 불안정한 상태이며 따라서 폐질환이 발생하면 종종 부분적인 무기폐(허탈)가 발생한다. 복잡한 내용이고 과도하게 단순화시킨 것이 분명하지만 폐를 수백만 개의 작은 기포들의 집합체라고 생각해보자. 이런 구조의 배열에서 만일 작은 기포의 허탈은 인접한 큰 기포를 팽창시키는(터트리는) 경향을 보인다. 그 이유는 그림 7.4C에서 기포의 표면장력에 의해 발생하는 기포내압은 기포의 반지름에 반비례하므로 만일 기포의 표면장력이 동일하다면, 크기가 작은 기포의 내압이 크기가 큰 기포의 내압보다 더 높기 때문에 작은 기포의 허탈은 결국 큰 기포의 팽창을 유발하기 때문이다. 그러나 그림 7.7에서 폐포세척액(세척액에 표면활성물질이 포함돼 있음)을 측정했을 때 표면적이 작아져도 표면장력은 오히려 감소함을 관찰할 수 있다. 따라서 표면활성물질이 있는 경우에는 작은폐포의 가스가 큰 폐포 쪽으로 이동하는 경향이 현저히 감소한다. 따라서 표면활성물질이 폐포안전성에 관여함을 알 수 있다.

표면활성물질의 세 번째 역할은 폐포를 건조하게 유지하는 것이다. 폐포가 표면장력에 의해 허탈이 발생하는 경향을 보이는 것처럼, 또한 표면장력은 체액을 모세혈관 밖으로(즉, 폐포 안으로) 흡인하는 경향이 있다. 실제로, 폐포표면 곡선부위의 표면장력이 모세혈관 외측조직의 정수압(hydrostatic pressure)을 낮아지게 하여 모세혈관 내부의 체액이 모세혈관 외측조직으로 유출되게 할 수 있다. 그러나 표면활성물질은 이와 같은 표면장력의 역할을 약화시킴으로써 체액이 누출(transudation)되는 것을 예방한다.

표면활성물질이 소실되면 어떤 결과가 나타날까? 앞에서 논의한 표면활성물질의 기능을 바탕으로, 폐가 딱딱해짐(유순도가 낮아짐), 무기폐, 그리고 누출액으로 가득 차있는 폐포 등을 예상할 수 있다. 실제 이와 같은 소견들은 신생아호흡곤란증후군(neonatal respiratory distress syndrome)에서 보이는 병태생리학적인 특징으로, 이는 적절한 양의 표면활성물질을 생산할 시기가 되기 전 미숙아로 태어날 때 발생한다. 이와 같은 신생아들은 폐에 합성표면활성물질을 주입하여 치료한다.

폐포안정성에 기여하는 것으로 명백해 보이는 또 다른 기전이 있다. 그림 1.2, 그림 1.7, 그림 4.4에서 흉막에 직접 붙어 있는 폐포를 제외한 모든 폐포는 다른 폐포에 의해 둘러싸여 있어 서로를 지지하고 있음을 다시 생각해보자. 많은 연결고리가 있는 이와 같은 구조에서는 한 단위그룹의 용적이 줄거나 또는 늘어나는 어떤 경향을 보이면 그 나머지 그룹에는 상대적으로 반대되는 경향을 보인다. 예를 들어 폐포의 한 그룹이 허탈상태에 빠지는 경향을 보이면, 주변 폐실질조직이 반대로 팽창하기 때문에 허탈될 뻔 하였던 조직에 큰 팽창력이 발생한다. 폐포단위를 둘러싼 폐실질조직에 의한 이러한 지지를 상호의존성(interdependence)이라고 한다. 마찬가지 요인으로 폐가 팽창함에 따라 큰 혈관과 기도 주변부의 압력이 낮아지게 된다(그림 4.3).

폐표면활성물질(Pulmonary surfactant)

- 폐포내부를 둘러싸고 있는 액체층에서 발생하는 표면장력을 감소시킨다.
- 제II형 폐포상피세포에 의해 생성된다.
- DPPC를 포함한다.
- 표면활성물질이 없어지면 폐유순도 감소, 무기폐, 그리고 폐부종 경향 등을 초래한다.

국소적인 환기 차이의 원인 (Cause of regional differences in ventilation)

폐의 상부보다 하부에서 더 많은 환기가 이뤄지고 있는 것은 그림 2.7에서 본 바와 같다. 이와 같이 국소적으로 환기가 달라지는 원인을 이번 장에서 논의하는 것이 적절하다. 폐는 상부보다 하부에서 흉막내압(intrapleural pressure)이 덜 음압인(즉, 더 높은) 것은 잘 알려져 있다(그림 7.8). 그 이유는 폐의 무게 때문이다. 어떤 것이든지 지지되는 것은 아래로 작용하는 무게와 균형을 맞추기 위해 상부보다 하부에 더 큰 압력이 필요하며, 부분적으로 흉곽과 횡격막에 의해 지지되는 폐도 예외는 아니다. 따라서 폐의 하부(기저부) 압력은 폐의 상부(첨부)보다 더 높다(덜 음압이다).

그림 7.8에서 폐주변의 압력이 감소할 때 폐의 일부분(예: 단일 폐엽)의 부피가 팽창하는 형태를 보여준다(그림 7.3과 비교). 폐 안의 압력은 대기압과 같다. 폐는 용적이 클 때보다 용적이 작은 상태에서 더 팽창하기가 쉬운데 그 이유는 폐용적이 커질수록 폐가 더 딱딱해(유순도의 감소)지기 때문이다. 폐기저부는 팽창압이 작기 때문에 안정 시 폐기저부의 용적이 작다. 더구나 폐기저부의 팽창압은 압력-용적곡선 중 기울기가 가파른 부분(유순도가 높은)에 위치하고 있기 때문에, 흡기 시 쉽게 팽창할 수 있다. 반면에 폐첨부는 안정 시 용적은 커져 있는 상태이고, 또 압력-용적곡선의 기울기가 평평한 부분(유순도가 낮은)에 위치하고 있어 팽창압이 이미 높아져 있는 상태이므로, 흡기 시 용적 변화는 작다.[*]

---

* 이렇게 설명하는 것은 폐와 같은 구조에서 어떤 부위의 압력-부피 특성이 폐전체의 압력-부피 특성과는 동일하지 않을 수 있기 때문에 지나치게 단순화한 것이다.

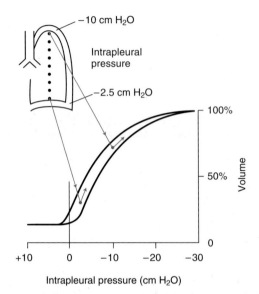

그림 7.8. 폐용적인 정상인 상태. 폐의 기저부로 내려가면서 변하는 환기의 국소적인 차이에 대한 설명이다. 폐의 무게 때문에, 폐기저부의 흉막내압은 폐첨부보다는 덜 음압이다(즉, 더 높다). 결과적으로, 안정상태에서 폐기저부는 상대적으로 압축된 상태이고 따라서 흡기 시 폐첨부보다 더 많이 팽창한다. (From West JB. Ventilation/Blood Flow and Gas Exchange. 5th ed. Oxford, UK: Blackwell; 1990.)

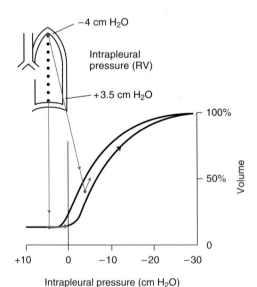

그림 7.9. 폐용적이 매우 낮은 상태. 이런 상태는 흉막내압이 덜 음압인, 즉 더 높은 상태. 실제로 폐기저부의 압력은 기도, 즉 대기압보다 높아진다. 결과적으로, 폐기저부에서는 기도폐쇄가 발생하며, 흡기노력이 작은경우 공기가 유입되지 않는다. (From West JB. Ventilation/Blood Flow and Gas Exchange. 5th ed. Oxford, UK: Blackwell; 1990.)

이제부터 환기의 국소적 차이를 이야기할 때는 안정 시 폐용적(resting volume)단위와 비교해 변화하는 용적을 의미한다. 그림 7.8에서 안정 시 폐기저부가 폐첨부보다 용적이 작고 용적변화는 큰 것이 분명하다. 따라서, 폐기저부의 환기량은 폐첨부보다 훨씬 더 크다. 안정 시 폐기저부가 폐첨부에 비해 상대적으로 팽창되어 있지 않으나, 환기는 더 잘 된다는 역설에 주목하라. 앙와위와 측와위 모두에서 의존적(dependent)인 부분의 폐에서 환기량이 더 큰 것에 대해서도 동일한 설명이 가능하다.

폐용적이 매우 낮은 상태에서는 환기량분포에 주목할 만한 변화가 발생한다. 그림 7.9는 잔기량(RV)인 상태(즉 최대호기 상태, 그림 2.2 참고)를 나타내는 것을 제외하고는 그림 7.8과 유사하다. 이런 상태에서 흉막내압은 덜 음압인, 즉 더 높은 상태인데 그 이유는 폐가 잘 팽창하지 않고 탄성반동력 또한 더 약하기 때문이다. 또한, 폐의 무게 때문에 폐첨부와 폐기저부 간의 압력 차이도 여전히 존재한다. 실제로 폐기저부의 흉막내압은 기도압(대기압)보다 높아졌다는 점에 유의하라. 이런 상태에서 폐기저부는 잘 팽창하지 못하고 또 압축된 상태가 지속되므로 국소적으로 흉막내압이 대기압 아래로 떨어질 때까지는 환기가 불가능한 상태이다. 대조적으로 폐첨부는 압력-용적곡선에서 좋은 위치에 있고 또 환기도 잘 된다. 따라서 정상적인 환기분포는 역전되어 폐기저부보다 폐첨부의 환기가 더 잘 된다.

환기의 국소적인 차이(Regional differences of ventilation)

- 직립상태에서는 폐 자체 무게로 인해 폐첨부에 비해 폐기저부 주위는 더 높은(즉 덜 음압인) 흉막내압이 발생한다.
- 압력-용적곡선이 비선형적이므로 폐기저부의 폐포는 폐첨부의 폐포보다 더 크게 팽창된다.
- 잔기량(RV)에서 소량의 공기를 흡기하려고 할 때, 폐의 최하기저부는 환기가 이뤄지지 않는다.

기도폐쇄(Airway closure)

폐가 압축될 때 폐기저부의 공기는 완전히 배출되지 않는다. 실제로 호흡세기관지 영역의 소기도는 가장 먼저 닫히므로 이 부위보다 원위부(말단)의 폐포가스는 갇히게 된다(그림 1.4). 이와 같은 기도폐쇄(airway closure)는 젊고 건강한 사람에서는 폐용적이 매우 작을 때만 발생한다. 그러나 분명히 건강하더라도 노년층에서는 폐용적이 좀 더 큰 상태에서도 폐하부에서 기도폐쇄가 발생할 수 있고, 또한 기능잔기용량(FRC)에서도 기도폐쇄가 발생할 수 있다(그림 2.2). 그 이유는 노인폐(aging lung)에서는 탄성반동이 일부 소실되는데, 이로 인해 흉막내압이 덜 음압이되므로 그림 7.9와 비슷한 상황이 되기 때문이다. 이러한 상황에서, 폐의 의존적인 영역(즉, 가장 기저부)은 간헐적인 환기만 이 뤄지며, 가스교환장애가 진행된다(제5장). 노인폐가 아니라도 폐기종 환자에서는 이와 같은 상태가 흔히 발생한다.

흉벽탄성의 특성(Elastic properties of the chest wall)

폐에 탄력이 있는 것처럼 흉곽에도 탄력이 있다. 이것은 흉강 안에 공기를 주입하는 것 (기흉)으로 설명할 수 있다. 그림 7.10에서 정상적인 경우 폐 바깥쪽의 압력, 즉 흉막내압 은 그림 7.3에서 항아리 내부압력과 마찬가지로 대기압보다 낮다. 그러나 공기가 주입돼 흉막강의 압력이 높아져 대기압과 같아지면 폐수술 시 흉곽을 열었을 때와 마찬가지로 폐는 안쪽으로 허탈되고 흉벽은 바깥쪽으로 팽창한다. 평형상태에서 흉벽은 내측으로 당겨지는 반면 폐는 외측으로 당겨지는 것으로 보이며, 이 두 힘이 각각 반대로 견인하며 서로 균형을 이루게 된다.

　폐와 흉벽의 압력-용적곡선을 각각 그려보면 이와 같은 상호작용 관계를 좀 더 명 확히 알수 있다(그림 7.11). 이를 위해 피험자는 폐활량계를 통해 흡기 또는 호기를 한 다 음 기도압이 측정되는 동안 호흡근을 '이완'(relaxation pressure: 이완압)시킨다. 그러 나 훈련받지 않은 피험자가 이런 행동을 실행하기는 어렵다. 그림 7.11은 기능잔기용량 (FRC)일 때 폐와 흉벽의 이완압을 더하면 대기압과 같음을 보여준다. 실제, 수축하려는 폐의 탄성반동과 정상적으로 팽창하려는 경향의 흉벽 사이에 균형이 이뤄졌을 때의 평 형용적(equilibrium volume)을 기능잔기용량(FRC)이라고 한다. 이 기능잔기용량 (FRC)보다 큰 용적에서는 기도압이 양압이고 이보다 작은 용적에서는 기도압이 대기압 보다 낮은 음압이다.

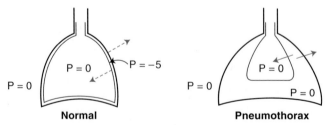

그림 7.10. 정상상태에서는 폐용적을 수축시키려는 경향인 폐의 반동력(recoil)과 팽창하려는 경향인 흉벽의 탄성이 균형을 이루게 된다. 결과적으로 흉막내압은 대기압보다 낮다. 기흉이 발생하면 폐는 허탈상태가 되고 흉곽은 팽창하게 된다.

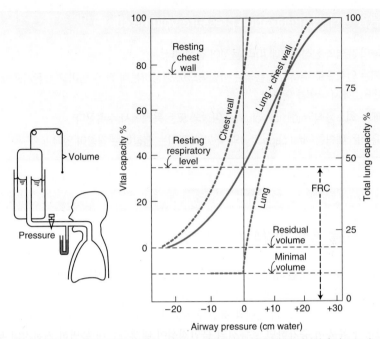

그림 7.11. 폐와 흉벽의 이완압-용적곡선이다. 피험자는 폐활량계에 어떤 특정용적까지 흡기 또는 호기를 하고 밸브가 닫힌 상태에서 피험자의 호흡근육을 이완시킨다. 각각의 폐곡선과 흉벽곡선을 합해 폐＋흉벽곡선을 설명할 수 있다.

　　또한 그림 7.11에서 폐 자체의 곡선을 보여준다. 명확성을 위해 이력현상(hysteresis)은 표시하지 않았고 또 기도압이 음압이 아닌 양압이라는 것을 제외하고는 그림 7.3과 유사하다. 폐곡선의 기도압은 그림 7.3의 실험에서 볼 수 있는 기도압으로, 여러 개의 어떤 특정용적에서 폐활량계와 연결된 관은 막히고, 항아리는 대기와 통해져 있는 상태(따라서 기도는 막힌상태이고 폐는 이완된 상태)의 기도압이 각각 측정되었다. 기도압이 0인 상태의 폐용적은 RV보다 더 적은 최소용적(minimal volume)이다.

　　세 번째 곡선은 흉벽 단독에 의한 곡선이다. 폐는 없고 흉벽이 정상인 사람에서 이 곡선을 측정하는 것을 상상하면 된다. 기능잔기용량(FRC)상태에서 이완압(relaxation pressure)은 음수이다. 다르게 말하면 이 정도(기능잔기용량, FRC)의 용적에서 흉곽은 팽창하려는 경향이 있다는 것이다. 흉곽용적이 폐활량의 약 75% 정도까지 증가된 다음 이완압이 대기압과 같은 상태, 즉 흉벽이 평형상태가 된다. 모든 용적에서 폐＋흉벽의 이완압은 폐와 흉벽의 이완압을 각각 개별적으로 측정한 것을 더한 것이다. 주어진 폐용적에서의 압력은 유순도에 반비례하기 때문에, 폐＋흉벽의 총유순도는 폐와 흉벽의 각각의 유순도를 측정하여 더한 값과 같으므로 $1/C_T = 1/C_L + 1/C_{CW}$이다.

이완압-용적곡선(Relaxation pressure-volume curve)

- 폐와 흉벽의 탄성특성에 따라 용적이 결정된다.
- 폐는 안쪽으로 수축하고 흉벽은 바깥쪽으로 팽창하는데 이 두 힘이 기능잔기용량 (FRC)에서 균형을 이룬다.
- 폐는 최소용적(minimal volume) 이상의 모든 용적에서 수축한다.
- 흉벽은 폐활량(vital capacity)의 약 75%까지는 팽창하는 경향이 있다.

기도저항(Airway resistance)

튜브(기도)를 통한 기류(Airflow through tubes)

공기가 튜브를 통과하는 경우(그림 7.12) 튜브의 양쪽 끝 사이에는 압력차가 존재한다. 압력차는 기류의 속도와 패턴에 따라 달라진다. 낮은 유속에서 기류의 흐름선(stream lines, 그림 7.12A)은 튜브의 내면과 평행을 이룬다. 이것을 층류(laminar flow)라고 한 다. 그러나 유속이 증가하면 흐름선의 불안정성이 발생하는데 특별히 기관지의 분지 (branch)에서 발생한다. 이 부분에서 기관지 벽으로부터 기류의 흐름선이 분리되어 국 소적인 소용돌이(local eddies, 이행류, 그림 7.12B)가 형성될 수 있다. 좀 더 빠른 유속에 서는 흐름선의 완전한 혼돈이 관찰되며 이를 와류(turbulence, 그림 7.12C)라고 한다.
  층류의 압력-기류(pressure-flow)특성은 프랑스 의사인 Poiseuille가 처음으로 설 명하였다. 직선 원통관의 용적-유량은 다음과 같이 계산한다.

$$\dot{V} = \frac{P\pi r^4}{8nl}$$

  여기서 P는 구동압(driving pressure, 그림 7.12A의 ΔP), r은 반지름, n은 점도 그리 고 l은 길이이다. 구동압은 유량과 비례한다는것 또는 P = KV라는 것을 알 수 있다. 기 류저항인 R은 구동압을 유량으로 나눈 값이기 때문에 다음과 같은 공식을 통해 구할 수 있다.

$$R = \frac{8nl}{\pi r^4}$$

  이 공식을 보면 기도저항에는 튜브의 반지름이 중요하다는 것에 주목하라. 튜브의 반지름이 1/2로 줄면 저항은 16배나 증가하게 된다! 그렇지만 튜브의 길이를 2배로 늘리 면 저항은 단지 2배만 증가하게 된다. 또한 층류상태로 튜브를 통과하는 가스는 밀도

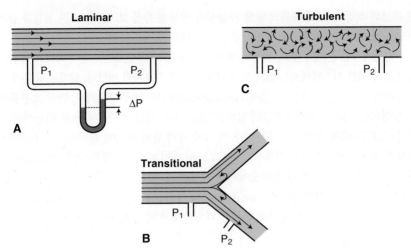

그림 7.12. 튜브내부 기류의 형태. (A)의 기류는 층류이고, (B)는 기관분지에서 소용돌이가 형성되어 이행류가 되며, (C)의 기류는 와류이다. 저항은 (P₁-P₂)/유속이다.

(density)가 아닌 점도(viscosity)가 압력-유량관계에 영향을 준다는 점에 유의하자.

층류의 또 다른 특징은 기류가 완전히 층류가 되면 튜브내관의 중심부를 흐르는 가스는 튜브 전체기류의 평균속도보다 2배 정도 빠르게 이동한다는 것이다. 따라서 빠르게 이동하는 가스기류의 중심부는 뾰족하게 튀어나와 튜브의 축을 따라 이동한다(그림 7.12A). 튜브의 직경을 가로질러 나타나는 이와 같은 속도변화를 속도프로필(velocity profile)이라고 한다.

와류(turbulent flow)의 특성은 층류와 다르다. 여기서 압력은 유량에 비례하지 않으나 대략 제곱에 비례한다: P = KV₂. 그밖에 상대적으로 가스의 점도(viscosity of gas)는 중요하지 않지만 가스의 밀도(gas density)가 높아지면 주어진 유속에 따라 압력저하(pressure drop)는 심해진다. 또한 층류의 특징인 축 방향으로 튜브중심부에서 관찰되는 높은 유속은 와류에서는 관찰되지 않는다.

기류가 층류가 될지 혹은 와류가 될지는 거의 레이놀즈수(Reynolds number, Re)에 달려 있다. 이 값은 다음과 같이 계산한다.

$$\text{Re} = \frac{2rvd}{n}$$

여기서 d 밀도, v 평균속도, r 반지름, n 점도이다. 밀도와 속도는 분자에 해당하고 점도는 분모에 해당하기 때문에 공식은 점성력(viscous forces)에 대한 관성력(inertial force)의 비율로 계산한다. 직선의 매끄러운 튜브에서도, 레이놀즈수가 2,000을 초과하면 와류가 발생할 수 있다. 이 공식에서는 기류의 속도가 빠를 때와 또 주어진 속도에 비해 튜브의 직경이 클 때 와류의 발생 가능성이 가장 높음을 보여준다. 또한 헬륨과 같은 저밀도 가스는 와류발생 가능성이 낮은 것을 기억하자.

기관지처럼 분지가 많고, 직경의 변동이 있으며, 기관지 표면이 불규칙하고 복잡한 튜브로 구성된 시스템에서는 앞에서 언급한 원리를 적용하기 어렵다. 실제로 층류가 발생하려면 튜브에 들어가는 조건(entrance condition)이 매우 중요하다. 만약 소용돌이가 발생하는 위치가 기관분지점의 상류인 경우, 어느 정도는 하류 쪽으로 이동해야 이 혼란(소용돌이)이 사라지기 때문이다. 따라서 폐와 같이 빠르게 분기되는 시스템에서 층류가 충분하게 생성되기 위해서는(그림 7.12A) 레이놀즈수가 매우 낮아지는(종말세기관지에서는 ~1) 매우 작은 소기도에서만 발생한다. 대부분의 기관지나무(bronchial tree)에서 기류는 이행류(transitional flow)의 형태인 반면(B), 진성 와류(ture turbulance)는 기관(trachea)에서, 특히 운동할 때처럼 유속이 높을 때 발생할 수 있다(A). 일반적으로 구동압은 유속과 유속의 제곱에 의해 결정된다.

$$P = K_1 \dot{V} + K_2 \dot{V}^2$$

층류와 와류(Laminar and turbulent flow)

- 층류에서 저항은 튜브의 반지름의 4승에 반비례한다.
- 층류에서 관찰되는 속도프로필(velocity profile)은 튜브내부 중심에 빠른속도의 가스가 뾰족하게 튀어나와 화살처럼 보인다.
- 와류는 레이놀즈수가 높아질 때, 즉 관성력(inertial forces)이 점성력(viscous forces)보다 우세할 때 발생할 가능성이 가장 높다.

기도저항의 측정(Measurement of airway resistance)

기도저항은 폐포와 구강 사이의 압력차를 유량으로 나눈 것이다(그림 7.12). 구강압은 압력계로 쉽게 측정할 수 있다. 폐포압은 체적변동기록법(body plethysmograph)으로 측정한 결과로 추정할 수 있다. 이 측정법에 대한 자세한 내용은 10장에 나와 있다.

호흡주기 동안의 압력(Pressures during the breathing cycle)

안정상태에서 정상호흡 중 흉막내압(intrapleural pressure)과 폐포압(alveolar pressure)을 측정한다고 가정해보자.[†] 그림 7.13에서 흡기 직전, 흉막내압은 폐탄성반동에

[†] 흉막내압은 식도에 풍선카테터를 삽입해 추정할 수 있다.

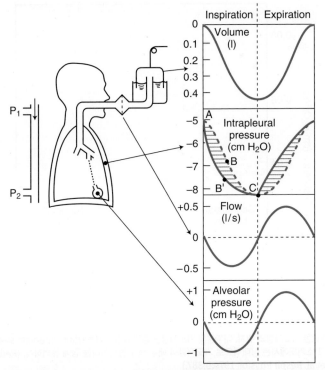

그림 7.13. 호흡주기 중 압력변화. 만일 기도저항이 없으면, 폐포압은 0으로 유지되고, 흉막내압은 폐의 탄성반동에 따라 변하는 점선ABC를 따르게 된다. 그러나 폐포압이 떨어지면 흉막내압이 점선ABC와 실선AB'C 사이에 있는 해치영역(hatched portion)으로 변하는 원인이 된다(본문 참조).

의해 −5 cmH$_2$O임을 보여주고 있다(그림 7.3과 7.10을 비교). 폐포압은 0(대기압)이다. 왜냐하면 기류가 없으면 기도를 따라 압력저하(pressure drop)도 없기 때문이다. 하지만, 흡기류(inspiratory flow)가 발생하려면 폐포압이 낮아져서 구동압이 발생해야 한다(그림 7.12A). 실제 폐포압이 떨어지는 정도는 유량과 기도저항에 따라 달라진다. 정상인에서 폐포압의 변화는 1 cmH$_2$O 내외에 불과하지만 기도폐쇄 환자(COPD나 천식 환자)에서는 그 몇 배가 될 수 있다.

흡기 중에는 흉막내압이 떨어지는 이유는 두 가지이다. 첫째, 폐가 팽창함에 따라 폐의 탄성반동은 증가하게 된다(그림 7.3). 증가된 탄성반동만으로도 흉막내압은 점선 ABC를 따라 움직이게 된다. 그렇지만 그 외에도 폐포압의 감소에 의해 빗금영역으로 표시한 추가적인 흉막내압[†]의 감소를 초래하므로 흉막내압의 실제경로는 실선AB'C가 된다. 따라서 점선ABC와 실선AB'C 사이 어떤 한 지점에서의 수직거리는 그 순간의 폐

[†] 이는 조직저항에 의한 압력변화도 있으며, 이는 이번 장의 후반부에서 설명한다.

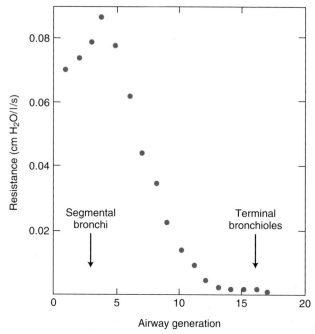

그림 7.14. 주요한 기도저항의 위치. 대부분의 기도저항은 중간굵기의 기관지(intermediate sized bronchi)에서 발생하고 소기도에서는 상대적으로 기도저항이 매우 적게 발생한다는 점에 유의하자. (Redrawn from Pedley TJ, et al. Respir Physiol. 1970;9:387.)

포압을 반영한다. 압력방정식은 (구강압 – 흉막내압) = (구강압 – 폐포압) + (폐포압 – 흉막내압)이 된다.

호기 중에도 비슷한 변화가 발생한다. 그러나 호기 중 흉막내압은 기도저항이 없을 때보다 덜 음압이 되는데 이는 폐포압이 양압이기 때문이다. 실제로 강제호기 중 흉막내압은 0(대기압)보다 높아진다.

폐포압을 기록한 곡선은 기류의 곡선과 비슷하다. 만일 호흡주기 동안 기도저항이 일정하면 실제 이 둘(폐포압, 기류)의 모양은 동일할 것이다. 또한, 폐유순도가 일정하다면 흉막내압 곡선 ABC는 폐용적을 기록한 곡선과 같은 형태를 보일 것이다.

기도저항의 주요 부위(Chief site of airway resistance)

폐의 주변부, 즉 말단부위로 뻗어갈수록 기도의 수는 점점 더 많아지나 기도직경은 훨씬 작아진다(그림 1.3과 1.5 참고). Poiseuille 방정식에 따르면 기도저항은 (반경)[4]에 반비례하므로, 기도저항의 주요 부위는 매우 가는 소기도에 있을 것이라고 생각하는 것이 당연하다. 실제로, 오랫동안 이런 생각을 사실로 여겨 왔다. 그러나 기관지나무(bronchial tree)에서 압력하강을 직접 측정해본 결과 기도저항의 주요 부위는 중간 굵기의 기관지이고 매우 가는 기관지들에서는 상대적으로 기도저항이 거의 없다는 것이 밝혀졌다. 그림 7.14에서 기도 내 압력하강은 대부분 7세대 분지까지의 기관지에서 발생하고 있다는 것을 보여준다. 직경 2 mm 미만의 소기도(대략 8세대 이상의 분지)에 의한 기도저항은 총기도저항의 20% 미만에 해당한다. 이처럼 소기도에서 기도저항이 오히려 낮아지는 역설적인 결과를 보이는 이유는 소기도 수가 엄청나게 많기 때문이다.

말초기도가 기도저항과 거의 무관하다는 사실은 기도질환의 조기발견에 있어 중요하다. 이들이 '무증상구역(silent zone)'을 만들기 때문에 흔히 시행되는 폐기능검사에서 이상소견이 발견되기 전 이미 상당히 진행된 소기도질환이 존재할 가능성이 높다. 이 문제는 10장에서 더 자세히 고찰한다.

기도저항의 결정요인(Factors determining airway resistance)

폐용적은 기도저항에 중요한 영향을 미친다. 폐포외 혈관(extra-alveolar blood vessels, 그림 4.3)과 마찬가지로 기관지는 주변 폐조직의 방사상 견인력(radial traction)에 의해 지지되며, 폐가 팽창할수록 기관지의 직경도 커지게 된다(그림 4.7과 비교). 그림 7.15에서 폐활량이 감소할 때 기도저항이 급격히 증가하는 것을 보여준다. 기도저항의 역비례, 즉 전도도(conductance)와 폐용적의 관계를 그래프로 그리면 대략 선형적인 관계를 보인다.

폐용적이 매우 작아지면 소기도는 완전히 폐쇄될 수 있으며, 특히 잘 팽창되지 않는 폐의 기저부는 더욱 그러하다(그림 7.9). 기도저항이 증가된 환자는 종종 폐용적이 큰 상태에서 호흡하게 되는데 그 이유는 이와 같은 상태로 호흡하는 것이 기도저항을 감소시키는 데 도움이 되기 때문이다.

기관지평활근의 수축으로 기도가 좁아지면 기도저항은 증가한다. 담배연기와 같은 자극에 의해 기관(trachea)과 큰 기관지(large bronchi)의 수용체가 자극되어 반사적으로 기관지평활근의 수축이 발생할 수 있다. 기관지수축은 미주신경(vagus nerve)의 운동신경분포(motor innervation)에 의한다. 평활근의 긴장도는 자율신경계에 의해 조절된다. β-아드레날린수용체는 두 가지 유형이 있는데 β_1수용체는 주로 심장에 존재하는 반면, β_2수용체는 기관지, 혈관 그리고 자궁에 존재하여 이 조직들의 평활근을 이완시킨다. 예를 들어 에피네프린에 의해 아드레날린수용체가 자극되면 기관지확장이 일어난다. 일반적으로 선택적β_2-아드레날린작용제는 흡입경로를 통해 투여되며, 천식과 만성폐쇄성폐질환(COPD)의 치료에 광범위하게 사용된다.

부교감신경이 활성화되면 아세틸콜린과 마찬가지로 기관수축을 일으킨다. 항머스카린제는 만성폐쇄성폐질환에서 그리고 때때로 천식에도 사용된다. 폐포가스P_{CO_2}하강은 기도저항 증가를 유발하는데, 이는 분명하게 P_{CO_2} 하강이 세기관지평활근에 직접 작용한 결과이다. 폐동맥에 히스타민을 주입하면 폐포관(alveolar duct)에 위치한 평활근 수축을 유발한다.

흡기가스의 밀도(density)와 점도(viscosity)는 기류에 발생하는 저항에 영향을 준다. 압력이 증가하면 가스밀도 또한 증가하므로 심해잠수 중에는 기류저항이 증가한다. 이와 같이 기류저항이 증가할 때 헬륨-산소혼합물(헬리옥스, heliox 9장)을 호흡하면 기도저항이 감소될 수 있다. 기도저항에서 밀도변화가 점도변화보다 더 큰 영향을 주고 있다는 것은 기도저항의 주요 부위인 중간크기의 기도(medium-sized airway) 안의 기류(그림 7.14)가 전부 층류가 아니라는 증거가 된다(역자 주: 기류가 전부 층류라면 기도 저항에 주로 영향을 주는 것은 흡입가스의 밀도가 아니고 점도이기 때문이다).

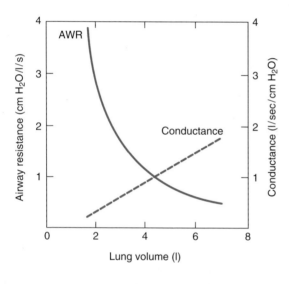

그림 7.15. 폐용적에 따른 기도저항 (airway resistance, AWR)의 변화. 기도저항의 역비례(즉, 전도도, conductance)를 표시하면 그래프는 직선이 된다. (Redrawn from Briscoe WA, Dubois AB. J Clin Invest.1958;37:1279.)

기도저항(Airway resistance)

- 중간크기의 기관지에서 가장 높고, 매우 작은 소기도에서는 오히려 낮다.
- 폐용적의 증가에 따라 기도는 사방으로 견인돼 확장되므로 기도저항은 감소한다.
- 기관지평활근은 자율신경계에 의해 조절되며, β_2-아드레날린수용체를 자극하면 기관지확장이 유발된다.
- 고밀도의 가스(예: 심해잠수 중 높은 해수압으로 흡기가스의 밀도가 상승)를 호흡하면 기도저항이 증가한다.

기도의 동적압박(Dynamic compression of airways)

피험자가 숨을 총폐활량(total lung capacity)까지 흡입한 후 가능한 힘껏 숨을 잔기량 (residual volume, RV)까지 내쉰다고 가정하자. 이때 그림 7.16의 A와 같은 유량-용적 곡선(flow-volume curve)을 얻을 수 있는데, 이때 유량은 최대치(최대호기량, peak expiratory flow)까지 매우 빠르게 상승했다가 호기과정 전체에 걸쳐 감소하는 것을 보여준다. 이 유량-용적포락선(flow-volume envelope)의 주목할 만한 특징은 이 곡선을 벗어나는 것이 사실상 불가능하다는 것이다. 달리 표현하면, 곡선B와 같이 아무리 호기를 느리게하다 빠르게 변경하던지, 곡선C와 같이 환자의 노력과 관계없이 약하게(submaximal) 숨을 내쉬든 간에, 유량-용적곡선의 하강부분은 사실상 같은 경로를 취한다. 따라서, 무엇인가 강력한 요인이 호기기류를 제한하고 있으며, 대부분의 폐용적에 걸쳐 유량(flow rate)은 노력과 무관하다.

검사결과를 그림 7.17과 같이 다른 방식으로 표시하면 이와 같이 특이한 상황에 대한 더 많은 정보를 얻을 수 있다. 이를 위해 피험자는 일련의 최대흡기(또는 호기)를 한 다음 다양한 정도의 노력으로 충분히 호기(또는 흡기)를 한다. 호기와 흡기 중 동일폐용적에 대해 각각의 유속과 흉막내압을 표시하면, 그림 7.17과 같은 등용적 압력-유량곡선 (isovolume pressure-flow curves)을 얻을 수 있다. 예상할 수 있는 것처럼 높은 폐용적 (high lung volume)에서는 노력 증가에 따라 호기량이 계속 증가하는 것을 볼 수 있다. 그러나 중간 또는 낮은 폐용적에서는 유량이 고원(plateau)에 도달한 뒤, 흉막내압을 높여도 유량이 증가되지 않는다. 따라서 이러한 상태의 유량은 노력과 무관(effort-independent)하다.

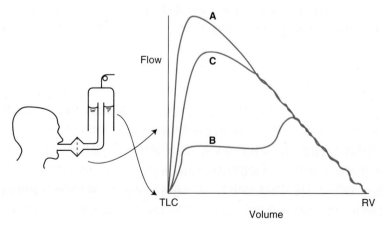

그림 7.16 유량-용적곡선. (A)에서는, 최대흡기 직후 빠른 강제호기가 진행되었다. (B)에서는, 처음에 호기가 천천히 시작된 후 빠른 강제호기가 진행되었다. (C)에서는 최대흡기 후 약하게(submaximal) 호기노력을 한 상태이다.

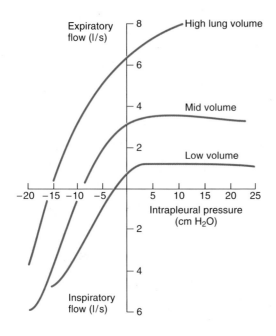

Expiratory flow (l/s)

High lung volume

Mid volume

Low volume

Intrapleural pressure (cm H$_2$O)

Inspiratory flow (l/s)

그림 7.17 세 개의 폐용적에 대해 그려진 등용적 압력-기류곡선. 이들 각각은 일련의 강제호기와 흡기로부터 얻어졌다(본문 참조). 높은 폐용적에서, 호기 내 압력(흉막내압)이 상승하면 호기기류는 더욱 빨라진다. 그러나 중간과 작은 폐용적에서는 흉막내압이 어떤 특정 압력을 넘어서면 호기기류는 노력과 무관하게 된다. (Redrawn from Fry DL, Hyatt RE. Am J Med. 1960;29:672.)

이와 같은 특이한 반응이 나타나는 이유는 흉강내압에 의해 기도가 압박되기 때문이며, 이를 동적기도압박(dynamic airway compression)이라고 한다. 그림 7.18에서 폐 안에 위치한 기도를 가로질러 작용하는 힘을 도식적으로 보여준다. 지나치게 단순화했지만 기도외측의 압력은 흉막내압을 의미한다. A에서 흡기 시작 전 기도압은 유량이 없기 때문에 0이고, 흉막내압은 -5 cmH$_2$O이기 때문에 5 cm의 압력, 즉 경벽압이 기도가 열리도록 작용한다. (B)에서 흡기가 시작되면 흉막내압 및 폐포압 모두 2 cmH$_2$O (A와 폐용적은 같고 조직저항은 무시됨)씩 떨어지면서 기류가 시작된다. 기류가 기도를 따라 움직일 때 기도압이 떨어지기 때문에 기도압은 -1 cmH$_2$O가 되며 따라서 이때는 흉막내압 -5 cmH$_2$O, 기도압 -1 cmH$_2$O이 합하여 6 cmH$_2$O의 경벽압이 기도가 열리도록 작용한다. 흡기말(C)에서 유량은 다시 0이 되며, 이때 기도의 경벽압은 8 cmH$_2$O이다.

마지막으로 강제호기가 시작될 때(D) 흉막내압과 폐포압 모두 38 cmH$_2$O(폐용적은 C와 같다)까지 증가한다. 기도를 따라 호기기류의 이동이 시작되면 기도압은 떨어지므로 이때의 경벽압은 -11 cmH$_2$O가 되어 기도가 폐쇄되는 경향을 보인다. 기도압박이 발생하면 기류를 제한하는 하류압력(downstream pressure)은 기도외부의 압력, 즉 흉막내압이 된다. 따라서 기류를 움직이는 데 작용하는 구동압은 폐포압에서 흉막내압을 뺀 압력이다. 여기에서 구강압이 중요하지 않은것은 마치 zone2에서 스탈링저항기전(Starling resistor mechanism)으로 혈류제한이 발생할 때 폐정맥압이 중요하지 않은 것과 동일하다(그림 4.9 및 4.10). 호기가스를 배출하기 위해 호기근육을 강하게 수축하여

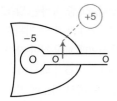

A Preinspiration

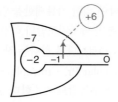

B During inspiration

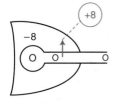

C End-inspiration

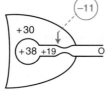

D Forced expiration

그림 7.18 A-D 강제호기 중 기도압박이 발생하는 이유를 보여주는 그림이다. 강제호기가 진행될 때를 제외하고는 기도를 가로지르는 압력 차이에 의해 기도가 열린 상태로 유지된다는 점에 유의하자. 자세한 내용은 본문을 참조하라.

흉막내압을 더 높이더라도 폐용적에 따라 폐포압과 흉막내압의 차이가 결정되기 때문에 실제 유효한 구동압의 변화는 없다. 다시 말하면 호기가스 배출에 유효한 구동압은 구강압과 흉막내압의 차이가 아니다. 따라서 이 지점의 기류는 노력과 무관하게 된다.

　폐용적이 감소함에 따라 최대유량도 감소하는데(그림 7.16), 그 이유는 폐용적이 감소함에 따라 폐포압과 흉막내압의 차이도 감소하며 이에 따라 기도는 점차 좁아지기 때문이다. 또한 최대유량은 등압점(*equal pressure point*)이라고 불리우는 기도허탈지점 하류의 저항과는 무관하다는 점에 유의하자. 호기가 진행됨에 따라, 등압점은 원위부, 즉 폐 속 깊숙이 이동한다. 이런 현상은 폐용적이 감소하면서 기도저항이 증가하기 때문이며 폐포로부터 멀어질수록 기도 내 압력은 더 빠르게 떨어지기 때문이다.

기도의 동적압박(Dynamic compression of airways)은

- 건강한 사람이 강제호기를 하는 동안 기류를 제한한다.
- 폐질환이 있는 경우에 상대적으로 낮은 호기유량(expiratory flow rate)에서도 발생할 수 있어서 운동능력의 저하를 유발한다.
- 동적압박이 발생한 상태에서 기류량은 폐포압에서 흉막내압(구강압이 아닌)을 뺀 차이에 의해 결정되므로 노력과 무관하게 된다.
- 폐기종과 같은 질환에서 폐탄성반동의 감소 또는 기도의 방사상 견인력 소실이 발생하면 동적압박에 의한 기도폐쇄가 과다하게 발생한다.

몇몇 요인들이 기도의 동적압박에 의한 기류제한을 악화시킨다. 그 중 하나는 말초기도저항의 어떠한 증가도 기도를 통한 말초기도압의 하강을 크게 하여 호기 중 기관지내압을 감소시킨다(D에서 19 cmH$_2$O로). 다른 하나는 작은 폐용적인데 폐용적이 작아지면 구동압(driving pressure = alveolar Pr. – intraplueral Pr.)이 줄어들기 때문이다. 폐기종에서 반동압이 줄어들면 결국 구동압도 감소한다. 또한 폐기종에서 기도에 작용하는 방사상 견인력이 감소하면 동적압박에 의한 기도폐쇄가 더 쉽게 발생한다. 실제 이와 같은 형태의 기류제한은 건강한 사람에서는 강제호기 중에서만 볼 수 있지만 중증폐쇄성폐질환 환자에서는 정상호흡의 호기 중에서도 발생할 수 있다.

강제호기검사(Forced expiration test)

폐기능검사실에서 강제호기법을 통해 폐질환 환자의 기류량을 측정하면 기도저항에 대한 정보를 얻을 수 있다. 그림 7.19는 피험자가 최대한 흡기를 들이쉰 다음 최대한 강하게 그리고 끝까지 완전히 숨을 내쉬는, 즉 강제호기 시 얻은 폐활량계의 기록을 나타냈다. 처음 1초 동안 내쉬는 용적을 1초간노력호기량 또는 FEV$_{1.0}$이라고 하며, 강제호기 중 내쉰 폐용적 전체를 강제폐활량(forced vital capacity) 또는 FVC라고 한다(FVC는 종종 그림 2.2에서와 같이 호기를 천천히 내쉬면서 측정한 폐활량인 호기폐활량; slow vital capacity; SVC보다 약간 작다). 정상인에서 FEV$_{1.0}$은 FVC의 약 80%이며 노화에 따라 FEV$_{1.0}$/FVC 비율은 정상적으로 감소한다.

폐질환은 일반적으로 두 가지 형태로 구별될 수 있다. 흡기 시 폐를 팽창시키는데 일차적인 문제가 발생하는 폐섬유화와 같은 제한성폐질환에서는 FEV$_{1.0}$과 FVC 모두 감소하지만 특징적으로 FEV$_{1.0}$/FVC%는 정상이거나 증가한다. 그러나 COPD 또는 기

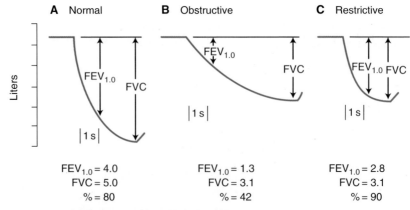

| A | Normal | B | Obstructive | C | Restrictive |

FEV$_{1.0}$ = 4.0
FVC = 5.0
% = 80

FEV$_{1.0}$ = 1.3
FVC = 3.1
% = 42

FEV$_{1.0}$ = 2.8
FVC = 3.1
% = 90

그림 7.19 1초간노력호기량(FEV$_{1.0}$)과 강제폐활량(FVC)의 측정

관지 천식과 같은 폐쇄성폐질환에서는 $FEV_{1.0}$이 FVC보다 훨씬 더 많이 감소하여 $FEV_{1.0}$/FVC가 70% 이하로 낮아진다. 혼합성환기장애 즉, 제한성환기장애와 폐쇄성환기장애가 혼합된 형태도 관찰되는데, 두 가지 중 어떤 형태인지 구별하기 위해 추가적인 폐용적 측정이 필요할 수 있다(제10장).

강제호기검사와 관계된 측정치로 노력호기기류량(forced expiratory flow rate) 또는 노력호기중간기류량$_{25\%-75\%}$($FEF_{25\%-75\%}$)이 있는데 이는 강제호기중간범위(즉, 강제호기과정의 25~75%로 전체 호기과정의 50%)에서 측정된 평균유량이다. 이 결과는 일반적으로 $FEV_{1.0}$과 밀접하게 관련되어 있지만 $FEV_{1.0}$이 정상인 경우에도 감소하기도 한다. 다른 수치들도 강제호기곡선에서 종종 측정된다. 자세한 내용은 10장에서 설명한다.

강제호기검사(Forced expiration test)는

- $FEV_{1.0}$과 FVC를 측정한다.
- 만성호흡곤란 환자의 평가에 사용되는 간단한 검사이다.
- 폐쇄성폐질환과 제한성폐질환을 구별할 수 있다.

불균등한 환기의 추가적인 원인(Additional causes of uneven ventilation)

폐에서 환기의 국소적인 차이가 발생하는 원인을 앞에서 논의한 바 있다. 이런 국소해부학적인 차이를 제외하고 정상폐에서도 어떤 주어진 수직높이(vertical level)에 따른 추가적인 환기의 불균등이 있는데, 여러 질환들에서 환기의 불균등이 과다하게 커질 수 있다.

그림 7.20에서 균등하지 못한 환기가 발생하는 한 가지 기전을 보여준다. 만일 빨대와 탄성풍선(elastic chamber)으로 구성된 폐단위를 대기(atmosphere)와 연결하였다고 (그림 2.1) 가정하면 환기량은 (1) 풍선의 유순도와 (2) 빨대의 저항에 따라 달라진다. 그림 7.20에서 폐단위A의 팽창성과 기도저항은 정상이다. 따라서 흡기 시 용적변화가 크고 또 빨라서 폐 전체의 호기가 시작되기 전에 이미 흡기가 끝났음을 알 수 있다(수직 점선). 반면 폐단위B는 기도저항은 정상이지만 유순도가 낮아, 용적변화는 빠르지만 용적은 작다. 마지막으로 폐단위C는 기도저항이 크기 때문에 흡기가 느려서 전체 폐가 호기를 시작하기 직전까지도 아직도 흡기가 완전히 끝나지 못했다. 흡기과정에 사용할 수 있는 시간이 짧을수록(예: 빈호흡 시) 흡기량은 작아진다. 이와 같은 폐단위를 시간상수가 길다(long time constant)라고 표현하며, 이 값은 유순도와 저항의 곱에 의해 결정된다. 따라서 환기의 불균등성은 국소적인 팽창성 또는 기도저항의 변화에 의해서도 발생할

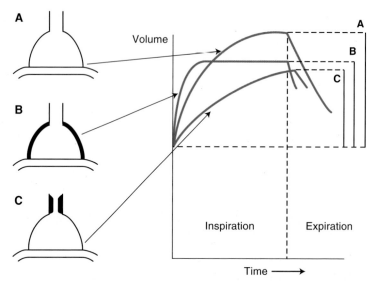

그림 7.20 정상(A)에 비해 유순도가 감소(B)된 그리고 기도저항이 증가(C)된 폐단위가 환기(ventilation of lung units)에 미치는 영향. 두 경우 모두 흡기량이 비정상적으로 낮다. (Modified from West JB. Ventilation/Blood Flow and Gas Exchange. 5th ed. Oxford, UK: Blackwell; 1990.)

수 있으며, 불균등의 형태는 호흡수에 따라 달라진다.

가능한 또 한 가지의 불균등한 환기기전은 호흡구역(repiratory zone)의 기도 안에서 불완전한 확산이다(그림 1.4). 제1장에서 말단기관지 원위부의 폐에서는 주요 환기기전이 확산이라는 것을 배웠다. 정상적으로 환기는 매우 빠르게 진행되며 폐포 안의 가스 농도 차이는 사실상 1초 이내로 소실된다. 그러나 어떤 질환에서 호흡세기관지 부위의 기도가 확장되면 확산을 위한 거리가 엄청나게 늘어날 수 있다. 이와 같은 상태에서는, 폐단위를 따라 환기가 균등하지 않기 때문에 흡기가스는 호흡구역 안에서 균등하게 분포되지 않는다.

조직저항(Tissue resistance)

폐와 흉곽이 움직일 때, 서로가 미끄러지면서 발생하는 조직 간의 점성에 의한 힘(viscous forces)을 극복하기 위해서 약간의 압력이 필요하다. 따라서 그림 7.13의 빗금친 부분의 일부는 이와 같은 조직의 힘에 기인한다. 그러나 이 조직저항은 일부 질환에서 증가할 수 있으나 젊은 정상인에서는 전체(조직 + 기도)저항의 약 20%에 불과하다. 이 전체저항을 기도저항과 구별하기 위해 때때로 폐저항(pulmonary resistance)이라고 한다.

호흡일(Work of breathing)

폐와 흉곽을 움직이는 데는 노력(일, work)이 필요하다. 이러한 맥락에서 일 = 압력 × 용적으로 측정하는 것이 가장 편리하다.

폐에 부과된 호흡일(Work done on the lung)

호흡일은 압력-용적곡선을 이용하여 설명할 수 있다(그림 7.21). 흡기 시, 흉막내압은 곡선 ABC를 따르며, 폐에 부과된 (호흡)일은 면적 0ABCD0이다. 이 중 사다리꼴 0AE-CD0은 폐탄성(elastic force)을 극복하는 데 필요한 일이며, 빗금 친 부분 ABCEA는 점성저항(viscous resistance = 기도 및 조직의 저항)을 극복하는 데 필요한 일(그림 7.13 비교)을 나타낸다. 기도저항이나 흡기유속이 커질수록 A와 C 간 흉막내압의 곡선은 음수 방향(오른쪽)으로 더욱 커지며 면적 또한 더 넓어진다.

호기 시, AECFA구역은 기도(+ 조직)저항을 극복하는 데 필요한 일이다. 정상적으로 이 일은 사다리꼴 0AECD0 안에 포함되고, 이때 필요한 일은 팽창된 탄성구조에 저장된 에너지에 의해 수행되며 수동적인 호기과정을 통해 배출된다. AECFA와 0AECD0 간의 영역차이는 열로 사라진 일을 나타낸다.

호흡수가 빠를수록 유속은 빨라지고 점성일 작업영역인 ABCEA는 커진다. 반면에, 일회호흡량이 크면 탄성일 작업영역인 0AECD0가 커진다. 흥미로운 것은 유순도가 낮아진(폐가 굳은) 환자는 작고, 빠른 호흡을 하는 반면 기도폐쇄가 심한 환자는 크고, 느린 호흡을 하는 경향이 있다. 이와 같이 호흡형태가 서로 다른 변화를 보이는 것은 각기 다른 폐질환의 특성에 따라 폐에 부과된 호흡일을 경감시키려는 경향을 보이기 때문이다.

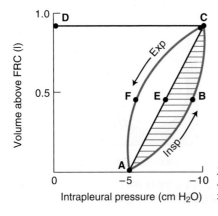

그림 7.21 탄성력(elastic forces, 면적 0AECD0)과 점성력(viscous forces, 빗금친영역 ABCEA)을 이겨내고 진행된 흡기일(호흡일)을 보여주는 폐의 압력-용적곡선.

총 호흡일(Total work of breathing)

폐와 흉벽을 움직이는 총 호흡일은 측정하기가 어렵지만, 마비시킨 환자 또는 '완전히 긴장을 푼' 자원자에서 철폐(iron lung, negative pressure ventilator)형태의 인공호흡기를 이용, 기계환기를 시행하면서 추정치를 측정할 수 있다. 다른 방법으로는 호흡에 필요한 O_2를 측정하고 다음과 같은 효율수치를 가정하여 총 호흡일을 계산할 수 있다.

$$\text{Efficiency \%} = \frac{\text{Work required to ventilate the lung}}{\text{Total energy expended (or O}_2 \text{ cost)}} \times 100$$

효율성은 약 5%에서 10%로 추정된다. 정상호흡(quiet breathing)에 필요한 열량(O_2비용)은 매우 작아서 총필요열량(전체 O_2비용)의 5% 미만이다. 그러나 자발적인 과호흡 시 호흡에 필요한 열량(O_2비용)은 총필요열량의 30%까지 증가될 수 있다. 폐쇄성 폐질환 환자에서는 호흡에 필요한 열량(O_2비용)에 의해 운동능력이 제한될 수 있다.

양압기계환기의 역학적 특성(Mechanics of positive pressure ventilation)

앞에서 언급한 바와 같이 자발호흡 환자는 흉곽을 팽창시켜 구동압을 발생시키고, 이에 따라 기도압은 대기압보다 낮아진다. 그러나 중증호흡부전 환자는 흔히 기계환기 보조가 필요하다. 최신 인공호흡기에서 구동압은 주로 구강압을 높이는 방법(양압환기법)이

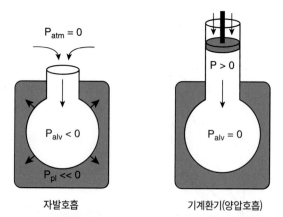

그림 7.22 자발호흡과 양압호흡의 비교. 자발호흡에서는 흡기가 시작될 때 폐포압(P_{alv})은 대기압 아래로 떨어진다. 인공호흡기에 의한 기계환기에서 흡기가 시작될 때 구강압은 폐포압보다 높아진다.

사용된다(그림 7.22).[§]

이와 같은 개입을 양압환기라고 하는데 여러 가지 방법 또는 환기양식 중 하나를 적용하여 환기보조를 시행하면 환자에게 부과된 호흡일을 현저히 감소시킬 수 있다. 유순도, 기도저항성, 국소적 환기의 차이와 관계된 여러 원리는 기계환기 중에도 여전히 적용되며, 인공호흡기 설정이나 폐질환의 특성에 따라 환자에서 동적기도압박까지 발생할 수 있다. 기계환기의 주제는 복잡하며 이 책의 범위를 벗어난다. 이에 대한 자세한 내용은 West의 호흡병태생리학(West's Pulmonary Pathophysiology) 제9판의 10장에서 다루고 있다.

핵심개념(Key concepts)

1. 흡기는 능동적이지만, 정상호흡(quiet breathing) 시 호기과정은 수동적이다. 호흡에 가장 중요한 근육은 횡격막이다.

2. 폐의 압력-용적곡선은 비선형이며 이력현상(hysteresis)이 관찰된다. 폐의 반동압은 탄성조직과 폐포 내부를 둘러싸는 액체층(lining layer)의 표면장력에 기인한다.

3. 폐표면활성물질은 제2형 폐포상피세포로부터 생성되는 인지질이다. 일부 미숙아(premature infant)에서 나타나는 표면활성물질의 부족은 유순도를 감소시켜 호흡부전을 일으킨다.

4. 흉벽은 폐와 같이 탄력이 있지만 정상적으로는 팽창하는 경향을 보인다. 안쪽으로 수축하려는 폐의 탄성반동(elastic recoil)과 바깥쪽으로 팽창하려는 흉벽의 반동이 기능잔기용량(FRC)에서 균형을 이룬다.

5. 소기도에 존재하는 층류의 저항은 소기도 반지름의 4제곱에 반비례한다.

6. 폐용적이 증가하거나 β_2-아드레날린수용체가 자극되면 폐의 기도저항이 감소한다.

7. 강제호기 중 발생하는 기도의 동적압박에 의해 노력과 무관한 기류가 발생한다. 구동압은 폐포압에서 흉막내압을 뺀 것이다. 만성폐쇄성폐질환 환자에서는 저강도의 운동에서도 동적압박이 발생하여 심각한 호흡장애를 일으킬 수 있다.

[§] 많은 기계환기모드에서 환자가 횡경막을 수축하고 기도압을 약간 낮추어 흡기를 시작(triggering) 할 수 있다. 그렇지만 인공호흡기가 구강압을 높임으로써 대부분의 구동압이 생성된다.

임상증례검토(Clinical vignette)

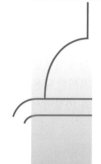

30세 남성이 지난 이틀간 점차 심해지는 호흡곤란, 흉부압박감과 천명음으로 응급실에 왔다. 환자는 5살부터 기도폐쇄가 간헐적으로 발생하는 천식의 과거력이 있었다. 특히 환자는 겨울에 실외에서 운동을 할 때 전형적으로 증상이 악화된다고 말했다. 진찰 시 환자는 불안해 보였고 호흡보조근을 사용하고 있었으며, 양쪽 폐에서 복조성(polyphonic, musical)의 천명음이 청진되었다. 흉부엑스선에서 폐의 과팽창 소견은 있지만 폐침윤등의 국소적인 음영증가는 관찰되지 않았다.

- 이 환자의 폐에 있는 소기도 중 하나의 직경이 50% 감소하면 기도저항은 얼마나 증가하는가?
- 정상인과 비교할 때 흡기와 호기 시 폐포압에 어떤 변화가 있을 것으로 예상하는가?
- 천식악화 중 관찰되는 과팽창(hyperinflation)은 기도저항에 어떤 영향을 미치는가?
- 과팽창(overinflation)이 발생하면 폐유순도는 어떻게 변하는가?

문제(Questions)

각 문항에 대해 가장 적절한 답 한 개를 선택하라.

1. 운동 시 호흡곤란을 보이는 환자의 최대흡기압과 최대호기압을 측정한 결과를 아래 표에 정리하였다.

Test	Predicted value	Measured value	Percent predicted
Inspiratory pressure (cmH$_2$O)	120	115	96
Expiratory pressure (cmH$_2$O)	110	45	41

이 검사를 통해 관찰된 결과는 다음 중 어떤 근육군의 쇠약과 관계있는가?

A. 횡격막(diaphragm)

B. 외늑간근(external intercostalis)

C. 복직근(rectus abdominis)

D. 사각근(scalene)

E. 흉쇄유돌근(sternocleidomastoid)

2. 아래 그림은 절제된 두 개의 폐, 즉 폐A와 폐B에서 측정한 압력-용적관계를 나타낸다. 다음 요인 중 폐A와 비교할 때 폐B의 압력-용적관계의 변화를 설명할 수 있는 것은?

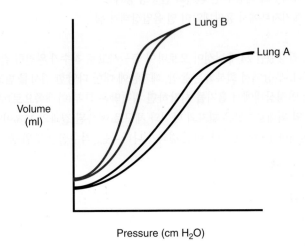

A. 폐기저부 분절 무기폐
B. 폐 전체에 걸친 기도직경 감소
C. 탄성섬유 숫자 감소
D. 폐포강내 표면활성물질 농도 감소
E. 섬유조직양 증가

3. 풍선 2개의 표면장력은 같으나, 풍선X의 지름은 풍선Y의 3배이다. 풍선X의 압력과 풍선Y의 압력의 비는?
A. 0.3:1
B. 0.9:1
C. 1:1
D. 3:1
E. 9:1

4. 우주비행사가 해수면에서 직립자세를 유지한 상태에서 환기, 관류, 그리고 흉막내압을 정밀하게 측정하였고, 국제우주정거장에 도착 후 재측정 예정이다. 해수면 값과 비교할 때 다음 중 우주정거장에 도착한 후 예상할 수 있는 측정치는?

    A. 폐첨부에서 관류 감소

    B. 안정 시 폐기저부 용적 증가

    C. 기저부와 폐첨부 간 관류의 변동성 증가

    D. 기저부와 폐첨부 간 환기의 변동성 증가

    E. 폐기저부에서 흉막내압이 덜 음압상태가 됨

5. 평소 건강했던 24세 남성이 오토바이 충돌사고로 척수가 완전히 절단되는 부상을 당했다. 부상에서 회복하는 동안, 폐기능에 대한 다양한 검사를 받고 있다. 투시검사상 안정상태에서 흡기를 시작하면 횡격막은 복부(아래쪽으로)로 하강한다. 이 환자의 최대호기압은 환자의 나이와 체구로 예측된 결과의 25%이며 기침의 강도는 현저하게 감소하였다. 이런 결과가 나타나는, 척수절단 부위 중 가장 높은 위치는?

    A. C2

    B. C4

    C. C6

    D. C8

    E. T2

6. 아래 그림은 폐활량검사 결과이다. 화살표로 표시된 지점의 호흡기능상태를 가장 잘 설명한 문장은?

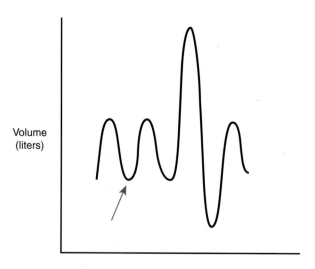

Volume (liters)

Time (sec)

A. 기도저항은 최소치이다.
B. 폐의 탄성반동과 흉벽의 탄성반동은 균형을 이룬다.
C. 흉막내압은 대기압보다 크다.
D. 폐포 외 혈관과 관련된 저항은 최소치이다.
E. 폐포벽을 가로지르는 경벽압은 최대치이다.

7. 아래 그림은 건강한 사람에서 안정 시 자발호흡의 흡기기류와 호기기류를 나타낸
    다. 지점 A, B 및 C는 한번의 호흡주기 중 서로 다른 시점을 나타낸다. 다음 중 이
    그림에 표시된 시점과 관련하여 올바른 설명은 무엇인가?

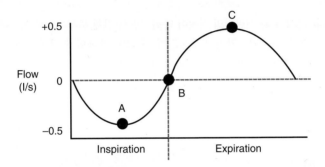

A. 기도저항은 B지점에서 가장 낮다.
B. 폐포압은 A지점에서 양수이다.
C. 기류에 대한 구동압은 B지점에서 가장 크다.
D. 기류에 대한 구동압은 C지점에서 가장 작다.
E. 흉강압은 C지점에서 음의 값이 가장 크다.

8. 정상폐인 환자에서 전신마취로 호흡근이 마비된 상태이며 양압환기 중이다. 마취
    과의사가 환자의 폐용적을 기능잔기용량(FRC)에서 2 L 증가시키고 5초간 호흡을
    정지시켰을 때 가능성이 가장 높은 압력의 조합(cmH_2O 단위)은?

Choice	Mouth	Alveolar	Intrapleural
A.	0	0	−5
B.	0	+10	−5
C.	+10	+10	−10
D.	+20	+20	+5
E.	+10	0	−10

9. 폐단위A와 폐단위B는 동일한 용적에서 동일한 구동압으로 팽창되었다. 각 폐단위의 용적변화는 동일하고 또 흡기말에 동일한 경폐압을 보였다. 그러나 폐단위B는 폐단위A보다 설정된 용적변화에 도달하는 데 더 많은 시간이 필요했다. 폐단위B의 특징 중 폐단위A와 다른 점을 설명할 수 있는 것은 다음 중 무엇인가?
   A. 섬유증
   B. 탄성섬유 증가
   C. 부교감신경의 활성도 증가
   D. 폐렴
   E. 폐부종

10. 생후 18개월 된 어린이의 천식이 악화되면서 전체 하부기도점막의 두께가 1 mm씩 두꺼워지는 기도염이 발생하였다. 천식이 악화되기 전에 기도내강의 지름이 4 mm였다면 기도저항은 악화 전에 비해 얼마일까?
    A. 1/2
    B. 2
    C. 4
    D. 16
    E. 64

11. 30세 여성이 임신 29주 만에 여아를 출산하였다. 출생 직후, 신생아는 호흡곤란과 저산소혈증이 발생하였고 기계환기가 필요하였다. 호흡치료사는 신생아의 기도저항은 정상이나 유순도가 예상보다 감소된 것 같다고 하였다. 다음 중 이 환자에서 호흡부전의 원인이 될 수 있는 요소는 무엇인가?
    A. 폐포대식세포 활동 감소
    B. 폐포표면활성물질 농도 감소
    C. 기도점액 생산 증가
    D. 기도평활근 수축 증가
    E. 기도벽의 부종 증가

12. 20세 남성이 연구계획의 하나로 폐활량검사를 시행하고 있다. 첫 번째 시도에서, 이 남성은 의도적으로 최대노력의 50%로 숨을 내쉬었다. 그리고 두 번째 시도에서는 최대노력의 숨을 내쉬었다. 첫 번째 시도와 비교하여 두 번째 시도의 결과를 분석할 때, 최대호기량과 호기말유량에는 어떤 변화가 관찰되는가?

Answer choice	Peak expiratory flow	End-expiratory flow
A.	No change	No change
B.	Decreased	No change
C.	Increased	Increased
D.	Increased	No change
E.	No change	Increased

13. 장기간 흡연력이 있는 69세 남성이 1년 동안에 점차적인 호흡곤란의 악화를 호소하였다. 진찰에서 호기 중 미만성 천명음이 들렸고 또 호기시간이 많이 연장되었다. 흉부엑스선 소견은 폐기종에서 흔히 관찰되는 것과 같이 폐용적은 매우 크고, 횡격막은 평평하였으며 또 폐음영의 투과도는 증가되었다. 다음 중 이 환자의 강제호기(폐활량검사) 중 어떤 형태를 관찰할 수 있을까?

Answer choice	$FEV_{1.0}$	FVC	$FEV_{1.0}/FVC$
A.	Normal	Normal	Normal
B.	Decreased	Normal	Normal
C.	Decreased	Decreased	Normal
D.	Decreased	Decreased	Decreased
E.	Normal	Decreased	Normal

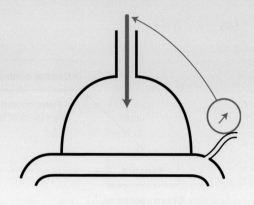

환기조절
(Control of ventilation)

가스교환은 어떻게 조절되는가?

8

폐의 중요한 기능은 혈액과 가스 사이에서 산소와 이산화탄소를 교환하여 동맥혈P_{O_2}와 P_{CO_2}를 정상적으로 유지하는 것이다. 이번 장에서는 체내 산소요구량과 이산화탄소생산량의 변동이 크더라도 동맥혈P_{O_2}와 P_{CO_2}가 아주 좁은 범위 안에서 정상수준으로 유지되는 기전을 배우게 될 것이다. 이번 장에서는 환기조절이 어떻게 진행되어 이처럼 놀랍게 가스교환을 조절하는지 설명한다. 우선 중추조절기를 먼저 살펴본 다음 중추조절기에 여러 가지 정보를 제공하는 다양한 종류의 화학수용체와 기타수용체를 살펴본다. 그런 다음 이산화탄소, 저산소증과 pH에 대한 종합적인 반응을 설명한다.

8장을 끝까지 읽은 독자는 다음과 같은 것을 할 수 있어야 한다.

- 다양한 중추조절기의 위치와 기능을 설명한다.
- 중추와 말초화학수용체의 1차적인 자극과 이에 대한 반응을 설명한다.
- 다양한 폐수용체가 환기양상을 조절하는 기전을 설명한다.
- P_{O_2}, P_{CO_2}, pH, 그리고 운동에 따른 환기량의 변화를 예측한다.
- Cheyne-Stokes 호흡을 보이는 환자를 구별할 수 있다.

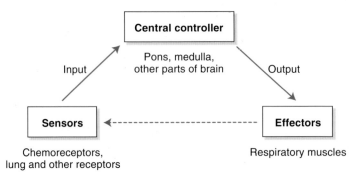

그림 8.1. 호흡조절시스템의 기본요소. 다양한 감각기(sensors)의 정보가 중추조절기(central controller)에 입력되고 이에 대한 반응(output)이 호흡근에 전달된다. 호흡근이 환기량을 변화시켜서 감각기의 동요(음성되먹임, negative feedback)를 줄인다.

호흡조절시스템의 세 가지 기본요소(그림 8.1)는 다음과 같다.

1. 정보를 수집하고 그것을 전달하는 **감각기(sensors)**
2. 정보를 조직화(coordinate)한 후 다음 단계(작동체)로 자극을 보내는 뇌의 **중추조절기(central controller)**
3. 환기를 일으키는 **작동체(effector, 호흡근)**

　　예를 들어 작동체의 활동이 증가하면 일반적으로 동맥혈P_{CO_2}가 감소되며 궁극적으로 감각기에서 뇌로 들어가는 입력(input)이 감소된다는 것을 알게 될 것이다. 이것이 음성되먹임(negative feedback)의 예이다.

중추조절기(Central controller)

정상적인 자동호흡과정(automatic process of breathing, 역자주: 의식되지 않으면서 자동적으로 진행되는 호흡)은 뇌간에서 기원한 자극(impulses)으로부터 시작된다. 자동호흡보다 추가적인 자발호흡이 필요할 때(예: 운동 시) 대뇌피질은 이와 같은 중추조절기의 자동호흡을 중단시키고(override) 추가적인 호흡을 유발할 수 있다. 어떤 특정조건에서는 뇌의 다른 부분에서 기원한 추가적인 호흡입력(input)이 발생된다.

뇌간(Brainstem)

주기적으로 진행되는 흡기와 호기의 특성은 교뇌(pons)와 연수(medulla)에 위치한 뉴런군(neuron group)으로 구성된 중추호흡양상생성기(central pattern generator)에 의해 조절된다. 여기에는 세 개의 중요한 뉴런군이 있다고 알려져 있다.

1. 연수호흡중추(*medullary respiratory center*)는 제4뇌실 바닥하부 연수의 망상체.
호흡리듬 생성에 필수적인 것으로 보이는 복외측(ventrolateral region)세포군이 있
는데 Pre-Botzinger 복합체로 알려져 있다. 추가적으로, 연수의 배측영역에 있는
세포군(배측호흡군, dorsal respiratory group)은 주로 흡기와 관련있고 연수의 복
측영역에 있는 또 다른 세포군(복측호흡군, ventral respiratory group)은 호기와
관련된다. 이 세포군들은 내인적 발화(intrinsic firing)의 특성을 갖고 있어 호흡의
기본리듬을 담당한다. 호흡을 유발하는 것으로 알려진 모든 구심성 자극을 제거하
더라도 이 세포들에서 반복적인 활동전위의 자동적인 발화(firing)가 발생, 횡격막
과 기타 흡기근으로 가는 신경자극을 유발한다. 활동이 없는 수초간의 잠복기에서
흡기영역의 내인적 리듬양상이 시작된다. 그런 다음 활동전위가 나타나기 시작한
이후 수초간 점차 증가한다. 이 시간 동안 흡기근의 움직임은 '경사로(ramp)' 형태
의 양상으로 점차 강해진다. 마지막으로 흡기의 활동전위가 중단되며 흡기근의 긴
장도는 흡기 전 수준으로 떨어지게 된다.

  흡기경사로(inspiratory ramp)는 호흡조정중추(pneumotaxic center)에서 오
는 억제자극에 의해 조기에 '중단될(turn off)' 수 있다(아래 참조). 이 같은 방법으
로 흡기는 단축되고 결과적으로 호흡수는 증가한다. 흡기와 관련된 세포의 출력
(output)은 미주신경과 설인두신경으로부터 오는 자극에 의해 추가로 조절된다. 실
제로, 이 신경들은 흡기영역과 가까운 고립로(tractus solitarius)에 분포한다.

  정상호흡(quiet breathing) 시 흡기근(주로 횡격막)의 능동적 수축으로 '흡(환)
기가 시작되나 호기영역(expiratory area)'은 휴지상태인데 그 이유는 흉벽의 수동
적인 이완으로 중립위치로 되돌아오며 호기가 시작되기 때문이다(7장). 그러나 예를
들어 운동할 때와 같이 추가적으로 강제호흡(forceful breathing)이 필요할 때는
호기세포의 활동에 의해 호기가 활성화된다. 연수호흡중추(medullary centers)에
서 발생하는 호흡의 내인적 리듬(intrinsic rhythmicity)의 발생기전에 대해서 일치
된 이론은 아직 없다.

2. 하부교뇌의 지속들숨중추(*apneustic center*). 이 영역의 이름을 이처럼 명명한 이유
는 실험동물의 뇌에서 이 부위의 바로 위를 절단하면 일시적인 호기노력이 발생하
여 지속적인 흡기(지속들숨, apneuses)가 중단되기 때문이다. 이 중추에서 나오는
신호(impulse)는 연수의 흡기영역을 자극하는 효과가 명백하며 흡기경사로(inspi-
ratory ramp)의 활동전위를 연장시키는 경향을 보인다. 이 지속들숨중추(apneus-
tic center)가 정상인의 호흡에서 어떤 역할을 하는지는 알려져 있지 않지만 어떤 형
태의 중증 뇌손상에서는 이와 같은 비정상적인 유형의 호흡이 발생한다.

3. 상부교뇌의 호흡조정중추(*pneumotaxic center*). 위에서 언급한 바와 같이 이 영역
은 흡기를 '중단(switch off)'하거나 또는 억제하여 일차적으로는 흡기량 그리고 이
차적으로 호흡수를 조절하는 것으로 보인다. 이는 실험동물에서 호흡조정중추를

직접 전기자극하여 그 역할을 실험적으로 증명하였다. 이 중추가 없어도 정상적인 호흡리듬은 유지될 수 있기 때문에 어떤 연구자들은 이 중추의 역할을 호흡리듬의 '미세조정(fine-tuning)'이라고 믿는다.

호흡중추(Respiratory centers)는

- 리듬양상으로 흡기와 호기를 발생시키는 역할을 한다.
- 뇌간(brainstem)의 연수(medulla)와 교뇌(pons)에 위치한다.
- 화학수용체, 폐와 기타 수용체, 대뇌피질로부터 호흡과 관련된 입력이 전달된다.
- 출력은 주로 횡격막신경에 작용하나 다른 호흡근에도 자극을 보낸다.

대뇌피질(Cortex)

호흡은 상당한 범위 안에서 자발조절(voluntary control)이 가능하며, 대뇌피질은 뇌간의 기능을 무시하고 어떤 한도 내에서 호흡을 유발할 수 있다. 과호흡으로 동맥혈P_{CO_2}를 1/2로 감소시키는 것은 어렵지 않지만, 이로 인한 알칼리증은 손과 발의 근육을 수축시키며 또 강직(손발연축, carpopedal spasm)을 유발할 수 있다. 이처럼 빠르게 P_{CO_2}가 1/2로 감소하면 동맥의 pH는 약 0.2 단위 증가한다(그림 6.7).

자발적인 저환기는 더 어렵다. 숨을 참을 수 있는 시간은 동맥혈P_{CO_2}와 P_{O_2}를 포함한 여러 인자에 의해 제한된다. 숨을 참기 직전에 일정기간 과호흡 특히 산소를 호흡한 경우 숨을 참을 수 있는 시간(breath-holding time)이 연장된다. 그러나 화학물질 이외의 다른 요인도 관련된다. 이는 숨을 참을 수 있는 한계점에서 동맥혈P_{CO_2}를 높이고 P_{O_2}를 낮출 수 있는 가스혼합물(8% O_2, 7.5% CO_2로 구성된 질식혼합물)을 흡입시키면 추가적으로 숨 참기가 가능함을 보고한 연구결과를 통해서 알 수 있다.

뇌의 다른 부분(Other parts of the brain)

변연계(limbic system)와 시상하부(hypothalamus)와 같은 뇌의 다른 부분도 호흡양상을 바꿀 수 있는데 예를 들어 분노와 공포와 같은 감정상태에서 호흡양상이 달라진다.

작동체(Effectors)

호흡근에는 횡격막, 늑간근, 복근 그리고 호흡보조근인 흉쇄유돌근(sternocleidomas-toids), 사각근(scalenes)이 포함된다. 이들의 역할은 7장의 첫부분에서 설명하였다. 또한 상기도의 개통(patency)을 유지하기 위해 비인두근(nasopharyngeal muscles)으로 신경자극을 보낸다. 특히 이 근육은 수면 중에 중요하다. 환기조절이란 맥락에서 볼 때 이처럼 다양한 근육군들이 조직적으로 작동(coordinated manner)하는 것은 매우 중요하다. 중추조절기가 이 과정을 담당한다. 일부 신생아, 특히 미숙아에서 수면 중 호흡근의 활동이 조직적이지 못한 증거가 있다. 예를 들어, 복근이 호기를 하고 있는데 흉부근육은 흡기를 시도하는 것과 같은 움직임이 관찰된다.

감각기(Sensors)

중추화학수용체(Central chemoreceptors)

화학수용체는 혈액이나 혈액주변체액의 화학적 조성변화에 반응하는 수용체이다. 매분 단위로 호흡조절에 관여하는 가장 중요한 수용체는 9번과 10번 뇌신경(cranial nerve)의 출구 근처에 위치하는 연수의 복부표면(ventral surface of the medulla) 주변에 위치한다. 동물에서 H^+ 또는 용존이산화탄소로 이 부위를 국소자극하면 수 초 내에 호흡이 촉진된다. 한때는 연수의 호흡중추(medullary respiratory center) 자체가 이산화탄소의 작용부위라고 생각했으나 현재는 화학수용체가 해부학적으로 분리되어 있다는 주장이 받아들여지고 있다. 몇몇 증거에 의하면 중추화학수용체는 연수의 복부표면 아래(ventral surface of the medulla)에서 약 200~400 µm 떨어진 부근에 위치한다(그림 8.2).

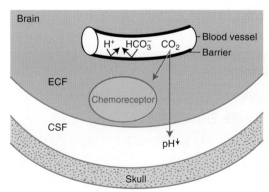

그림 8.2. 중추화학수용체의 환경. 중추화학수용체들은 뇌세포외액(ECF)에 잠겨있는데, 이를 통해 이산화탄소가 혈관에서 뇌척수액(CSF)으로 쉽게 확산된다. 이산화탄소는 CSF pH를 감소시켜 화학수용체를 자극한다. H^+와 HCO_3^-이온은 혈액-뇌장벽(blood-brain barrier)을 쉽게 통과할 수 없다.

중추화학수용체는 뇌세포외액(brain extracellular fluid)으로 둘러싸여 있으며 H^+ 농도의 변화에 반응한다. H^+농도가 증가하면 환기가 촉진되고 H^+농도가 감소하면 환기가 억제된다. 이 수용체 주변 세포외액의 조성은 뇌척수액(CSF), 국소혈류 그리고 국소적인 대사작용에 의해 좌우된다.

이들 중 CSF가 분명히 가장 중요하다. H^+와 HCO_3^-이온에 상대적으로 불투과성인 혈액-뇌장벽에 의해 CSF와 혈액은 분리되지만 이산화탄소분자는 쉽게 확산되어 통과할 수 있다. 혈액P_{CO_2}가 상승하면 대뇌혈관에서 이산화탄소가 CSF로 확산되어 화학수용체를 자극하는 H^+이온을 방출한다. 따라서 혈액의 이산화탄소 농도는 주로 CSF의 pH를 변화시켜 환기를 조절하나, 최근 알려진 증거에서 이산화탄소는 H^+의 변화와 관계없이 중추화학수용체에 직접 영향을 줄 수 있음이 알려졌다. 이런 변화에 의해 발생하는 과호흡은 혈액과 CSF의 P_{CO_2}를 감소시킨다. 동맥혈P_{CO_2}가 상승하면 대뇌혈관이 확장되고 따라서 CSF와 뇌세포외액으로 이산화탄소의 확산은 증가한다. 중추화학수용체는 P_{O_2}변화에는 반응하지 않는다.

CSF의 정상pH는 7.32이며, 혈액에 비해 CSF에는 단백질이 훨씬 적게 포함되어 있기 때문에 완충능력(buffering capacity)이 훨씬 작다. 따라서 주어진 P_{CO_2}변화에 따른 CSF의 pH변화는 혈액의 pH변화보다 더 크다. 만약 장기간에 걸쳐 CSF의 pH가 변하면 혈액-뇌장벽을 통한 이동의 결과로 HCO_3^-의 보상적 변화가 발생한다. 그럼에도 보통 CSF의 pH는 정상치인 7.32까지 완전히 회복되지 않는다. 그렇지만 CSF의 pH변화는 보통 2-3일이 소요되는 신보상(renal compensation)에 의한 동맥혈pH변화보다는 더 빠르게 진행된다(그림 6.7). CSF의 pH가 혈액의 pH보다 더 빠르게 정상치에 가깝게 회복되기 때문에 환기수준과 동맥혈P_{CO_2}변화에는 CSF의 pH가 더 중요하게 작용한다.

이와 같은 변화를 보이는 대표적인 예로는 장기간 이산화탄소저류 소견을 보이는 만성폐질환 환자들인데 이들의 CSF의 pH는 거의 정상소견을 보이며 따라서 이 환자들에서 동맥혈P_{CO_2}변화에 대한 환기반응은 비정상적으로 낮다. 중증비만 환자에서 비정상적인 호흡역학과 환기조절 변화에 의해 저환기상태가 관찰될 때도 비슷한 상황이 발생할 수 있다. 또한 3% 이산화탄소를 포함한 대기환경에 수일간 노출된 정상인에서도 이와 비슷한 상황을 관찰할 수 있다.

중추화학수용체(Central chemoreceptors)는

- 연수의 복부표면아래(ventral surface of the medulla) 근처에 위치한다.
- 혈액P_{CO_2}에 대해 민감하나 혈액P_{O_2}에는 민감하지 않다.
- 이산화탄소가 대뇌모세혈관 밖으로 확산할 때 발생하는 ECF/CSF의 pH 변화에 반응한다.

말초화학수용체(Peripheral chemoreceptors)

말초화학수용체는 총경동맥(common carotid artery)의 분기점에 위치한 경동맥소체 (carotid body)와 대동맥궁 위, 아래에 있는 대동맥소체(aortic body)에 위치한다. 사람에서는 경동맥소체가 가장 중요하다. 경동맥소체에는 두 가지 유형의 토리세포(glomus cells)가 있다. I형 토리세포는 도파민이 많이 포함되어 있어 형광에 강하게 염색된다. 이 세포는 구심성경동맥신경(afferent carotid sinus nerve)의 말단과 가깝게 맞닿아 있다 (그림 8.3). 또한 경동맥소체에는 II형 토리세포와 함께 풍부한 모세혈관이 있다. 경동맥 소체(caotid body)의 정확한 작용기전은 아직 확실하지는 않지만 많은 생리학자들은 토리세포가 화학수용성(chemoreception)을 담당하며 생리학적, 화학적인 자극에 대해 토리세포에서 방출되는 신경전달물질의 변화는 경동맥소체(carotid body)로부터 나가는 구심성신경섬유(afferent fibers)의 방전율(discharge rate)에 영향을 준다고 믿고 있다(그림 8.3A).

말초화학수용체는 동맥혈P_{O_2} 감소, pH 감소 그리고 동맥혈P_{CO_2} 증가에 대해 반응한다. 말초화학수용체는 신체조직 중 특이점이 있는데 이는 동맥혈P_{O_2}변화에 대한 민감도가 약 500 mmHg 근처에서 시작된다는 점이다. 그림 8.3B에서 동맥혈P_{O_2}와 발화율(firing rate) 간의 관계는 매우 비선형적임을 보여준다. 따라서 동맥혈P_{O_2}가 100 mmHg 정도로 감소할 때까지는 비교적 반응이 적게 발생하지만 동맥혈P_{O_2}가 이보다 더 감소하면 반응율은 급격히 증가한다. 경동맥소체는 크기에 비해 혈류량이 매우 많기 때문에 대사율이 높지만 동맥-정맥산소분압차는 작다. 반응속도를 증가시키는 것은 산

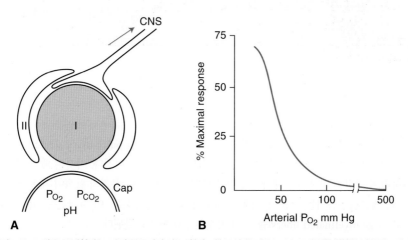

그림 8.3. A. 많은 모세혈관(cap)이 분포되어 있는 I형과 II형 토리세포(glomus cells)를 포함한 경동맥소체의 모식도. 자극은 경동맥부비동신경(carotid sinus nerve, CNS)을 통해 중추신경계로 전달된다. B. 동맥혈P_{O_2}에 대한 비선형적인 반응. 최대반응은 P_{O_2} 50 mmHg 이하에서 발생한다.

소농도(O_2 concentration)가 아니라 P_{O_2}라는 것을 기억하자. 말초화학수용체의 반응은 매우 빠를 수 있다. 실제로, 이들의 방전율(discharge rate)은 혈액가스의 작은 주기적 변화(small cyclic changes)에 의해 한 번의 호흡주기 내에서도 변할 수 있다. 사람에서 동맥혈저산소증에 의해 유발된 환기량 증가는 모두 말초화학수용체가 담당한다. 실제 이러한 수용체가 없는 경우에는 중증저산소혈증이 아마도 호흡중추에 직접 작용하여 오히려 환기를 억제할 수 있다. 양측 경동맥소체를 완전절제한 경우 저산소혈증에 의해 유발되는 환기욕동(hypoxic ventilatory drive)이 완전히 소실되는 것이 관찰되었다. 이와 같은 저산소증에 대한 환기반응은 개인차가 상당히 크다. 또한 만성적으로 저산소증에 노출된 사람에서 경동맥소체의 비후가 관찰된다.

동맥혈P_{CO_2}에 대한 말초화학수용체의 반응은 중추화학수용체의 반응보다 덜 중요하다. 예를 들어, 정상인에서 이산화탄소혼합가스를 흡입하게 할 때 말초화학수용체가 기여하는 환기반응은 20% 미만이다. 그러나 말초화학수용체는 더 빠른 환기반응을 보이므로 급격한 P_{CO_2}의 변화에 대응하는 환기조절에는 유용할 수 있다.

사람에서 동맥혈pH 감소 시 경동맥소체는 반응하지만 대동맥소체는 반응이 없다. 이런 현상은 pH감소 원인이 호흡성, 대사성인 것과 관계없이 발생한다. 다음에 더 자세히 설명하겠지만 다양한 자극의 상호작용이 발생하는데 P_{CO_2} 상승이나 pH 감소에 의해 경동맥소체가 자극될 때 동맥혈P_{O_2} 감소에 의한 화학수용체의 활성은 더 강해진다.

말초화학수용체(Peripheral chemoreceptors)는

- 경동맥소체(carotid bodies)와 대동맥소체(aortic bodies)에 위치한다.
- 동맥혈P_{O_2} 저하 그리고 P_{CO_2}와 H^+ 증가에 반응한다.
- 신속한 반응을 보인다.

폐수용체(Lung receptors)

(1) 폐늘임수용기(pulmonary stretch receptors)

폐늘임수용기는 '완속적응성폐늘임수용기(slowly adapting pulmonary stretch receptors)'라고도 알려져 있으며 기도평활근 내에 있는 것으로 믿어진다. 이것은 폐의 팽창에 반응하여 방전을 일으키며 폐가 팽창된 상태에서는 폐늘림수용기의 활성이 계속 유지된다. 즉 폐늘림수용기는 적응에 의해 그 활성이 감소하지 않는다. 이 자극은 큰 유수신경섬유(large myelinated fibers)를 통해 미주신경을 통해 전달된다.

이런 수용체들이 자극될 때 나타나는 주된 반사효과는 호기시간 연장에 의한 호흡수의 감소이다. 이런 현상은 헤링-브로이어흡기반사(Hering-Breuer inflation reflex)로 알려져 있다. 다른 호흡근의 간섭 없이 가늘고 긴 근육이 포함된 횡격막의 반응만 기록할 수 있는 토끼실험에서 이 반사를 잘 입증할 수 있다. 고전적인 실험에서도 폐가 팽창되면 흡기근의 작용을 추가적으로 억제하는 경향이 있음을 보여주었다. 이와 반대 방향의 반응도 관찰된다. 즉, 폐가 수축되면 흡기과정을 시작하는 경향을 보인다(수축반사, deflation reflex). 따라서 이러한 반사들은 자기조절기전(self-regulatory mechanism) 또는 음성되먹임(negative feedback)의 역할을 제공할 수 있다.

한때는 헤링-브로이어 흡기반사가 호흡수와 깊이를 결정함으로써 환기에 중요한 역할을 한다고 생각하였다. 이는 폐늘임수용기(pulmonary stretch receptors)를 통해 들어온 정보를 이용하여 연수의 '차단(switching-off)'기전을 조절함으로써 수행될 수 있다. 예를 들어, 양측 미주신경절제술을 시행하여 폐늘임수용기로부터 오는 입력을 제거하면 대부분의 동물에서 느리고 깊은 호흡이 유발된다. 그러나 최근 연구에서 운동 시처럼 일회호흡량이 1 L 이상 넘지 않는 경우, 성인에서 헤링-브로이어 흡기반사는 대부분 비활성 상태임이 보고되었다. 각성상태의 사람에서 양측 미주신경을 국소마취로 일시차단했을 때는 호흡수나 호흡량의 변화가 관찰되지 않는다. 이러한 반사는 신생아에서 더 중요할 수 있을 것이라는 약간의 증거가 있다.

(2) 자극수용체(irritant receptors)

자극수용체들은 기도상피세포 사이에 있는 것으로 생각되며 유해가스, 담배연기, 흡입된 먼지와 찬 공기 등에 의해 자극된다. 자극은 유수신경섬유(myelinated fibers)를 통해 미주신경으로 전달되며 반사효과는 기관지수축(bronchoconstriction)과 과다호흡(hyperpnea)으로 나타난다. 일부 생리학자는 이러한 수용체를 '신속적응성폐늘임수용기(rapidly adapting pulmonary stretch receptors)'라고 부르기를 선호한다. 그 이유는 이 자극수용체가 빠른 적응을 보여주고 추가적인 기계적수용체기능(mechanoreceptor functions)에 분명히 관여할 뿐만 아니라 기도벽에 가해지는 유해한 자극에 반응하기 때문이다. 방출된 히스타민에 대한 자극수용체의 반응으로 천식발작의 기관지수축에 중요한 역할을 한다.

(3) J수용체(J receptors)

이것은 무수신경C섬유(nonmyelinated C fibers)의 말단에 해당하며 때로 이런 이름으로 불린다. 이러한 수용체는 모세혈관에 가까운 폐포벽에 위치한다고 믿어지기 때문에 '모세혈관인접(juxtacapillary)' 또는 J라는 용어가 사용된다. 이와 같은 위치에 있다고 생각하는 증거는 J수용체가 폐순환에 주입된 화학물질에 매우 빠른 반응을 보이기 때문이다. 자극은 무수신경섬유를 따라 천천히 미주신경으로 전달되며, 빠르고 얕은 호흡을 유발할 수 있다. 그러나 J수용체를 강하게 자극하면 무호흡이 유발된다. 폐모세혈관의 울혈과 폐포벽의 간질액 부피 증가는 이 수용체들을 활성화시킨다는 증거가 있다. 따라서 이 수용체는 좌심부전 및 간질성폐질환에서 관찰되는 빠르고 얕은 호흡 그리고 호흡곤란 증상에 어느정도 역할이 있다.

(4) 기관지C섬유(bronchial C fibers)

위에서 설명한 J수용체와 같이 이 수용체들은 폐순환(pulmonary circulation)보다는 기관지순환(bronchial circulation)에 의해 혈류가 공급된다. 따라서 이들 수용체들은 기관지순환에 주입된 화학물질에 빠르게 반응한다. 자극에 대한 반사반응은 빠르고 얕은 호흡, 기관지수축 그리고 점액분비들이 포함된다.

기타 수용체(Other receptors)

(1) 코와 상기도 수용체(nose and upper airway receptors)

코, 비인두, 후두 그리고 기관(trachea)에는 기계, 화학적 자극에 반응하는 수용체가 있다. 이것들은 위에서 설명한 자극수용체(irritant receptors)가 확장된 것이다. 이 수용체가 자극되면 재채기, 기침과 기관지수축 등을 포함한 다양한 반사반응을 보인다. 예를 들어 국소마취가 불충분하게 된 상태에서 기관내관을 삽입할 때 후두가 기계적인 자극을 받으면 후두경련이 발생할 수 있다.

(2) 관절과 근수용체(joint and muscle receptors)

사지를 움직일 때 발생하는 자극은 운동 시, 특별히 운동 초기단계에서 일부 환기를 자극하는 것으로 믿어진다.

(3) 감마시스템(gamma system)

늑간근과 횡격막을 포함한 많은 근육에는 근육이 늘어나는 것을 감지하는 근방추(muscle spindle)가 있다. 여기서 발생한 정보는 수축강도를 반사적으로 조절하는 데 사용된다. 이러한 수용체는 예를 들어 기도폐쇄 발생 시 폐나 흉벽을 움직이기 위해 비정상적으로 과도한 호흡노력이 필요할 때 발생하는 호흡곤란을 감지하는 데 관여할 수 있다.

(4) 동맥압력수용기(arterial baroreceptors)

동맥압의 증가는 대동맥동과 경동맥동의 압력수용기를 자극하여 반사성저환기(reflex hypoventilation)나 무호흡(reflex apnea)을 유발할 수 있다. 반대로, 혈압의 저하는 과호흡을 유발할 수 있다.

(5) 통증과 체온(pain and temperature)

많은 구심성신경을 자극하면 환기변화를 일으킬 수 있다. 통증은 종종 일정기간의 무호흡과 더불어 연이은 과호흡을 유발한다. 피부를 가온하면 과호흡이 발생할 수 있다.

통합적인 반응들(Integrated responses)

호흡조절시스템(respiratory control system)을 구성하는 다양한 요소들을 살펴보았으므로(그림 8.1), 동맥혈 CO_2, O_2, pH의 변화 그리고 운동에 따른 호흡기계의 전반적인 반응을 생각해 보는 것이 유용하다.

이산화탄소에 대한 대응(Response to carbon dioxide)

정상상태에서 환기조절에 가장 중요한 요소는 동맥혈 P_{CO_2}이다. 환기조절의 예민도는 매우 높다. 운동과 휴식을 반복하는 일상적인 활동에서 동맥혈 P_{CO_2}는 거의 3 mmHg 이내로 유지된다. 수면 중에는 조금 더 상승할 수 있다.

　피험자에게 이산화탄소혼합가스를 흡입하도록 하거나 또는 피험자의 호기가스를 포집한 백의 가스를 재호흡하도록 하여 흡기 P_{CO_2}가 점차 상승하게 하면서 이산화탄소에 대한 환기반응을 측정할 수 있다. CO_2에 대한 환기반응을 확인하는 또 한 가지 방법은 이산화탄소 7%와 산소 93%로 미리 채워진 백의 가스를 피험자가 재호흡하게 하는 것이다. 대사과정에서 생성된 이산화탄소를 피험자가 재호흡하여 이산화탄소가 백에 추가되더라도 산소농도는 비교적 높게 유지된다. 이와 같은 조작으로 백 속 가스의 P_{CO_2}는 약4 mmHg/min의 속도로 증가한다.

　그림 8.4는 폐포 P_{O_2}가 일정하게 유지되도록 흡기혼합가스를 조정한 상태의 실험결과를 보여준다(정상피험자를 대상으로 하는 이런 형태의 실험에서는 일반적으로 호기말폐포 P_{O_2} 및 P_{CO_2}를 대리측정치로 사용하고 이를 동맥혈검사결과라고 간주한다). 이 그래프에서 P_{O_2}가 정상인 상태에서 P_{CO_2}가 1 mmHg 상승할 때 환기량은 약 2-3 L/min씩 증가함을 알 수 있다. P_{O_2}가 정상보다 낮아지면 두 가지 효과가 발생하는데 하나는 주어진 P_{CO_2}에 대해 환기량이 증가하고 다른 하나는 폐포이산화탄소의 변화에 대해 폐포환기량의 기울기는 더욱 가파르게 되는 것이다. 그러나 폐포이산화탄소와 폐포환기량과의 관계는 피험자 간에 상당한 편차가 있다.

　호흡욕동(respiratory drive)을 측정하는 또 다른 방법은 짧은 시간 동안 기도를 폐쇄하면서 흡기압을 측정하는 것이다. 밸브상자(valve box)에 부착된 마우스피스를 통해 피험자가 호흡하고 흡기튜브에 기도폐쇄를 위한 셔터를 설치한다. 셔터는 호기 중에 닫히므로(피험자는 인식하지 못함), 다음번 흡기의 초반부에 기도가 폐쇄된 상태에서 흡기

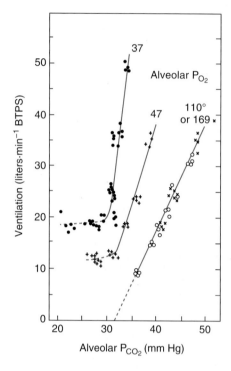

그림 8.4. 이산화탄소에 대한 환기반응. 폐포P_{CO_2}에 대한 총환기량의 곡선은 각각 다른 수준의 폐포P_{O_2}에 대한 것이다. 이 연구에서는 폐포P_{O_2} 110 mmHg와 169 mmHg 간에 P_{CO_2}에 따른 환기량의 차이는 관찰되지 않았지만, 어떤 연구자들은 폐포P_{O_2}가 더 높은 상태에서 P_{CO_2}에 대한 환기반응곡선의 기울기가 조금 더 낮은 것을 보고하였다. (From Nielsen M, Smith H. Acta Physiol Scand. 1951;24:293.)

노력을 하게 된다. 셔터는 약 0.5초 후에 열린다. 흡기 시작 후 0.1초 동안 발생한 압력($P_{0.1}$로 알려짐)을 호흡중추활동량의 척도로 사용한다. 비록 $P_{0.1}$이 폐용적의 영향을 받기는 하지만 호흡기의 기계적 특성에는 큰 영향을 받지 않는다. 따라서 이 검사법($P_{0.1}$)은 이산화탄소, 저산소혈증 그 외 기타 변수에 대한 호흡반응의 민감도를 연구하는 데에도 사용할 수 있다.

동맥혈P_{CO_2} 감소는 환기를 유발하는 자극을 감소시키는 데 매우 효과적이다. 예를 들어, 자발적으로 몇 초간 과호흡을 하게 되면 단기간 동안 호흡욕구가 사라진다. 마취과 의사가 마취 중인 환자를 과호흡시키면 종종 환자들은 잠시 동안 호흡을 멈춘다. 또 단거리 수영경기에서 어떤 선수들은 경기 도중 숨쉬고 싶은 충동을 감소시키기 위해 출발대 위에서 의도적으로 과호흡을 한다.

이산화탄소에 대한 환기반응은 수면, 노화 그리고 유전적 요인에 의해 감소된다. 훈련된 운동선수와 잠수부는 CO_2민감도가 낮은 경향이 있다. 아편제제(opiates)와 바비튜르산염(barbiturates)을 비롯한 다양한 약물은 호흡중추를 억제한다. 이러한 약물 중하나를 과량 복용한 환자는 심한 저환기를 종종 보인다. 또한 호흡일이 증가하면 이산화탄소에 대한 환기반응도 감소한다. 이는 정상피험자에게 좁은 관을 통해 호흡하게 해보면 확인할 수 있다. 호흡일이 증가할 때는 호흡중추의 신경출력(neural output), 즉 호흡을 유발하는, 신경출력은 감소하지 않지만 환기를 유발하는 데는 별로 효과적이지 못하다. 일부 만성폐질환 환자에서 이산화탄소의 변동에 대해 비정상적으로 낮은 환기반응을 보이는 것과 이산화탄소저류는 부분적으로 동일한 기전이라고 설명할 수 있다. 이러한 환자에서 기관지확장제로 기도저항을 줄이면 종종 환기반응이 증가한다. 또한 만성폐쇄성폐질환 환자에서 호흡중추의 민감도가 낮아진다는 증거도 있다.

지금까지 살펴본 바와 같이, 동맥혈P_{CO_2}가 상승할 때 환기를 증가시키는 주된 자극은 중추화학수용체에서 발생하는데, 이는 뇌세포외액H^+농도 증가에 따라 반응한다. 또한 동맥혈P_{CO_2}상승, pH하강할 때 모두 말초화학수용체로부터 환기를 증가시키는 추가적인 자극이 발생한다.

이산화탄소에 대한 환기반응(Ventilatory response to carbon dioxide)은

- 대부분의 상황에서 환기에 가장 중요한 자극은 동맥혈P_{CO_2}이며 정상상태에서는 엄격하게 조절된다.
- 대부분의 자극은 중추화학수용체에서 발생하나 말초화학수용체도 일부 관여하며 환기반응은 말초화학수용체가 더 빠르다.
- 동맥혈P_{O_2}가 감소된 상태에서는 환기반응이 커진다.
- 수면 시와 고령에서 환기반응은 약해진다.

산소에 대한 반응(Response to oxygen)

피험자에게 저산소가스혼합물(hypoxic gas mixtures)을 호흡하게 하면서 동맥혈P_{O_2}가 감소할 때 환기가 자극되는 기전을 연구할 수 있다. 이때 호기말P_{O_2}, 호기말P_{CO_2}를 동맥혈검사 결과의 대리측정치(surrogate measure)로 사용한다. 그림 8.5에서 폐포P_{CO_2}를 약 36 mmHg으로 유지하면(흡기혼합물의 가스성분을 변경하여) 환기는 현저히 증가하지 않으면서 폐포P_{O_2}를 50 mmHg 근처까지 감소시킬 수 있는 것을 보여준다. 이때 P_{CO_2}가 상승하면 어떤 수준의 동맥혈P_{O_2}에서도 환기반응은 증가한다(그림 8.4 비교). P_{CO_2}가 증가된 상태에서 P_{O_2}가 100 mmHg 아래로 감소하면 P_{CO_2}가 정상이었을 때와는 다르게 환기자극이 어느 정도 발생한다. 따라서 두 종류의 자극, 다시 말해 고이산화탄소, 저산소가 결합됐을 때의 환기자극 효과는 각각의 자극을 개별적으로 주었을 때 나타나는 효과의 합보다 크다. 이것을 고이산화탄소와 저산소에 의한 자극의 상호작용이라고 한다. 물론 이와 같은 반응의 크기는 개인별로 큰 차이를 보인다.

정상적으로 P_{O_2}는 어느 정도까지는 감소해도 환기반응을 유발하지 않기 때문에 일상적인 환기제어과정에서 저산소자극에 의한 환기반응은 적다. 그러나 예를 들어 폐렴

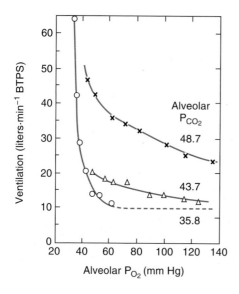

그림 8.5. 저산소 반응곡선. P_{CO_2}가 35.8 mmHg인 상태에서는 P_{O_2}가 약 50 mmHg로 줄 어들 때까지도 환기량이 거의 증가하지 않는다. (Modified from Loeschke HH, Gertz KH. Arch Ges Physiol. 1958;267:460.)

이나 높은 고도를 등반하는 것과 같은 경우 저산소혈증에 대한 반응으로 환기량이 크게 증가한다(9장).

일부 중증만성폐질환 환자에서는 저산소에 의한 호흡욕동이 환기를 위해 매우 중 요하다. 이 환자들은 이산화탄소가 만성적으로 저류된 상태이기 때문에 P_{CO_2}가 상승하 더라도 뇌세포외액의 pH는 거의 정상이다. 따라서 이 환자들에서는 이산화탄소가 상승 해도 환기자극의 증가가 거의 없다. 더구나, 이산화탄소저류 초기에 관찰되는 혈액pH 저하는 신장보상작용에 의해 거의 사라지므로 pH저하에 따른 말초화학수용체의 자극 도 거의 없다(아래 참조). 이러한 상태에서 연수의 호흡센터에 의해 결정되는 기저수준 이상으로 추가적인 환기를 유발시키는 주된 자극은 동맥저산소혈증이다. 만일 이와 같 은 환자에서 저산소혈증을 완화시키기 위해 보충적으로 고농도산소를 공급하면 환기량 은 현저히 감소할 수 있다. 산소공급에 의해 유발되는 환기저하와 관련된 또 다른 요인 은 보충산소공급에 의한 저산소성혈관수축의 완화, 환기-관류불균등이 있다. 그리고 환기상태를 평가하는 방법은 동맥혈P_{CO_2}를 측정하는 것이 가장 좋다.

앞서 공부한 바와 같이 저산소혈증은 경동맥체와 대동맥체에 존재하는 화학수용 체에 작용하여 반사적으로 환기를 자극한다. 저산소혈증은 중추화학수용체에 작용하 지 않으며 말초화학수용체를 제거한 상태에서 저산소혈증에 노출되는 경우 실제로는 호흡이 오히려 억제된다. 그러나 저산소혈증이 장기간 지속되면 경증의 대뇌산증을 유 발할 수 있으며, 이로 인해 결국 환기가 자극될 수 있다.

> ## 저산소증에 의한 환기반응(Ventilatory response to hypoxia)
>
> - 말초화학수용체만 관여한다.
> - 정상산소(normoxic)상태에서 저산소자극에 의한 환기조절은 무시할 정도이다.
> - 이와 같은 환기조절은 높은 고도와 만성폐질환에 의한 장기간의 저산소혈증에서 중요하다.

pH에 대한 반응(Response to pH)

동맥혈pH가 감소하면 환기는 자극된다. 임상에서 pH 감소에 의한 환기반응과 또 P_{CO_2} 상승으로 pH가 감소하여 발생한 환기반응을 구분하여 생각하기는 종종 어렵다. 그러나 P_{CO_2}를 일정하게 유지하면서 pH를 감소시킬 수 있었던 동물실험에서 pH 감소에 의한 환기자극이 확실하게 증명되었다. 낮은 pH와 낮은 P_{CO_2}(그림 6.7) 소견을 보이는 부분적으로 보상된 대사산증(당뇨병성 케톤산증에서 발생) 환자에서도 환기는 증가한다. 감소된 P_{CO_2}에 의해 실제로 환기가 증가하는 것이다.

이미 공부한 바와 같이 낮은 동맥혈pH가 작용하는 부위는 주로 말초화학수용체이다. 그러나 혈액pH의 변동이 충분히 크면 중추화학수용체나 호흡중추 자체에 직접 영향을 줄 수 있다. 이 경우 혈뇌장벽은 H^+이온에 대해 부분적인 투과성을 보인다.

운동에 대한 반응(Response to exercise)

운동을 시작하면 즉각적으로 환기가 증가하고 또 격렬한 운동 중에는 매우 높은 수준까지 환기가 증가할 수 있다. 최대산소섭취량(maximum O_2 consumption)이 4 L/min에 도달할 수 있는 건강한 청년의 총환기량은 안정 시의 약 15배 이상인 150 L/min까지도 증가할 수 있다. 저강도부터 중강도 수준으로 운동할 때 환기량이 증가하는 정도는 산소흡수량(O_2 uptake)과 이산화탄소배출량(CO_2 output)의 증가와 거의 일치한다. 그러나 아직까지도 운동 시 환기량이 증가하는 이유의 대부분을 잘 모른다는 점은 주목할 만하다.

운동 중 동맥혈P_{CO_2}는 증가하지 않는다. 그러나 고강도 운동 시, 실제 대사요구량을 충족하는 데 필요한 수준 이상으로 환기가 증가하는데, 그 이유는 심한 운동 중 발생하는 젖산증에 의한 반응 때문이며 이때는 전형적으로 P_{CO_2}가 감소한다. 운동 시 동맥혈P_{O_2}는 약간 증가하지만 고강도 운동 시에는 감소할 수도 있다. 또한 중강도 운동 시 동맥혈pH는 거의 일정하게 유지되나 고강도 운동 시에는 젖산증 때문에 동맥혈pH가 감소한다. 그러므로 지금까지 설명한 기전들로는 저강도에서 중강도 수준의 운동 시 관찰되는 환기량의 큰 증가를 설명하기 어려운 것이 분명하다.

운동 시 환기량이 증가되는 원인으로는 이것들 외에도 기타 다른 자극들이 제시되었다. 마취상태의 동물이나 각성상태의 사람에서 팔과 다리를 수동적으로 움직이면 환기가 자극된다. 이는 아마 관절이나 근육에 위치한 수용체에 의한 반사로 생각된다. 이런 반사는 운동 시작 후 초기 수 초 동안 발생하는 환기량 급증의 원인일 수 있다. 가설의 하나로 동맥혈Po_2, Pco_2의 평균치에는 변동이 없더라도 두 수치의 진동(oscillations)이 말초화학수용체를 자극할 수 있다는 것이다. 이러한 변동(진동)은 환기의 특성이 주기적이기 때문에 발생하며 운동할 때처럼 일회호흡량이 커질 때는 변동성도 증가한다. 또 다른 이론은 온도조절장치가 용광로의 온도를 거의 변동 없이 제어하는 것처럼 중앙화학수용체가 일종의 서보메커니즘(servomechanism)으로 환기를 증가시켜 동맥혈Pco_2를 일정하게 유지한다는 것이다. 이에 대한 반론으로 흔히 운동 시 동맥혈 Pco_2가 감소한다는 주장이 있는데 이는 다양한 수준의 Pco_2 가운데 어떤 방식으로든 선호되는 수준으로 Pco_2가 재설정된다는 주장에 의해 재반박된다. 이런 이론을 지지하는 연구자들은 흡입된 CO_2에 대한 환기반응이 운동 시 발생하는 환기상태의 변화를 반영하는 신뢰할 수 있는 지표가 아니라고 믿는다.

또 다른 가설은 운동 중 폐의 혼합정맥혈에 부과되는 추가적인 CO_2가 환기량 증가에 어떤 식으로든 관련되어 있다는 것이다. 동물실험에서 정맥혈에 CO_2를 주입하거나 정맥환류(venous return)를 증가시킬 때 추가적으로 부과되는 CO_2부하가 환기량의 증가와 좋은 상관관계를 보이는 것으로 나타났다. 그러나 이 가설의 문제점은 이와 관련된 적절한 수용체가 아직 발견되지 않았다는 것이다.

운동과 환기의 관계에 대해 추가적으로 제시된 것으로는 운동에 의한 체온상승이 환기증가를 자극하며 또한 운동피질(motor cortex)로부터 발생하는 환기자극도 있다. 그럼에도 지금까지 제시된 여러 이론 중 어떤 것도 완전히 만족스럽지는 못하다.

수면 중 환기제어(Ventilatory control during sleep)

수면 중 환기제어 과정에는 몇 가지 중요한 변화가 발생한다. 첫째, '자발호흡'과 각성 시 무의식적으로 이뤄지는 '자동호흡'을 중단(override)시키는 여러 가지 요인들이 수면 중에는 사라지며, 각성상태에서 그물체(reticular formation)와 시상하부(hypothalamus)로부터 연수중추(medullary centers)로 전달되는 흥분성자극(excitatory inputs)에 의해 매개되는 '호흡욕동' 또한 수면 중에 사라진다. 둘째, 앞에서 언급한 바와 같이 Pco_2와 Po_2에 대한 환기반응도 감소한다. 끝으로, 환기조절과 직접 관련은 없지만, 상기도를 확장시키는 근육(이설근과 구개근, genioglossus and palatal muscle)의 긴장도가 수면 중 감소하여 상기도폐쇄와 환기장애를 일으킬 수 있다.

수면 중 비정상적인 호흡패턴(Abnormal patterns of breathing during sleep)

심각한 저산소혈증이 있는 사람은 종종 Cheyne-Stoke호흡이라고 알려진 수면 중 특이한 형태의 주기적인 호흡을 보인다. 이것은 10-20초간의 긴 무호흡 시간을 특징으로 하는데, 거의 같은 시간 동안 일회호흡량이 점차 증가했다가 다시 감소하는 과호흡 소견을 보이고 이 과호흡은 긴 무호흡 시간으로 분리되어 있다(그림 8.6A). 이와 같은 형태의 호흡은 높은 고도에서 특히 야간 수면 중에 자주 나타난다. 또한 중증심부전이나 신경학적 손상이 있는 환자 일부에서도 발견된다. 중증심부전 환자는 운동 중 환기(일회호흡량)의 증가와 감소가 교대로 발생하는 형태로 나타날 수도 있다.

　　Cheyne-Stokes호흡은 부분적으로 되먹임조절(feedback control)의 문제, 특히 P_{CO_2}변화에 대한 과장된 환기반응 때문에 발생한다. 실험동물에서 폐로부터 뇌까지 혈류의 이동거리를 늘리면 이와 같은 형태의 호흡을 재현할 수 있다. 이런 상태에서는 환기상태에 따른 P_{CO_2}변화를 중추화학수용체가 감지하는 과정에 장시간의 지연이 발생하게 된다. 그런데 호흡중추는 평형상태를 유지하기 위해 반응하므로 결과적으로 늘 과호흡이 발생하게 된다. 또한 아편계진통제를 만성적으로 복용하는 환자에서 관찰되는 불규칙한 환기와 다양한 기간의 무호흡이 함께 관찰되는 실조형태호흡(ataxic pattern of breathing)과 같은 기타 비정상적인 형태의 호흡도 수면 중에 발생할 수 있다(그림 8.6B).

Cheyne-Stokes　　　　　　　　　　　　　　ataxic

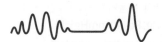

그림 8.6. Cheyne-Stokes호흡(A), Ataxic호흡(B)

핵심개념(Key concepts)

1. 자동적으로 리듬감 있게 반복되는 호흡형태를 담당하는 호흡중추는 뇌간의 교뇌와 연수에 있다. 이와 같은 호흡중추의 출력(output)은 대뇌피질에 의해 어느 정도 중단될 수 있다.
2. 중추화학수용체는 연수의 배측면 근처에 위치하는데 뇌모세혈관으로부터 CO_2가 확산되면 CSF의 pH변화가 발생한다. CSF의 중탄산염농도 변화가 pH의 변화를 일으켜 화학수용체의 반응을 조절한다.

3. 주로 경동맥체에 있는 말초화학수용체는 Po_2 감소에 반응하며 또한 Pco_2와 H^+ 농도의 증가에도 반응한다. Po_2가 50 mmHg 이상이면 O_2가 추가로 증가해도 이에 따른 변동은 작다. CO_2 증가에 대한 말초화학수용체의 반응은 중앙화학수용체보다 현저히 크지 않으나 더 빠른 반응을 보인다.

4. 기타 수용체는 기도와 폐포 벽에 있다.

5. 정상상태에서 환기조절에 가장 중요한 인자는 혈액Pco_2이며 대부분의 조절은 중추화학수용체를 통해 이루어진다.

6. 정상적으로 혈액Po_2는 환기에 큰 영향을 주지 않지만 높은 고도나 일부 폐질환 환자에서는 중요한 역할을 하게 된다.

7. 운동이 환기량을 크게 증가시키지만, 환기량의 증가 원인은 아직 잘 알려져 있지 않고 특히 중강도 운동 시 환기량이 증가하는 기전에 대한 이해는 더 부족하다.

임상증례검토(Clinical vignette)

23세 학생이 하루 동안에 해수면에서 해발 3,800 m (12,500 ft, 기압 480 mmHg)에 위치한 고지대 연구소로 올라왔다. 출발하기 전 해수면에서 검사한 동맥혈검사결과는 pH 7.40, Pco_2 39 mmHg, Po_2 93 mmHg, HCO_3^- 23, 헤모글로빈 농도 15 g/dL이였다. 연구소 도착후 8시간 경과한 다음 시행한 동맥혈검사 결과는 pH 7.46, Pco_2 32 mmHg, Po_2 48 mmHg, HCO_3^- 22였다. 1주일간 연구소에서 생활한 후, 세 번째로 시행한 동맥혈 검사결과는 pH 7.41, Pco_2 27 mmHg, Po_2 54 mmHg, HCO_3^- 17, 헤모글로빈 농도 16.5 g/L였다. 이 학생은 연구계획의 마지막 항목으로 저항강도를 증가시키면서 페달을 밟는 운동폐기능검사를 시행, 최대운동능력을 측정하였다. 운동폐기능검사가 끝날 때 시행한 동맥혈검사 결과 pH 7.30, Pco_2 22 mmHg, Po_2 40 mmHg였다.

- 연구소에 도착했을 때 관찰된 동맥혈검사 결과를 설명하라.
- 연구소에서 일주일 경과후 시행한 이 학생의 혈액가스검사 결과가 변화된 이유를 설명하라.
- 연구소에 머무는 동안 헤모글로빈 농도가 증가한 이유는 무엇인가?
- 운동폐기능검사를 하는 중 이 학생의 동맥혈Pco_2, Po_2와 pH의 변화를 설명할 수 있는 기전은 무엇인가?

문제(Questions)

각 문항에 대해 가장 적절한 답 한 개를 선택하라.

1. 평소 건강했던 환자가 부정맥에 의한 심정지로 심폐소생술을 시행받고 중환자실에 입원하였다. 입원 후 시행한 뇌 MRI에서 대뇌피질의 광범위한 무산소 손상이 있었지만 중뇌, 교뇌 또는 연수에는 손상이 없었다. 이 환자에서 다음 중 어떤 환기조절 기능이 손상되는가?
   A. 중추화학수용체
   B. 헤링-브로이어 반사
   C. 말초화학수용체
   D. 호흡리듬의 생성
   E. 자발적인 호흡조절

2. 동물모델에서 다른 호흡근의 기능에 영향을 주지 않도록 하면서 횡격막 소절편에서 횡격막의 활동기록을 측정 중이다. 혈압을 95/72 mmHg으로 일정하게 유지하면서 폐용적을 1.0 L에서 0.5 L로 줄이면 횡격막 수축빈도가 증가하는 것이 관찰되었다. 관찰된 호흡수의 변화를 담당하는 수용체는 다음 중 어떤 것인가?
   A. 동맥압수용체(arterial baroreceptors)
   B. 기관지 C섬유(bronchial C fibers)
   C. 자극수용체(irritant receptors)
   D. 모세혈관인접수용체(juxtacapillary receptor)
   E. 폐늘임수용체(pulmonary stretch receptors)

3. 41세 남성이 병원에서 수술 후 회복 중이다. 입원 5일째, 위궤양에 의한 위장관출혈이 발생하였다. 환자의 헤모글로빈 농도는 13에서 9 g/dL로 감소했다. 헤모글로빈 농도가 감소하는 동안 환자의 산소포화도는 98%였고, 위장관출혈 당시 대기호흡 중 시행한 동맥혈가스결과는 pH 7.39, P_{CO_2} 41 mmHg, P_{O_2} 85 mmHg, 중탄산염 25 mEq/L였다. 동맥혈P_{O_2}는 전날 측정한 동맥혈가스결과와 비교할때 변화가 없었다. 다음 중 위장관출혈의 결과로 예상되는 것은 무엇인가?
   A. 중추화학수용체 출력 감소
   B. 중추화학수용체 출력 증가
   C. 모세혈관인접수용체 출력 증가
   D. 말초화학수용체 출력 증가
   E. 말초화학수용체 출력 변화없음

4. 수면 중 비정상적인 호흡양상에 대한 검사로 25세 여성환자에게 수분간 3.5% CO_2가 포함된 가스혼합물을 흡입하게 하였다. 아래 그림은 동맥혈P_{CO_2}의 대리지 표인 호기말이산화탄소분압(ET_{CO_2})의 증가에 따른 이 환자의 분당환기량의 변화를 보여준다. 비교를 위해 왼쪽에 정상대조군의 결과를 표시하였다. 이 결과를 기반으로, 이 환자의 호흡조절시스템 요소 중 비정상적일 가능성이 가장 높은 요소는 무엇인가?

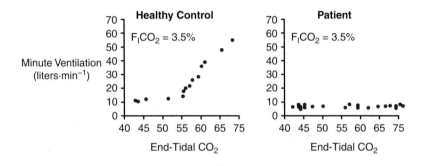

A. 중추화학수용체
B. 모세혈관인접수용체
C. 말초화학수용체
D. 호흡조정중추(pneumotaxic center)
E. 폐늘림수용체

5. 67세 여성 만성폐쇄성폐질환 환자가 호흡기내과에서 검사 중인데 $FEV_{1.0}$이 0.9 L(정상예측치의 45%)이고 동맥혈가스는 pH 7.35, P_{CO_2} 55 mmHg, HCO_3^- 30 mEq/L였다. 2주 후 이 환자가 흉통으로 응급실에 내원했는데 대기호흡 중 산소포화도는 85%였다. 보충산소를 투여받은 후 환자의 산소포화도는 100%까지 올라갔다. 보충산소 투여로 인해 다음 중 어떤 문제가 발생할 것이 예상되는가?
A. 모세혈관인접수용체 출력 감소
B. 헤모글로빈에 대한 P_{50} 감소
C. 동맥혈 P_{CO_2} 증가
D. 폐혈관저항 증가
E. 배측호흡그룹 출력 증가(increased ventral respiratory group output)

6. 고도 4,559 m의 산장에 올라간 비교적 건강한 사람이, 수면 중 비정상적 형태의 호흡을 하고 있는 것을 친구들이 발견하였다. 이 사람의 흉벽 움직임은 수회 연속적으로 호흡이 점차 커진 다음, 수회 호흡이 점차 작아지다가 결국은 완전히 중단, 무호흡상태가 유지된다. 약 20초 정도 무호흡상태가 지속된 후 다시 호흡이 재개되고 앞에서 설명한 형태의 호흡이 반복된다. 또한 이런 호흡양상이 몇 시간 동안 계속되었다. 수면 중 이러한 호흡형태에 기여하는 기전은 다음 중 무엇인가?

A. 동맥혈P_{O_2}변화에 대한 말초화학수용체의 반응둔화

B. 헤링-브로이어 반사

C. 연수호흡중추의 저산소 손상

D. 동맥혈P_{CO_2}변화에 대한 환기반응 증가

E. 모세혈관인접수용체의 자극

7. 27세 여성이 수일간에 걸친 오심, 구토, 다뇨를 주증상으로 응급실에 왔다. 이학적 검사에서 심호흡과 함께 호흡수가 증가되었다. 검사결과 중탄산염 12 mEq/L, 포도당 457 mg/dL, 백혈구수 9,000, 헤마토크릿 47%였다. 흉부엑스선 소견은 정상이었다. 이와 같은 소견을 종합할 때 다음의 생리학적 반응 중 이 환자에서 관찰될 것으로 예상되는 것은 무엇인가?

A. 모세혈관인접수용체('J') 출력 감소

B. 헤모글로빈에 대한 P_{50} 감소

C. Pre-Botzinger복합체 출력 감소

D. CSF P_{CO_2} 증가

E. 말초화학수용체 출력 증가

8. 혈압이 잘 조절되지 않았던 59세 남성이 척추와 기저동맥폐쇄로 인한 뇌경색으로 중환자실에 입원하였다. 의식수준의 저하가 심하여 기도보호를 위해 기관삽관을 시행하였다. 다음날 아침, 삽관 중인 상태에서 진정제나 신경근차단제를 투여하지 않았음에도 자발호흡이 없었다. 동맥혈가스 결과 P_{CO_2}는 40 mmHg였다. 다음 중 뇌의 어떤 부위의 허혈성 손상이 이 환자의 호흡상태와 가장 큰 관계가 있는가?

A. 소뇌반구(cerebellar hemisphere)

B. 담창구(globus pallidus)

C. 연수(medulla)

D. 중뇌(midbrain)

E. 시상(thalamus)

9. 중증 만성폐쇄성폐질환을 앓고 있는 59세 남성에서 재택산소요법 적용대상 여부를 확인하기 위해 대기호흡 중 동맥혈검사를 시행하였다. 검사결과 pH 7.35, P_{CO_2} 53 mmHg이다. 정상치와 비교할 때 이 환자의 뇌척수액에서 다음 중 어떤 변화를 기대할 수 있는가?
    A. 수소이온농도 감소
    B. P_{CO_2} 감소
    C. 중탄산염농도 증가
    D. 젖산농도 증가
    E. pH 증가

10. 64세 남성이 경동맥의 동맥경화증을 치료하기 위해 양측 경동맥 수술을 받았고 수술 중 양측 경동맥체가 모두 제거되었다. 이 환자는 친구 몇 명과 함께 높은 고도의 산을 여행할 계획이 있고 고도 3,000 m 이상을 등반할 계획이다. 이 정도의 고도에서 동맥혈가스검사를 시행하면 같이 여행하는 건강한 친구들과 비교할 때 이 환자에서 어떤 결과가 예상되는가?
    A. 동맥혈P_{CO_2}가 더 높다.
    B. 동맥혈pH가 더 높다.
    C. 폐포P_{O_2}가 더 높다.
    D. 동맥혈P_{O_2}가 더 높다.
    E. 중탄산염이 더 낮다.

11. 23세 여성이 해수면에서 다양한 농도의 이산화탄소가 포함된 혼합가스를 흡입한 후 여러 변화를 관찰하는 실험연구에 참여하고 있다. 이 여성이 고도 4,000 m에 도착하자마자 대기호흡 중인 상태에서 동일항목을 반복측정하고 그 결과를 해수면에서 측정한 것과 비교해볼 때 어떤 주어진 특정 폐포CO_2에서 관찰될 것으로 예상되는 것은 다음 중 무엇인가?
    A. 동맥혈 pH 감소
    B. 말초화학수용체 출력 감소
    C. 폐동맥압 감소
    D. 혈청 중탄산염 증가
    E. 총환기량 증가

스트레스 상황에서 호흡기계
(Respiratory system under stress)

9

운동 중이나 고기압 및 저기압 상태 그리고
출산 시에는 어떻게 가스교환이 이루어지는가?

정상적인 폐는 안정 시 엄청난 여유가 있으며, 따라서 운동 중 크게 증가하는 가스교환 요구를 충족시킬 수 있다. 게다가, 폐는 우리가 살고 있는 환경과 우리 몸을 연결해 주는 중요한 생리학적 연결고리의 역할을 한다. 폐의 표면적은 피부전체 표면적보다 약 30배 더 크다. 더 높이 오르고 싶고 또 더 깊이 잠수하고 싶은 인간의 욕구는 호흡기에 큰 부담을 주지만 이런 상황들에 의해 호흡기가 받는 부담은 출산과정에 의해 받는 부담에 비하면 경미한 정도이다!

9장을 끝까지 읽은 독자는 다음과 같은 것을 할 수 있어야 한다.

- 운동 중 호흡과 혈류역학적 변수들의 변화를 설명한다.
- 높은 고도에서 예상되는 생리학적 반응을 개략적으로 설명한다.
- 흡수무기폐(absorption atelectasis)의 기전을 설명한다.
- 스쿠버다이빙의 합병증을 식별한다.
- 흡입된 미세먼지가 기도에 포획되는 기전을 설명한다.
- 태아순환의 중요한 특징들을 개략적으로 설명하고 출생 후에 일어나는 변화들을 설명한다.

운동(Exercise)

폐의 가스교환요구량은 운동 시 엄청나게 증가한다. 보통 수준의 운동이 가능한 사람에서 일반적으로 안정 시 산소소모량은 300 mL/min이며 운동 시에는 3,000 mL/min까지 상승할 수 있다(국가대표급 운동선수에서는 6,000 mL/min까지도). 마찬가지로 이산화탄소의 배출은 안정 시 250 mL/min에서 운동 시 약 3,000 mL/min까지 증가한다. 그러므로 전형적인 호흡교환비(R)는 안정 시 약 0.8에서 운동 시 1.0까지 증가한다. 이렇게 호흡교환비(R)가 증가하는 이유는 운동 시 필요한 에너지를 생산하는 데 지방보다는 탄수화물에 더 많이 의존하는 것이 반영되기 때문이다. 실제로, 일정하지 않은 강도로 심한 운동을 하는 동안 무산소성해당과정(anaerobic glycolysis)이 진행되어 젖산이 생성되면 호흡교환비(R)는 종종 1.0보다 더 높게 증가하고 이때는 중탄산염으로부터 추가적인 이산화탄소가 제거된다. 게다가 H^+농도의 증가로 말초화학수용체가 자극되면 환기를 증가시키기 때문에 이산화탄소의 배출이 증가된다.

트레드밀이나 고정된 실내자전거를 이용해 운동 시 변화를 간편하게 연구할 수 있다. 작업량(work rate, 또는 일률)을 증가시키면 산소흡수(oxygen uptake, $\dot{V}O_2$)도 선형적으로 증가한다(그림 9.1A). 그러나 어떤 특정 작업량 이상에서는 산소흡수, 즉 $\dot{V}O_2$가 더 이상 증가하지 못하고 일정해지는 시작지점을 ($\dot{V}O_{2max}$)이라고 한다. 이 수준 이상으로 작업량을 증가시키는 것은 혐기성해당과정을 통해서만 가능할 수 있다. 그리고 개인들은 이 정도로 높은 수준의 작업량을 오래 지속할 수는 없다.

또한 환기량(VE)과 작업량(work rate) 또는 산소소모량($\dot{V}O_2$)과의 관계를 그래프로

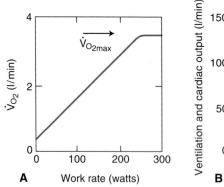
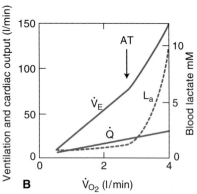

그림 9.1. A. 산소소모량($\dot{V}O_2$)은 최대산소소모량($\dot{V}O_{2max}$)에 도달할 때까지 작업량(work rate)에 비례하여 거의 선형적으로 증가한다. B. 초기의 환기량($\dot{V}O_2$)은 산소소모량에 따라 선형적으로 증가하지만 혈액 내 젖산이 상당히 증가되면 더 빠르게 환기량이 증가한다. 이때 명확히 기울기가 꺾이는 지점을 무산소역치(anaerobic threshold, AT) 또는 환기역치(ventilation threshold, VT)라고 한다. 심박출량(Q)은 환기량(VE)보다 더 느리게 증가한다.

나타내면 초기에는 선형관계로 증가하지만, 산소소모량($\dot{V}_{O_2}$)이 증가할 때 환기량은 더 빠르게 증가하는데 이는 생성된 젖산이 환기량을 더 많이 증가시키기 때문이다(그림 9.1B). 이때 그래프의 분명한 기울기 변화를 종종 볼 수 있는데 용어에는 약간의 논란이 있으나 이 지점을 무산소역치(anaerobic threshold, AT) 또는 환기역치(ventilation threshold, VT)라고 부른다. 비활동적인(unfit) 사람은 상대적으로 낮은 작업량에서 무산소역치가 발생하는 반면, 잘 훈련(well-trained)되어 활동적인(fit) 사람은 높은 작업량(예: $\dot{V}_{O_{2max}}$의 90% 수준)에서 무산소역치에 도달한다. 8장에서 설명한 것처럼 젖산증이 환기자극을 유발하지만, 운동 중 환기량이 매우 크게 증가하는 대부분의 이유를 잘 알지 못한다. 그러나, 운동이 환기량변화에 미치는 영향을 보면 중강도 운동(moderate exercise)에서 P_{CO_2}와 pH는 거의 영향을 받지 않는 반면, 고강도 운동 중 발생하는 젖산증때문에 종종 P_{CO_2}가 감소하며, 폐포P_{O_2}는 상승, pH는 감소한다.

운동에 대한 반응으로 호흡기의 많은 기능이 변한다. 운동 시 폐확산능이 증가하는데 그 이유는 (폐포)막의 확산능(D_M)과 폐모세혈관의 혈액량(V_c)이 증가하기 때문이다. 이러한 변화는 특히 폐상부(폐첨부)의 폐모세혈관이 동원(recruitment) 그리고 확장(distension)되어 발생한다. 전형적으로 확산능은 최소한 3배 이상 증가한다. 건강한 사람이 중강도 운동 시 환기-관류불균등은 오히려 감소하는데 이는 혈류의 지형적 분포가 조금 더 균등해지기 때문이다. 그러나 건강한 사람에서는 기본적으로 환기-관류불균등의 정도가 작기 때문에 이것은 그다지 중요하지 않다. 대부분의 사람에서 운동 시 동맥혈P_{O_2}는 일정하게 유지된다. 그러나 국가대표급 운동선수라도 아주 고강도 운동에서는 동맥혈P_{O_2}가 감소되는데, 이는 아마도 혈류가 폐모세혈관을 통과하는 시간 동안 산소가 헤모글로빈으로 이동하는데 고강도 운동 시에는 혈액순환이 빨라져 이 과정에 사용할 수 있는 시간이 단축되므로 확산제한이 발생하기 때문일 것이다(그림 3.3). 고강도 운동 시에 폐모세혈관압이 상승하면서 폐모세혈관으로부터 간질액이 폐포 쪽으로 누출되어 폐부종이 발생하게 되는데 아마도 이러한 경증의 간질성폐부종 또한 환기-관류불균등을 유발하므로 동맥혈P_{O_2} 감소에 어느 정도 관계가 있다.

작업량이 증가함에 따라 심박수 및 일회박출량(stroke volume) 또는 두 가지가 모두 증가하여 심박출량이 선형적으로 증가하는데, 이 때 일회박출량의 증가는 정맥환류(venous return)와 심근수축작용(cardiac inotropy)의 증가에 의한다. 그러나 심박출량 증가는 환기량 증가의 약 1/4에 불과하다(L/min). 이것은 당연한데 혈액보다 공기의 움직임이 훨씬 더 쉽기 때문에 Fick 방정식 $\dot{V}_{O_2} = Q\,(Ca_{O_2} - C_{\bar{V}_{O_2}})$에 따르면 심박출량이 증가되거나 또는 혼합정맥혈의 산소농도가 감소하여 $Ca_{O_2} - C_{\bar{V}_{O_2}}$가 증가하면 결과적으로 $\dot{V}_{O_2}$는 증가하게 된다. 대조적으로, 이와 유사하게 환기와 관련된 방정식에 따르면, $\dot{V}_{O_2} = \dot{V}_E\,(F_{I_{O_2}} - F_{E_{O_2}})$인데 이때는 흡기가스의 산소농도와 호기가스의 산소농도 간의 차이는 변동이 없다. 이러한 소견은 혈류보다 환기가 훨씬 더 크게 증가하는 소견에 부합한다. 심박출량의 증가는 폐동맥압과 폐정맥압의 상승과 관련이 있으나 폐동맥압의 상승은 전신수축기압과 같이 높이 상승하지 않는데 그 이유는 폐모세혈관의 확장과 동원이 발생하면서 폐혈관저항이 감소하기 때문이다.

운동에 의해 근육의 P_{CO_2}, H^+농도, 그리고 온도 등이 상승하면 산소해리곡선은 오른쪽으로 이동한다. 이로 인해 근육에 산소를 공급하기 유리해진다(Bohr effect). 혈액이 폐로 돌아오면 혈액의 온도도 약간 떨어지므로 이때는 산소해리곡선이 다소 왼쪽으로 이동하여 폐동맥혈액의 산소화에 유리해진다.

말초조직에서는 모세혈관의 추가적인 개통으로 미토콘드리아까지 이동하는 산소의 확산경로가 단축된다. 달리기처럼 역동적인 운동을 할 때 수축기압이 꽤 높게 상승하는 경우가 종종 있지만 심박출량이 크게 증가하는 것은 평균동맥압의 증가와는 크게 관련이 없으므로 말초혈관저항은 오히려 감소한다. 그러나 역도와 같은 정적인 운동 시 종종 전신동맥압이 높게 상승한다. 운동은 골격근의 모세혈관과 미토콘드리아 수를 증가시킨다.

운동(Exercise) 시

- 산소흡수(O_2 uptake)는 작업량(work rate)에 따라 선형적으로 증가한다.
- 환기가 좀 더 빠르게 증가하는 환기(무산소)역치에 도달하기 전까지는 산소흡수와 환기는 선형적으로 증가한다.
- 심박출량이 증가하지만 환기량의 증가에 비해서는 훨씬 작다.
- 국가대표급 운동선수라도 최대운동상태에서는 산소전달과정에 확산제한이 나타날 수 있으며, 이때 일부에서 간질성부종이 발생하여 환기-관류불균등이 발생할 수 있다.

높은 고도(High altitude)

지표면에서 상승한 높이에 따라 기압은 대략 기하급수적으로 감소한다(그림 9.2). 고도 5,800 m (19,000 ft)에서의 압력은 해수면압인 760 mmHg의 절반에 불과하기 때문에 가습된 흡기가스의 P_{O_2}는 (380 – 47) × 0.2093 = 70 mmHg (47 mmHg는 체온에서 수증기분압)이다. 에베레스트산 정상(해발고도 8,848 m 또는 29,028 ft)에서 흡기 중 산소분압은 43 mmHg에 불과하다. 해발고도 19,200 m (63,000 ft)에서 대기압은 47 mmHg이므로 흡기 중 산소분압은 0이다.

높은 고도에 의한 저산소증에도 불구하고, 2,500 m 이상의 고지대에서 약 2억 명 가량의 사람들이 살고 있으며, 해발고도 5,000 m (16,400 ft) 이상인 안데스산맥의 고지대에도 장기거주자들이 살고 있다. 이와 같이 높은 고도를 등반할 때 사람의 신체에는

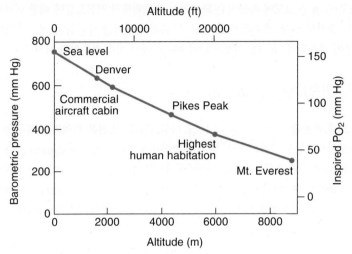

그림 9.2. 고도와 기압의 관계. 가습된 흡기가스P_{O_2}는 1,520 m (5,000 ft)에서 130 mmHg이지만 에베레스트 산 정상에서는 43 mmHg에 불과하다는 점에 유의하자.

상당한 정도의 적응(acclimatization)과정이 발생한다. 실제로, 이와 같은 적응과정이 없으면 수 초 내 의식소실이 발생할 수 있을 정도로 높은 고도에서도 등산가들은 수일 간 생존하였다.

과호흡(Hyperventilation)

높은 고도에 적응할 때 가장 중요한 특징은 과호흡이다. 과호흡의 생리학적 가치는 에베레스트산 정상을 등반한 사람의 폐포가스방정식을 생각해보면 알 수 있다.[*] 만약 등산가의 폐포P_{CO_2}가 40이고 호흡교환비가 1이면, 등산가의 폐포P_{O_2}는 43 - (40/1)[†] = 3 mmHg가 된다. 그러나 환기량을 5배 증가시켜 P_{CO_2}가 8 mmHg로 감소하면(22페이지 참조), 폐포P_{O_2}는 43 - 8 = 35 mmHg로 증가한다.

과호흡의 기전은 저산소혈증에 의해 말초화학수용체가 자극되기 때문이다. 낮은 동맥혈P_{CO_2}와 알칼리증은 결과적으로 이와 같은 환기량 증가를 억제하는 경향이 있지만, 하루 정도 경과하면서 중탄산염이 뇌척수액(CSF)밖으로 이동하면 뇌척수액(CSF)의 pH는 부분적으로 정상이 되고, 2-3일 후에 콩팥을 통해 중탄산염이 배설되면서 동맥혈 pH는 정상이 된다. 이렇게 환기량 증가를 억제하는 기전이 약해지면 환기량은 더 증가

---

[*]   역자 주: Arterial blood gases and oxygen content in climbers on Mount Everest. NEJM. 2009 Jan 8;360(2):140-9.를 읽어보면 이해에 도움이 된다.

[†]   R = 1일 때 94페이지의 보정인자(F)는 사라진다.

한다. 더구나, 높은 고도에 적응하는 과정에서 경동맥체의 저산소증에 대한 민감도가 증가한다는 증거도 있다. 흥미롭게도, 높은 고도에서 태어난 사람들은 저산소증에 대한 환기반응이 감소되어 있는데, 이것은 단지 해수면에서 계속 거주하면 서서히 교정된다.

적혈구증가증(Polycythemia)

높은 고도에 적응할 때 관찰할 수 있는 또 다른 중요한 소견은 혈액의 적혈구농도 증가이다. 헤모글로빈농도 증가와 이에 따른 산소운반능(O_2-carrying capacity) 증가에 의해 동맥혈P_{O_2}와 산소포화도는 감소하더라도 동맥혈산소농도는 정상이거나 심지어 정상 수준보다 높아질 수 있다는 것을 의미한다. 예를 들어, 해발고도 4,600 m (15,000 ft)인 페루의 안데스산맥에 영구적으로 거주하는 사람의 동맥혈P_{O_2}는 45 mmHg에 불과하고, 이에 상응하는 동맥산소포화도는 81%에 불과하다. 보통 이 정도면 동맥혈산소농도는 상당히 감소되나, 적혈구증가증에 의해 헤모글로빈농도가 15 g/dL에서 19.8 g/dL로

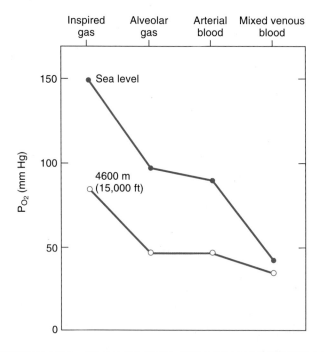

그림 9.3. 해수면과 고도 4,600 m (15,000 ft)에 거주하는 사람의 흡기가스부터 혼합정맥혈까지의 P_{O_2}의 변화. 높은 고도에서 흡기가스P_{O_2}는 해수면보다 훨씬 낮지만 혼합정맥혈 P_{O_2}는 높은 고도에서 해수면보다 겨우 7 mmHg 정도만 낮다. (From Hurtado A. In: Dill DB, ed. Handbook of Physiology, Adaptation to the Environment. Washington, DC: American Physiological Society; 1964.)

증가하게 되면 동맥혈산소농도는 해수면의 정상치보다 더 높은 22.4 g/dL이 된다. 적혈구증가증 또한 혼합정맥혈Po_2를 유지하는 경향이 있으며, 해발고도 4,600 m (15,000 ft)에 사는 안데스 원주민의 경우 혼합정맥혈Po_2가 전형적으로 정상보다 7 mmHg 낮다(그림 9.3).

높은 고도에 노출된 초기에 헤모글로빈 농도가 증가하는 원인은 혈장의 부피 감소에 의한 혈액농축(hemoconcentration)이다. 그러나 높은 고도의 저산소 환경에 노출된 후 2-3일 안에 콩팥으로부터 적혈구형성호르몬(erythropoietin)의 분비가 증가되면 골수를 자극하여 적혈구 생성을 증가시키므로 헤모글로빈의 농도가 증가하게 된다. 후자의 기전은 폐질환이나 청색선천성심장병(cyanotic congenital heart disease)에 의해 만성적으로 저산소혈증인 많은 환자들에게서 적혈구증가증(polycythemia)을 관찰할 수 있는 한 가지 이유이다.

높은 고도에서 적혈구증가증은 혈액의 산소운반능력을 증가시키나, 다른 한편으로는 혈액점도(blood viscosity)를 증가시킨다. 이런 점은 해로울 수 있으며, 간혹 관찰되는 심한 적혈구증가증을 어떤 생리학자들은 부적절한 반응이라고 믿는다.

높은 고도에서의 기타 생리학적 변화(Other physiological changes at high altitude)

중간 고도에서 산소해리곡선이 오른쪽으로 이동해 어떤 주어진 Po_2에서 정맥혈로부터 조직으로 산소공급이 잘되게 한다. 산소해리곡선이 오른쪽으로 이동하게 되는 일차적인 원인은 호흡알칼리증에 의해 2,3-다이포스포글리세르산염(diphosphoglycerate)의 농도가 증가되기 때문이다. 그러나 높은 고도에서 과환기로 호흡알칼리증이 발생하면 산소해리곡선은 왼쪽으로 이동하며, 이로 인해 폐모세혈관에서 산소가 헤모글로빈으로 적재되는(결합하는) 것을 돕는다. 말초조직에서는 단위 용적당 모세혈관의 수가 증가하고 세포 안의 산화효소에도 변화가 발생한다. 높은 고도에서는 최대환기량(maximum breathing capacity)이 증가하는데 공기밀도가 낮기 때문에 운동 시 매우 높은 환기량(최대 200 L/min)이 가능하다. 그럼에도 해발고도 4,600 m (15,000 ft)이상에서는 최대산소흡수량(maximum O_2 uptake)이 급격히 감소한다.

폐포저산소증에 대한 반응으로 폐혈관수축이 발생한다(그림 4.11). 이로 인해 폐동맥압이 상승하고 우심장의 부하가 증가된다. 또한 저산소증에 동반된 적혈구증가증 때문에 혈액점도가 높아져 (폐동맥)고혈압이 악화된다. 저산소 상태에 장기간 노출되면 특징적인 심전도변화와 함께 우심장비대가 관찰될 수 있다. 폐동맥압이 상승하면 혈류의 지형적 분포가 더 균등해진다는 것 외에는 생리학적인 이점이 없다. 폐정맥압이 비록 정상이더라도 폐동맥고혈압은 종종 폐부종과 연관이 있다. 가능한 기전으로는 폐동맥혈관수축이 균일하지 않고, 또 보호되지 못해 손상된 모세혈관에서 누출이 발생하는 것이

다. 이때 부종액은 단백질 농도가 높아 모세혈관의 투과도가 높아져 있는 상태임을 알
수 있다.

고지대에 처음 도착한 사람들은 두통, 피로, 어지러움, 두근거림, 불면증, 식욕부진,
메스꺼움을 자주 호소한다. 이것들은 급성고산병(acute mountain sickness)의 증상이
며 저산소혈증과 알칼리증에 의해 발생한다. 드물게 뇌부종도 발생할 수 있는데 이런 경
우 심각한 신경기능장애가 진행될 수 있다.

높은 고도에 적응(Acclimatization to high altitude)할 때

- 가장 중요한 특징은 과호흡이다.
- 적혈구증가증(polycythemia)은 천천히 발생하지만 시간이 경과함에 따라 동맥혈
  산소농도를 상당히 높일 수 있다.
- 다른 특징은 세포산화효소의 증가와 일부 조직에서 모세혈관의 밀도가 증가된다.
- 높은 고도에서 저산소폐혈관수축(hypoxic pulmonary vasoconstriction)은 이롭
  지 못하다.

높은 고도의 장기거주자(Permanent residents of high altitude)

세계의 일부 지역, 특히 티벳과 남아메리카 안데스에서는, 수 세대에 걸쳐 많은 사람들
이 높은 고도에 적응하며 살아왔다. 티베트인들은 높은 고도의 저산소증에 대해 자연선
택(natural selection)의 특징을 보이는 것으로 현재 알려져 있다. 예를 들어, 출생 시 체
중, 헤모글로빈 농도가 다르고 또 영아나 운동 중인 성인의 동맥혈산소포화도도 고지대
로 올라온 저지대 사람들과 차이가 있다. 최근의 연구는 티베트인들은 유전적 구성(ge-
netic makeup)에 있어서도 차이가 발생했다는 것을 보여준다. 예를 들어, 저산소유도인
자 2α (hypoxia-inducible factor, HIF-2α)를 암호화하는 유전자는 중국 한족보다 티
베트인에서 더 흔하다. HIF-2α는 저산소증에 대한 여러 가지 생리적 반응을 조절하는
전사인자(transcription factor)이다. 장기거주자들에서 때때로 만성고산병(chronic
mountain sickness)이라고 알려진 잘못 정의된 증후군이 발생하는데, 이 증후군은 심
한 적혈구증가증, 피로, 운동내성의 감소, 심한 저산소혈증을 특징으로 한다.

산소독성(O_2 toxicity)

일반적으로는 몸에 필요한 충분한 양의 산소를 섭취하지 못하는 것이 문제지만, 너무 많이 섭취하는 것도 문제가 된다. 수 시간 동안 고농도의 산소를 호흡하면 폐손상이 발생할 수 있다. 기니피그를 대기압에서 100% 산소 속에 48시간 동안 노출시키면 폐부종이 발생한다. 이때 최초의 병리학적 변화는 폐모세혈관의 내피세포에서 관찰된다(그림 1.1 참고). 건강한 사람에서 100% O_2를 30시간 흡입 후 가스교환장애가 발생함이 증명되었으며, 대기압에서 100% O_2를 24시간 동안 흡입한 건강자원자는 심호흡에 의해 악화되는 흉골밑 불편감(substernal distress)을 호소하였다. 이때 또한 폐활량은 500-800 mL 정도 감소하는데, 이는 흡수무기폐(absorption atelectasis, 아래 참조)에 의한 것으로 추정된다. 또한 침습적 기계환기 중인 환자의 동맥혈P_{O_2}를 지나치게 높게 하면 치료결과가 나빠질 수 있다는 임상적 근거가 많아지고 있다.

100% 산소호흡의 또 다른 위험은 미숙아에서 발생하는 실명이 있다. 실명의 기전은 수정체 뒤쪽에 발생하는 섬유조직(retrolental fibrosis)이 미숙아의 망막병증을 일으키기 때문이다. 인큐베이터 안의 높은 P_{O_2}에 의해 유발되는 국소적 혈관수축이 망막병증의 기전이다. 이때 동맥혈P_{O_2}를 140 mmHg 이하로 유지하면 실명을 피할 수 있다.

흡수무기폐(Absorption atelectasis)

이것은 100% 산소호흡의 또 다른 위험이다. 기도가 점액에 의해 막혀 있다고 가정해보자(그림 9.4). 이때 점액전으로 막힌 기도에 갇혀 있는 가스의 총 압력은 760 mmHg에 가깝다(폐의 탄성력이 작용하여 갇힌 가스의 일부는 흡수되기 때문에 몇 mmHg 정도 낮을 수 있다). 그러나 정맥혈의 가스분압의 합은 760 mmHg보다 훨씬 낮다. 100% 산소를 호흡하더라도 정맥혈P_{O_2}는 폐포P_{O_2}에 비해 상대적으로 낮게 유지되기 때문이다. 실제로 100% 산소를 호흡할 때 심박출량의 변화가 없으면 동맥혈과 정맥혈의 산소농도는 동일하게 상승하지만 산소해리곡선의 모양 때문에(그림 6.1 참고) 정맥혈P_{O_2} 증가는 약 10-15 mmHg에 불과하다. 따라서 폐포내 가스분압들의 합이 정맥혈 가스분압들의 합을 크게 초과하기 때문에 가스가 정맥혈 쪽으로 확산되면서 폐포의 허탈이 빠르게 발생한다. 또한 이와 같이 허탈에 빠진 폐포단위에서는 표면장력의 효과가 커지기 때문에 허탈부위의 재개통은 어려울 수 있다.

대기호흡(산소 21%) 중인 경우에도 기도가 막힌 부위의 폐포는 느리지만 역시 흡수무기폐가 역시 발생할 수 있다. 그림 9.4B에서 정맥혈가스분압의 합이 760 mmHg 미만인 것은 동맥혈에서 정맥혈이 될 때 P_{O_2} 감소가 CO_2 상승보다 훨씬 더 크기 때문이다(이것은 산소해리곡선에 비해 이산화탄소해리곡선의 기울기가 좀 더 가파른 것을 반영하기 때문이다, 그림 6.6 참고). 폐포의 총 가스분압은 760 mmHg에 가깝기 때문에 흡수

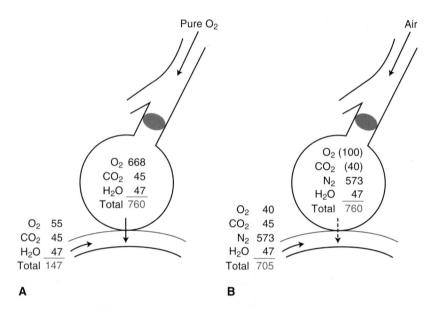

그림 9.4. 100%산소(A)와 대기(B) 호흡 중 기도가 막힌 폐포가 무기폐가 되는 이유는 다음과 같다. 두 경우 모두 혼합정맥혈의 가스분압의 합이 폐포의 가스분압보다 작다는 것에 주목하라. (B)에서 시간에 따라 변하기 때문에 P_{O_2}와 P_{CO_2}를 괄호 안에 표시했다. 그러나 총폐포압은 760 mmHg에 수 mmHg 이내로 유지된다.

무기폐의 발생이 불가피하다. 실제로 흡수무기폐 발생 시 폐포분압의 변화는 다소 복잡하지만 허탈이 진행되는 속도는 질소의 흡수속도에 의해 제한되는 것을 알 수 있다. 질소가스는 용해도가 낮기 때문에, 이 가스의 존재는 폐포를 지탱하고 허탈을 지연시키는 '부목(splint)' 역할을 한다. 폐포가스 중 비교적 적은 농도의 질소만 있어도 폐포의 개통을 유지하는데 유용한 부목효과를 나타낸다. 그럼에도 불구하고, 수술 후 무기폐는 고농도의 산소혼합가스로 치료(마취)했던 환자에서 흔히 발생하는 문제이다. 허탈은 폐하부에서 발생할 가능성이 특히 높은데, 폐하부의 폐실질은 가장 잘 팽창되지 않거나(그림 7.8 참고) 또는 소기도는 실제로 폐쇄돼 있는 상태이다(그림 7.9 참고). 이와 같은 가스 흡수의 기본적인 기전은 피부밑에 주입된 기포(gas pocket)나 기흉이 점차적으로 사라지는 기전과 같다.

우주비행(Space flight)

중력의 부재는 여러 가지 생리학적인 변화를 일으키며, 이 중 일부는 폐에 영향을 미친다. 우주비행 시 환기와 관류의 분포는 더욱 균등해져서 이와 상응하게 가스교환의 개선이 약간 있지만(그림 5.8과 5.10 참고), 중력과 관계없는 요소 때문에 일부에서는 불균등이 발생한다. 무중력상태에서는 에어로졸이 침전(sedimentation)되지 않기 때문에 흡입된 에어로졸의 침착형태도 변한다. 더구나 하지 안에 저류되는 혈액도 없어지기 때문에 무중력노출 초기에는 흉곽내 혈액량이 증가한다. 이로 인해 폐모세혈관의 혈액량과 폐확산능이 증가한다. 지구로 귀환할 때는 체위저혈압(postural hypotension)이 발생하는데 이를 심혈관계의 탈조건화(cardiovascular deconditioning)라고 한다. 아마도 뼈와 근육을 사용하지 않음으로 뼈의 탈칼슘화(decalcification)와 근위축이 발생할 수 있다. 또한 적혈구양(red cell mass)도 약간 감소한다. 우주비행 초기 수일간 발생하는 우주병(space sickness)은 우주비행계획을 운영하는 데 있어서 심각한 문제가 될 수 있다.

가압(Increased pressure)

잠수 시 10 m (33 ft) 하강할 때마다 압력은 1기압(atm)씩 증가한다. 높은 압력은 흉곽팽창을 제한하고 폐를 압박하기 때문에 깊은 물 속에서 수면 밖으로 연결된 긴 튜브를 통해 호흡하는 것은 매우 어렵고 또 위험하다. 또한 폐모세혈관압이 증가하면 폐부종이 발생한다. 스쿠버장비는 이런 문제에 대한 해결책을 제공하고 또 사람들이 장시간 꽤 깊은 물 속에 머물 수 있도록 해주지만, 큰 위험을 야기할 수 있다.

압력손상(Barotrauma)

공기탱크로부터 공급되는 고압의 공기를 흡입함으로써 잠수부들은 심해잠수 중 폐가 압축되는 것을 막는다. 수면으로 되돌아올 때, 수압이 감소하면 Boyle's법칙에 따라 폐포공간의 기체는 팽창할 것이다. 이와 같은 이유로, 잠수부들이 수면으로 상승할 때 과도한 폐의 팽창이나 파열 가능성을 예방하기 위해 숨을 내쉬어야 한다. 이 과정에서 발생하는 것이 압력손상이며 기종격동이나 기흉의 형태로 나타난다. 중이(middle ear)나 두개내정맥동(intracranial sinus)과 같이 가스로 채워진 공동(gas cavities)들도 외부와 연결되지 못할 경우 압축(compression)이나 과도한 팽창(over expansion)의 대상이 될 수 있다.

감압병(Decompression sickness)

잠수 중 발생하는 높은 N_2분압은 N_2 같이 용해도가 낮은 가스를 신체조직의 용액으로 밀어 넣는다. 이는 특히 상대적으로 N_2 질소용해도가 높은 지방조직에서 발생한다. 그러나 지방조직의 혈액공급은 빈약하고 또 혈액은 N_2를 거의 운반할 수 없다. 더구나, N_2가스는 용해성이 낮아서 천천히 확산된다. 결과적으로 조직과 환경 간의 N_2 평형이 진행되는 데 수 시간이 걸린다.

수면으로 상승하는 도중 N_2는 조직에서 천천히 제거된다. 그러나 감압과정이 지나치게 빠르면 샴페인 뚜껑을 딸 때 이산화탄소가 방출되는 것처럼 기체상태의 N_2기포가 발생, 방출된다. 일부 기포는 생리적 장애 없이 발생할 수 있지만, 기포의 수가 많거나 또는 수면으로 상승하는 도중 기포의 크기가 커지면 특히 관절부위에 통증('감압통, bends')을 유발할 수 있다. 심한 경우 흉통, 호흡곤란과 같은 호흡기 증상은 물론 청각장애, 시력저하, 심지어 기포에 의해 혈류가 막히면 중추신경계(CNS)의 마비 등 신경장애도 나타날 수 있다.

감압병의 치료는 재가압(recompression)이다. 재가압을 통해 기포의 용적을 줄여주고 기포 내 가스를 강제로 다시 혈장으로 돌아가게 하면, 빠른 증상호전을 종종 관찰할 수 있다. 일련의 조절단계를 거쳐 감압을 주의 깊게 진행하면 감압병을 예방할 수 있다. 잠수부가 감압통의 발생위험 없이 얼마나 빨리 수면 위로 올라올 수 있는지에 대해서 부분적으로 이론 및 경험에 기반을 둔 감압스케줄이 존재한다. 하지만 이와 같은 감압스케줄을 철저히 지키는 사람 중에서도 감압통이 발생할 수 있다. 짧은 시간이라도 심해잠수를 한 경우에는 수 시간에 걸쳐 점진적인 감압을 진행할 필요가 있다. 수면으로 상승할 때 기포가 발생하는 것은 매우 흔한 것으로 알려져 있다. 따라서 기포가 너무 커지는 것을 방지하는 것이 감압스케줄의 목적이다.

잠수 중 헬륨-산소혼합물을 호흡하면 심해잠수에 따른 감압병의 위험을 줄일 수 있다. 헬륨용해도는 질소의 절반 정도이므로 조직으로 용해되는 양이 적다. 또한 헬륨 분자량은 질소의 1/7 정도이기 때문에 조직을 통해 더 빠르게 확산된다(그림 3.1). 이 두 가지 요소 때문에 감압통의 발생위험이 감소한다. 잠수부에서 헬륨-산소혼합물의 또 다른 장점은 헬륨혼합물의 밀도가 낮으므로 호흡일(work of breathing)이 감소하는 것이다. 순수한 산소 또는 산소농도가 높은 혼합물은 산소독성의 위험 때문에 심해에서는 사용할 수 없다(다음 참조).

감압병(Decompression sickness)은

- 심해잠수 후 상승하는 도중 생성되는 N_2기포 때문에 발생한다.
- 통증('감압통, bends')과 신경장애가 발생할 수 있다.
- 수면으로 천천히, 그리고 단계적으로 상승하면 막을 수 있다.
- 치료는 고압실(hyperbaric chamber)에서 재가압한다.
- 헬륨-산소혼합물(헬리옥스)을 호흡하면 발생률이 감소한다.

예를 들어 심해의 해저파이프라인에서 일하는 전문다이버들은 때때로 포화잠수법 (saturation diving)을 이용한다. 이는 다이버들이 물속에 있지 않을 때도 보급선함에 있는 고기압실에서 며칠씩 생활하는 것인데, 이 기간 중에는 다이버들은 정상기압으로 복귀하지 않는다. 이와 같은 방법으로, 심해잠수부들은 감압병을 회피한다. 그렇지만, 고기압상태로 지내는 기간을 끝낼 때, 안전하게 감압을 진행하는 데는 수일이 걸릴 수 있다.

불활성가스 혼수(Inert gas narcosis)

N_2는 생리학적으로 불활성가스라고 생각되나, 분압이 높으면 CNS에 영향을 준다. 약 50 m (160 ft)의 깊이에서, 이상행복감(euphoria)을 느낄 수 있어서 잠수부가 자신의 마우스피스를 물고기들에게 대주는 경우도 있다고 알려져 있다! N_2분압이 높으면 조화운동불능(incoordination)상태가 되고 결국 혼수상태가 발생할 수 있다. 작용기전은 완전히 밝혀지지 않았지만 마취제의 일반적인 특성처럼 N_2의 높은 지방용해도와 관련이 있을 수 있다. 헬륨이나 수소와 같은 다른 가스들은 혼수효과(narcotic effect) 없이 훨씬 더 깊은 심해에서 사용될 수 있다.

산소독성(O_2 toxicity)

1기압(atm)에서 100% 산소를 흡입할 때 폐손상이 발생할 수 있다는 것은 이미 공부했다. 또 다른 형태의 산소독성은 CNS자극인데 P_{O_2}가 760 mmHg를 초과해 상당히 높아지면 경련을 유발한다. 경련의 전조증상인 메스꺼움, 귀울림, 얼굴의 단일수축 (twitching)과 같은 증상이 선행될 수 있다.

경련 가능성은 흡기가스P_{O_2}와 노출기간에 따라 달라지며, 운동 시에 더 증가한다. 4기압(atm)의 P_{O_2}에서는 흔히 30분 이내 경련이 발생한다. 점점 더 깊게 잠수하는 경우, 산소독성작용을 회피하기 위해 산소농도를 점진적으로 낮추며, 흡기가스P_{O_2}를 정상수준으로 유지하기 위해 궁극적으로는 산소농도를 1% 미만까지 낮출 수 있다! 따라서 아마추어 스쿠버 다이버는 물 속에서 경련이 발생할 위험이 있기 때문에 잠수탱크에 산소만 채워서는 절대로 안 된다. 그러나 CO_2흡수기가 있는 폐쇄호흡회로는 당연히 기포를 발생하지 않기 때문에 군부대에서 얕은 잠수(예: 침투작전 시)를 위해서는 순수한 산소를 사용하기도 한다. 높은 P_{O_2}가 중추신경계에 유해한 영향을 일으키는 생화학적 근거는 완전히 알지 못하지만, 아마도 어떤 특정효소, 특히 설프하이드릴기가 포함된 탈수소효소(dehydrogenases)의 불활성화가 그 원인일 것이다.

고압산소치료(Hyperbaric O$_2$ therapy)

기압을 높여 동맥혈Po$_2$를 아주 높은 수준으로 올리는 치료는 어떤 임상상황에서 유용할 수 있다. 고압산소치료는 감압병치료 외에도 헤모글로빈의 대부분이 일산화탄소와 결합하여 산소를 운반할 수 없는 상태인 중증 일산화탄소중독에서 사용될 수 있다. 특수한 고압실에서 흡기가스의 Po$_2$를 3기압까지 높임으로써 동맥혈 100 mL당 용해된 산소의 양을 약 6 mL까지 증가시킬 수 있고(그림 6.1 참고), 따라서 헤모글로빈의 기능이 없더라도 조직의 산소요구량을 충족시킬 수 있다. 수혈을 거부하는 중증 빈혈 환자를 종종 이런 방법으로 치료하기도 한다.

　　100% 산소치료 중 특히 가압 시에는 화재 또는 폭발이 심각한 위험요소이다. 이러한 이유로 가압실 안에서 산소는 마스크를 통해 공급하나, 이때 가압실 자체는 공기로 채운다.

대기오염(Polluted atmospheres)

대기오염은 자동차와 산업활동이 증가함에 따라 많은 나라에서 증가하고 있는 문제이다. 주요 오염물질은 다양한 질소산화물, 황, 오존, 일산화탄소, 다양한 탄화수소 그리고 미세먼지 등이다. 이 중 질소산화물, 탄화수소, 일산화탄소는 내연기관에서 대량으로 발생한다. 황산화물(sulfur oxide)은 주로 화석연료발전소에서 나오고 오존은 대기 중에서 주로 질소산화물과 탄화수소에 햇빛이 작용하여 생성된다. 지표면의 따뜻한 공기는 정상적으로 상층부 대기로 빠져나가는데 이를 막는 기온역전(temperature inversion)층에 의해 대기오염물질의 농도는 크게 증가한다.

　　질소산화물은 상기도에 염증을 일으키고 눈에 자극을 주며 스모그의 황색연무(yellow haze)를 일으키는 원인이 된다. 또한 황산화물과 오존도 기관지염증을 일으키며 고농도 오존은 폐부종을 일으킬 수 있다. 일산화탄소의 위험은 헤모글로빈과 결합하는 것이 특징이며, 고리형탄화수소(cyclic hydrocarbons)는 잠재적인 발암물질이다. 이 두 가지 오염물질은 담배 연기 속에 존재하며, 다른 어떤 대기 오염물질보다 훨씬 높은 농도로 흡입된다. 일부 오염물질은 서로 간에 상승작용을 보이는 증거가 있는데 이것은 오염물질이 복합적으로 작용하는 경우 이들이 개별적으로 작용할 때보다 발암성이 더 크다는 것이다.

　　많은 오염물질들은 에어로졸, 즉 공기 중에 떠 있는 미세먼지(매우 작은 입자)의 형태로 존재한다. 에어로졸이 흡입되면, 이들의 운명은 입자의 크기에 달려 있다. 큰 입자는 코나 인두에 부딪히는 충격(impaction)으로 제거된다. 이는 입자들이 관성 때문에 빠르게 모퉁이를 돌지 못하고 습기가 있는 점막에 부딪혀 포집되는 것을 의미한다. 또한 중간 크기의 입자들은 무게 때문에 소기도나 그 밖의 장소에 침착한다. 이를 침강(sedimentation)이라고 하며 특히 기도의 전체 단면적(그림 1.5)이 엄청나게 증가하여 갑자기 유속이 감소하는 부위에서 자주 발생한다. 이 때문에 종말기관지와 호흡세기관지에 침강물이 많이 쌓이고, 탄광폐에서도 이 부위에 먼지농도가 높다. 가장 작은 입자(직경 0.1 μm 이하)는 폐포에 도달하여 폐포벽 안으로 확산하며 일부 입자는 침착된다. 그러나 가장 작은 입자들은 대부분 침강되지 않고 다음번 호기와 함께 배출된다.

입자들이 일단 침강되면, 대부분은 다양한 청소기전에 의해 제거된다. 기관지 벽에 침착된 입자들은 섬모에 의해 추진되는 움직이는 점액계단에 의해 쓸려 올라가 삼켜지거나 객담으로 배출된다. 이를 종종 점액섬모사다리(mucociliary ladder)라고 부른다. 그러나 흡입된 담배연기와 같은 자극에 의해 섬모의 움직임이 마비될 수 있다. 폐포에 침착된 입자는 혈액이나 림프를 통해 이동하는 대식세포가 주로 집어삼킨다.

출생전후기 호흡(Perinatal respiration)

태반가스교환(Placental gas exchange)

태아기의 가스교환은 태반을 통해 이루어진다. 폐순환이 전신순환과 직렬로 연결되어 연속적인 형태인 성인과는 달리 태아의 혈액순환은 태아의 말초조직과 병렬로 연결된다(그림 9.5). 산모의 혈액은 자궁동맥에서 태반으로 들어가 성인의 폐포와 같은 기능을 하는 융모사이공간(intervillous sinusoids)이라 불리는 작은 공간으로 흘러 들어간다. 태아의 대동맥(Ao)으로부터 나온 산소분압이 낮은 태아혈액은 융모사이공간(intervillous space) 안에 돌출되어 있는 모세혈관루프(가스교환이 일어나는)로 공급된다. 약 3.5 μm 두께의 혈액-혈액장벽(blood-blood barrier)을 통해 가스교환이 일어난다.

이런 구조는 가스교환 효율이 성인 폐보다 훨씬 낮다. 산모의 혈액은 융모사이공간의 주위를 어느 정도 무작위로 소용돌이치고 있으므로 아마도 이 융모사이공간 안의 혈액P_{O_2}는 큰 차이가 있을 것이다. 이러한 상황을 폐포 안의 가스가 움직여서 혼합이 잘되고 빠른 확산이 발생하는 폐포와 비교해 보자. 결과적(융모사이공간의 혈액P_{O_2}는 균일하지 못하므로 P_{O_2}가 낮다)으로 태반을 떠나는 태아혈액P_{O_2}는 약 30 mmHg에 불과하다(그림 9.5).

이 혈액은 태아조직으로부터 배출되는 정맥혈과 혼합되어 하대정맥(IVC)우심방(RA)에 도달한다. 우심방 안의 혈류에 의해 대부분의 혈액은 열린 타원공(foramen ovale, FO)을 지나 곧바로 좌심방(LA)으로 흘러가서, 상행대동맥을 통해 뇌와 심장에 공급된다. 탈산소화된 혈액은 상대정맥(SVC)을 통해 우심방에서 우심실로 가지만 폐로 공급되는 혈액은 극히 일부에 불과하다. 대부분의 혈액은 동맥관(DA)을 통해 대동맥으

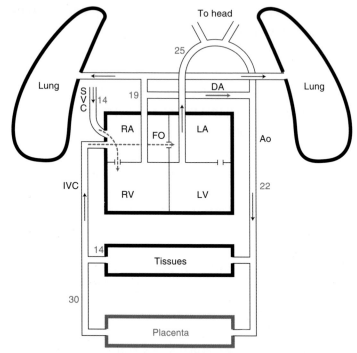

그림 9.5. 사람 태아의 혈액순환. 숫자들은 대략적인 혈액Po₂를 mmHg 단위로 보여준다. 자세한 내용은 본문을 참조하라. Ao, aorta 대동맥; DA, ductus arteriosus 동맥관; FO, foramen ovale 타원공, IVC, inferior vena cava 하대정맥; LA, left atrium 좌심방; LV, left ventricle 좌심실; RA, right atrium 우심방; RV, right ventricle 우심실; SVC, superior vena cava 상대정맥.

로 션트가 이뤄진다. 이 복잡한 구조의 최종적인 결과는 최고로 산소화된 상태의 혈액을 뇌와 심장에 공급하고 자궁 내에서 아직 가스교환을 하지 않고 있는 상태의 폐에는 심박출량의 약 15%만 공급하게 된다. 하행대동맥의 동맥혈Po₂는 겨우 약 22 mmHg 정도라는 것을 기억하라. 태아는 이렇게 Po₂가 매우 낮음에도 불구하고 태아발달과정에 필요한 충분한 산소를 혈액으로 운반할 수 있는데, 그 이유는 태아가 헤모글로빈 F라는 산소에 대한 친화력이 매우 높은 특수한 형태의 헤모글로빈을 갖고 있기 때문이다.

태아와 성인의 혈액순환에서 가장 중요한 세 가지 차이점을 요약하자면

1. 태아에서는 태반순환과 조직순환이 평행하게 병렬로 연결되어 있는 반면, 성인에서는 폐순환이 조직순환과 연속적인 직렬로 연결되있다.

2. 폐동맥에서 나오는 대부분의 혈액은 동맥관(ductus arteriosus)을 통해 하행대동맥으로 션트된다.

3. 우심방 안에서 혈류가 있다는 것은 태반을 통과하면서 산소화된 혈액이 타원공(FO)

을 통해 우선적으로 좌심방에 공급되며 상행대동맥을 지나 뇌로 공급되는 것을 의미한다.

최초호흡(The first breath)

아기가 출산을 통해 외부 세상에 나오는 것은 아마도 그 아이의 삶에서 가장 큰 대격변일 것이다. 아기는 갑자기 다양한 외부자극의 집중포화를 받게 된다. 게다가, 출산과정은 태반의 가스교환을 방해하여 저산소혈증과 과탄산혈증이 발생한다. 끝으로, 출산 시 화학수용체의 민감도가 극적으로 증가하는데 그 기전은 잘 알려져 있지 않다. 이 모든 변화의 결과로, 아기는 최초호흡을 시작하게 된다.

태아의 폐는 허탈상태가 아니며 총폐용량의 약 40%까지 체액으로 팽창되어 있다. 이 체액은 태아기에 폐포세포에서 지속적으로 분비되며 pH가 낮다. 이 체액의 일부는 신생아가 산도(birth canal)를 통과할 때 배출되지만, 나머지는 출산 이후 폐의 팽창에 도움을 준다. 출생 직후 최초호흡 시 폐로 공기가 흡입될 때 큰 표면장력을 극복해야 한다. 그런데 폐 안에 남아 있던 체액이 폐포공간의 곡률반경을 늘려주어, 폐를 팽창시키는데 필요한 압력을 낮춰준다(그림 7.4 참고). 그럼에도 불구하고, 최초호흡 중 폐속으로 어떠한 공기가 들어오기 직전의 흉막내압은 $-40 \ cmH_2O$까지 떨어질 수 있으며, 최초호흡이 수회 기록될 때 최고흡기압은 $-100 \ cmH_2O$까지도 낮아질 수 있다. 이렇게 일시적으로 매우 높은 과도압(transient pressures)은 부분적으로 공기에 비해 높은 점도를 보이는 폐 안의 체액 때문에 발생한다. 태아는 태어나기 전 상당 기간 동안 자궁내에서 매우 작고 빠른 호흡(rapid shallow breathing)을 하면서 성장한다.

출생초기 폐의 팽창은 매우 균일하지 않다. 그러나 태아기 중 비교적 후기에 형성되는 폐표면활성물질은 개방된 폐포의 안정성을 유지하는 역할을 하고, 폐 안의 체액은 림프계와 모세혈관에 의해 제거된다. 기능잔기용량(functional residual capacity)은 출생 후 짧은 시간 내 거의 정상치에 도달하며, 적절한 가스교환면적도 확보된다. 그럼에도 환기가 균등해지는 데는 수일의 시간이 걸린다.

순환기 변화(Circulatory changes)

출생 후 최초 수회의 호흡이 진행되면 폐혈관저항은 극적으로 감소한다. 태아일 때 폐동맥은 동맥관(ductus arteriosus)을 통해 전신혈압에 완전히 노출되므로 폐동맥벽은 매우 근육질이다. 그 결과, 폐순환의 저항은 저산소혈증, 산증, 세로토닌과 같은 혈관수축제와 아세틸콜린과 같은 혈관확장제에 특별히 민감한 반응을 보인다. 폐혈관저항이 감소하는 기전은 출산 후 폐포Po_2가 갑자기 상승하면서 저산소폐혈관수축이 억제되고 또 폐용적 증가로 폐포외 혈관의 반경이 커지기 때문이다(그림 4.3 참고).

결과적으로 폐혈류가 증가하여 좌심방압이 상승하면 피판과 같은(flaplike) 타원공(foramen ovale)은 신속하게 막히게 된다. 병렬로 연결된 평행의 탯줄순환(umbilical circulation)이 없어지면서 대동맥압이 상승하면 이것 또한 좌심방압을 높인다. 추가적으로, 탯줄순환이 멈추면서 우심방압은 하강한다. 높아진 Po_2가 평활근에 직접 작용하면 수 분 후에는 동맥관(ductus arteriosus)이 수축하기 시작한다. 또 국소 및 순환 프로스타글랜딘의 수치가 감소하면 이와 같은 수축을 돕는다. 폐순환 저항이 감소하면 곧 동맥관을 통한 혈류가 역류된다. 출생 후에도 동맥관이 막히지 않는 경우 비스테로이드 소염제를 투여하여 프로스타글랜딘 합성을 억제해 동맥관폐쇄를 촉진할 수 있다. 드문 빈도로 발생하지만 동맥관의존성선천성심장질환(예: 폐동맥폐쇄증 등)이 있는 유아에서 동맥관개통을 유지하기 위해 실제로 프로스타글랜딘을 투여한다.

출산 중 또는 출산 직후의 변화(Changes at or shortly after birth)

- 신생아는 강력한 흡기노력을 통해 최초호흡을 하게 된다.
- 폐혈관저항이 크게 감소한다.
- 동맥관(ductus arterious)과 타원공(foramen ovale)은 닫히게 된다.
- 폐 안의 체액은 림프액과 모세혈관에 의해 제거된다.

영아기의 호흡(Respiration in infancy)

앞에서 언급한 중요한 변화가 종료된 후에도 영아의 호흡기계는 여러 가지 중요한 면에 있어서 성인과 다르다. 이런 점들이 지속적으로 문제를 일으킬 수 있는데 특히 스트레스 상태에서는 더욱 그렇다.

역학과 기류(Mechanics and airflow)

영아의 흉벽은 유순도가 높기 때문에 영아의 기능잔기용량(FRC)은 성인보다 작다. 또한 늑골이 성인보다 더 수평적이기 때문에 흡기 시 흉곽의 용적도 크게 증가하지 않는다. 영아의 횡격막은 흉곽 중 높은 곳에 위치하며 횡격막근이 좀 더 수평적으로 부착돼있고 따라서 부착부위(zone of apposition)도 작아서 근섬유수축도 제한되므로 흉곽의 용적 변화 또한 작다. 호흡근육량도 상대적으로 적고 내피로성 섬유(fatigue resistant fibers)의 수도 적기 때문에 스트레스 상태에서 높은 부하를 계속 감당할 수 있는 능력이 제한된다. 기도직경 또한 상당히 작아 점액이나 점막부종과 같은 문제로 기도직경이 좁아지면 기도저항은 크게 증가한다.

가스교환(Gas exchange)

출생 후 폐포 수가 완전한 상태가 되는 데는 수년이 걸린다. 호흡장애가 발생할 때 영아에서 저산소혈증이 빠르게 발생하는 경향이 있다. 이는 영아의 기능잔기용량(FRC)이 작고 또 대사율은 높기 때문에 환기량 감소 시 폐포Po_2가 크게 감소하기 때문이다.

호흡조절(Control of breathing)

호흡조절계(ventilatory control system)의 발생은 임신 초부터 시작되나, 출생 시까지도 완성되지 못한다. 신생아에서는 Pco_2 변화에 대한 환기반응은 둔화되어 있고 저산소혈증에 대해서는 이중적인 반응을 보이는데 출산 후 어느정도 경과한 영아 및 성인에서는 저산소혈증이 지속적으로 환기량을 증가시키는데 반해, 신생아에서는 저산소혈증 발생시 일시적으로 환기량이 증가했다가 기저상태로 복귀되고 또 어떤 경우에는 환기량이 오히려 감소하는 소견을 보이기도 한다. 또한 미숙아에서는 무호흡증이 발생할 수 있다. 생후 약 2주가 경과하면 저산소혈증에 대해 성인과 동일한 반응을 보이게 된다.

핵심개념(Key concepts)

1. 운동은 산소섭취량과 이산화탄소배출량을 크게 증가시킨다. $\dot{V}o_{2max}$까지 작업량(work rate)이 증가될 때 산소소모량은 선형적으로 증가한다. 환기량은 크게 증가하나 심박출량은 상대적으로 적게 증가한다.

2. 높은 고도에 적응하는 과정에서 가장 중요한 특징은 과환기이며 매우 높은 고도에서는 동맥혈Pco_2가 극도로 낮아진다. 적혈구증가증(polycythemia)은 혈액의 산소농도를 증가시키지만 그 과정은 천천히 진행된다. 적응과정의 또 다른 특징은 산화효소의 변화와 일부조직에서 모세혈관의 밀도가 증가하는 것이다.

3. 고농도산소를 호흡하는 환자에서 만일 기도가 점액 등으로 막혀 있는 경우 무기폐가 발생하기 쉽다. 무기폐는 대기호흡 중에도 발생할 수 있지만, 이때는 훨씬 느리게 발생한다.

4. 심해 잠수 후, 혈액 안에 질소기포가 형성되어 감압병이 발생할 수 있다. 이때는 관절통(감압통, bends)이 유발될 수 있으며 호흡기와 CNS에도 영향을 줄 수 있다. 잠수종료 시 수면을 향해 점진적으로 상승하면 예방할 수 있으며, 치료는 재가압(recompression)이다.

5. 대기오염물질은 흔히 에어로졸의 형태로 존재하는데 입자의 크기에 따라 충격(impaction), 침전(sedimentation), 확산(diffusion)에 의해 폐에 침착한다. 이후

대기오염물질은 기도에서는 점액섬모에스컬레이터(mucociliary escalator)에 의해, 또 폐포에서는 대식세포에 의해 제거된다.

6. 태아의 환경은 심한 저산소상태이며 하행대동맥의 P_{O_2}는 25 mmHg 미만이다. 출산 후 태반순환에서 신생아의 폐가스교환으로 전환될 때 순환기계에는 극적인 변화가 일어나는데, 이때 폐혈관저항은 현저히 감소하고 동맥관(ductus arterious)과 타원공(foramen ovale)은 폐쇄된다. 성인호흡기계와는 출생 후 중요한 차이가 발견되며 스트레스 상황에서는 어려움을 더 쉽게 겪을 수 있다.

임상증례검토(Clinical vignette)

25세의 국가대표급 사이클 선수가 훈련의 일환으로 운동부하검사를 하고 있다. 이 선수는 자전거 에르고미터(cycle ergometer)의 페달을 밟아 지칠 때까지 꾸준히 작업량(work rate)을 높이고 있다. 총환기량, 산소소비량, 이산화탄소배출량, 동맥혈산소포화도(맥박산소측정법), 폐동맥수축기압(심초음파검사)을 측정하였고 그 결과를 표에 정리했다.

Variable	Rest	Midexercise	Maximum exercise
O_2 consumption (mL/min)	250	2,000	4,000
CO_2 output (mL/min)	200	1,950	4,500
Ventilation (L/min)	6	60	150
Systemic blood pressure (mmHg)	100/70	180/75	230/80
Pulmonary artery systolic pressure (mmHg)	25	28	35
Arterial P_{O_2} (mmHg)	90	90	89
Arterial P_{CO_2} (mmHg)	40	39	31
pH	7.4	7.39	7.10

또한 아래의 그래프는 검사 진행 중 산소흡수량과 총환기량의 관계를 표시한 것이다.

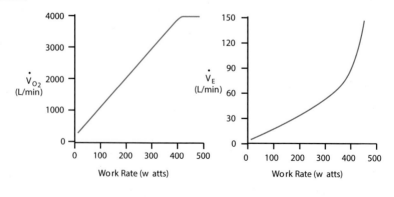

- 운동부하검사 후반기에 최대산소소모량이 일정한 '고원(plateau)'이 나타나는 이유는?
- 검사과정에서 총환기량이 급격히 증가하는 형태변화의 기전을 어떻게 설명할 수 있나?
- 운동부하검사 후반기에 폐포-동맥P_{O_2} 차는 어떻게 되나?
- 운동부하검사 과정에서 관찰된 산-염기상태의 변화를 어떻게 설명할 수 있나?

문제(Questions)

각 문항에 대해 가장 적절한 답 한 개를 선택하라.

1. 평소 건강하였지만 운동을 거의 하지 않았던 비활동적인 여성이 운동 시 호흡곤란의 원인을 찾기 위해 해수면압 상태에서 심폐운동검사를 받고 있다. 아래 표에는 검사시작 전과 최대운동 시 얻은 검사결과이다. 점진적으로 운동량을 증가시킬 때 비정상적인 반응을 보일 것이라 예측되는 변수는?

Variable	Rest	Maximum exercise
Blood pressure (mmHg)	110/78	170/105
Heart rate (beats/min)	90	180
Arterial P_{CO_2} (mmHg)	40	33
Arterial P_{O_2} (mmHg)	90	60
Ventilation (L/min)	8	140

- **A.** 동맥혈P_{CO_2}
- **B.** 동맥혈P_{O_2}
- **C.** 혈압
- **D.** 심박수
- **E.** 환기량

2. 신생아에서 출생 후 수일간 호흡일이 증가된 소견이 확인되었다. 진찰 중 심잡음(heart murmur)이 발견되었고 심초음파검사에서 동맥관(ductus arteriosus)의 혈류가 관찰되었다. 다른 부위에 선천성심장질환이 없다면, 다음 중 이 영아에서 발견될 것으로 예상되는 것은 무엇인가?

    A. 폐순환 혈류 감소

    B. 동맥혈P_{CO_2} 증가

    C. 폐혈관저항 증가

    D. 좌심방 확장

    E. 열린타원구멍(patent foramen ovale)

3. 패혈쇼크로 입원한 40세 남성을 F_{IO_2} 1.0으로 기계환기 중이다. 우중엽의 입구가 점액전(mucus plug)으로 완전히 막혔다면 어떤 일이 발생할 것으로 예상하는가?

    A. 우중엽 무기폐

    B. 동맥혈 P_{CO_2} 증가

    C. 우중엽으로 가는 혈류 증가

    D. 우중엽에서 환기-관류비 증가

    E. 우측 기흉

4. 다음 중 태아의 혈액순환에서 정상적인 혈류경로를 바르게 설명한 것은?

    A. 대동맥 → 동맥관(ductus arteriosus) → 폐동맥

    B. 대동맥 → 말초조직모세혈관 → 태반

    C. 좌심실 → 타원구멍(foramen ovale) → 우심실

    D. 태반 → 말초조직모세혈관 → 하대정맥

    E. 우심방 → 타원구멍(foramen ovale) → 좌심방

5. 국제우주정거장에서의 임무를 수행하기 위해 발사되는 로켓 안에 우주비행사가 앉아 있다. 우주선이 지구의 대기를 벗어나고 1G에서 0G로 전환함에 따라 발생할 것으로 예상되는 것은 다음 중 무엇인가?

    A. 폐첨부로 가는 혈류 감소

    B. 말단기관지내 중간 크기 입자의 침착 감소

    C. 흉곽내 혈액량 감소

    D. 폐첨부의 환기량 감소

    E. 폐첨부의 환기-관류비 증가

6. 45세 남성이 주택화재로 인한 손상을 치료하기 위해 3기압(atm)의 고압실에 입실하였다. 환자는 의식혼탁과 흡인화상 등으로 삽관 중이며, 고압실에 있는 동안 F_{IO_2} 0.5로 기계환기 중이다. 고압실 입실 후 60분 만에 입술을 떨다가 1분간 전신발작이 발생했다. 증상악화의 원인일 가능성이 가장 높은 것은 다음 중 어떤 것인가?

A. 뇌동맥가스색전증
B. 일산화탄소분압 증가
C. 질소분압 증가
D. 산소분압 증가
E. 질소기포 형성

7. 다음 그래프는 건강한 사람의 운동폐기능검사 중 분당환기량의 변화를 나타낸 것이다. 다음 중 A단계와 비교할때 B단계에서 분당환기량의 상승률이 달라진 원인은 무엇인가?

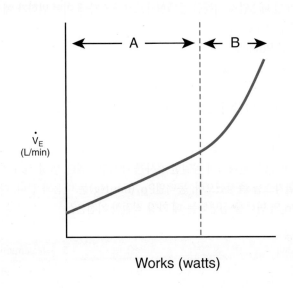

A. 기관지확장
B. 동맥혈 P_{CO_2} 감소
C. 동맥혈 P_{O_2} 증가
D. 혈청 젖산농도 증가
E. 헤모글로빈의 산소해리곡선이 우측으로 이동

8. 45세 남성이 하와이에서 휴가 중 스쿠버다이빙을 하고 있다. 스쿠버탱크의 가스가 떨어질 것을 우려하여 빠르게 수면 위로 올라왔는데, 수면 위로 올라온 후 수 시간이 지나면서 무릎과 팔꿈치에 심한 통증과 가려움증이 발생하였고, 계속하여 호흡곤란과 청각, 시력 등에 문제가 발생하였다. 다음 중 이 문제들을 가장 잘 설명할 수 있는 기전은 무엇인가?

   A. 질소가스기포

   B. 잠수하는 동안 과도한 이산화탄소분압

   C. 잠수하는 동안 과도한 산소분압

   D. 상승 중 호기를 내쉬지 못해서

   E. 중이와 부비동의 압박

9. 23세 여성이 연구계획의 일환으로 해수면에서부터 해발고도 4,559 m 산 정상에 있는 오두막에 올라갔다. 정상도착 직후 동맥혈가스검체를 채취하였고 5일째 아침에 재검사를 하였다. 만일 이 여성이 계속 건강한 상태였다면, 도착 즉시 시행한 결과와 비교할 때 5일째 시행한 동맥혈가스검사 결과에 어떤 변화가 예상되는가?

   A. 동맥혈 P_{CO_2} 감소

   B. 동맥혈 P_{O_2} 감소

   C. 염기과잉(base excess) 증가

   D. pH 증가

   E. 혈청중탄산염 증가

10. 48세 여성이 해수면압에서 운동폐기능검사 중 최대운동능력에 도달했고 또 해발고도 5,400 m에 올라가서 동일한 검사를 재시행하였다. 안정 시와 최대운동 시 각각 동맥혈가스를 측정했으며, 동맥혈P_{O_2} (mmHg)는 다음과 같다. 다음 중 관찰된 동맥혈P_{O_2}의 변화를 설명하는 데 가장 적절한 기전은?

Test location	Rest	Maximum exercise
Sea level	90	90
5,400 m	50	38

   A. 사강비(dead space fraction) 감소

   B. 헤모글로빈 농도 감소

   C. 과환기

   D. 션트비(shunt fraction) 증가

   E. 적혈구의 모세혈관 통과시간 단축

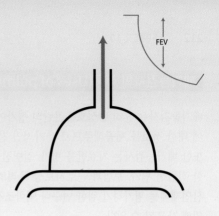

FEV

폐기능검사
(Tests of pulmonary function)

폐기능을 측정할 때 호흡생리학이 어떻게 적용되는가?*

마지막 10장에서는 임상에서 호흡생리학의 중요한 실제적인 적용인 폐기능검사를 다룬다. 첫 번째로, 매우 단순하지만 그럼에도 매우 유용한 검사인 강제호기법에 대해 살펴본다. 그리고 나서, 환기-관류관계, 혈액가스, 폐역학, 환기제어, 그리고 운동부하검사에 대해 설명한다. 1장에서 9장까지에 포함된 호흡생리학의 원리를 이해함으로써 독자는 이 장에서 논의된 폐기능검사의 세부사항과 효용성을 이해할 수 있다.

10장을 끝까지 읽은 독자는 다음과 같은 것을 할 수 있어야 한다.

- 폐기능검사법의 적용을 설명한다.
- 폐쇄성질환과 제한성질환을 구별하기 위한 $FEV_{1.0}$, FVC 그리고 유량-용적곡선의 사용법을 설명한다.
- 환기-관류불균등을 평가하기 위한 다양한 방법을 설명한다.
- 폐포-동맥혈Po_2 차를 이용하여 저산소혈증의 원인을 감별한다.
- 폐유순도, 기도저항과 폐쇄용적을 측정하는 방법을 개략적으로 설명한다.
- 만성호흡곤란 환자평가 시 운동부하검사의 역할을 설명한다.

---

* 이 장에서는 폐기능검사에 대해서 간략히 소개한다. 더 상세한 설명은 West JB, Luks AM, West's Pulmonary Pathophysiology: The Essentials. 9th ed. Wolters Kluwer; 2018에서 확인할 수 있다.

폐기능검사의 적용(Uses of pulmonary function testing)

폐기능검사는 흔히 만성호흡곤란의 평가에 적용되며 환자의 생리학적 이상소견의 특징에 대한 정보를 제공해주므로 추가적인 진단평가와 치료 시 가이드 역할을 할 수 있다. 또한 폐기능검사는 치료반응 평가, 질병진행 감시, 폐절제술과 같은 수술진행 여부에 대한 적합성 평가, 보험과 근로자보상 목적의 장애평가에도 사용할 수 있다. 마지막으로, 산업재해를 평가하기 위한 연구나 역학조사 그리고 지역사회질환의 유병률을 조사하기 위해 사용될 수 있다.

진단목적으로 사용되는 경우, 폐기능검사의 주된 역할은 급성보다는 만성호흡장애 문제를 평가하는 데 있다. 그러나 동맥혈가스는 흉부촬영, 심장초음파, 심전도 등과 함께 급성호흡곤란, 급성저산소혈증을 평가하는 데 핵심적인 역할을 하기 때문에 중요한 예외적인 폐기능검사 중 하나이다.

폐기능검사는 유용한 진단도구이나 적절한 목표를 갖고 검사를 적용하는 것이 중요하다. 또 폐기능검사는 대상이 되는 환자의 생리학적 문제에 대한 일차적인 정보를 제공하고 추가평가를 위한 방법을 제시할 수는 있지만 최종진단명을 확인해 주는 경우는 드물다. 예를 들어, 검사결과로 환자에서 기류폐쇄의 유무 또는 유순도 감소 여부는 알 수는 있지만, 이 같은 생리학적 장애의 원인을 파악하기 위해서는 다른 임상적 또는 영상의학적인 자료가 필요하다. 이와 같은 문제들은 West's Pulmonary Pathophysiology (9판)에 더 자세히 설명되어 있다.

다음에 설명된 검사 중 일부는 높은 수준의 폐기능검사실에서만 시행할 수 있는 반면, 폐활량측정법(spirometry)과 같은 검사들은 외래환자 진료실에서도 쉽게 시행할 수 있다.

환기(Ventilation)

강제호기(Forced expiration)

제7장(그림 7.19)에서 설명한 바와 같이 강제호기법(forced expiratory maneuver) 또는 폐활량측정법(spirometry)으로 노력호기폐활량(forced expiratory volume, FEV)과 강제폐활량(forced vital capacity, FVC)을 측정할 수 있다. 이런 측정치는 환자의 일차적인 생리학적 이상을 확인하는 데 유용하다. 제한성폐질환은 폐나 흉벽의 유순도가 감소되어 있거나 또는 호흡근이 약해져 흡기가 제한된다. 폐쇄성폐질환에서는 보통 총폐용량이 비정상적으로 크지만, 호기는 조기에 종료된다. 조기에 호기가 종료되는 원인은 천식과 같이 기관지평활근의 긴장도가 증가되거나 또는 폐기종과 같이 기관지에 방사상

으로 작용하는 폐실질의 견인력이 사라지면서 기도폐쇄가 발생하기 때문이다. 다른 원인으로는 기관지 벽의 부종이나 기도 내 분비물도 포함된다.

기도저항이 증가하거나 또는 폐의 탄성반동이 낮아지면 $FEV_{1.0}$(또는 $FEF_{25\%-75\%}$)이 감소한다. 그리고 $FEV_{1.0}$의 감소는 호기노력과 관계없이 상당히 독립적이다. 그 이유는 앞에서 설명했던 기도의 동적압축(dynamic compression of airways) 때문이다(그림 7.18 참고). 이러한 기전은 허탈점(collapse point) 하류(즉, 말초기도 쪽의)의 기도저항과 유속에 독립적이며 유속은 폐의 탄성반동압과 허탈점 상류(즉, 중심기도 쪽의)의 기도저항에 의해 결정되는 이유를 설명한다. 최소한 호기 초기에 기도허탈이 발생하는 위치는 대기도에 존재한다. 따라서 예를 들어 폐기종이나 천식에서처럼 기도저항의 증가, 폐탄성반동압의 감소가 $FEV_{1.0}$의 감소에 중요한 요소가 될 수 있다.

이 두 검사항목의 비율($FEV_{1.0}/FVC$)도 계산하여 진단을 위해 사용한다. 폐쇄성폐질환에서는 이 비율의 감소가 관찰되지만 제한성폐질환에서는 이 같은 결과는 관찰되지 않는다. 결과판독에 사용되는 지침에 따라 정상하한치는 다소 차이가 있다.

이 같은 검사항목 외에도 폐활량측정법(spirometry)은 또 다른 유용한 정보인 유량-용적곡선을 제공한다(그림 7.16 참고). 그림 10.1은 호기 초기 비교적 소량의 가스가 배출된 다음, 기도압박에 의해 유량이 제한되고 또한 폐탄성 반동과 허탈지점 상류기도의 저항에 의해 유량이 결정된다는 것을 상기시켜준다. 제한성폐질환에서는 총폐활량이 감소하며 최대호기유속(maximum flow rate)도 감소한다. 그러나 만일 유량이 절대적인 폐용적(즉, 단일호기법으로 측정이 불가능한 잔류용적을 포함하여)과 관련되면, 호기 후반부에 흔히 유속(flow rate)이 비정상적으로 높다(그림 10.1B). 이는 간질성폐질환에서 폐탄성반동의 증가 및 기도를 개방하는 폐실질의 방사상 견인력(radial traction)의 증가로 설명할 수 있다. 반면에 폐쇄성폐질환에서는 폐활량에 비해 유속이 매우 낮고, 최대유량을 보인 이후 곡선이 오목거울처럼(scooped-out appearance) 넓게 퍼진 형태를 보이는 경우가 많다.

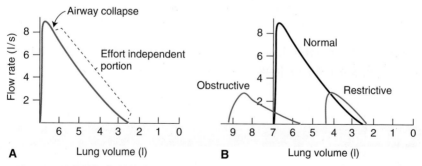

그림 10.1. 최대흡기(maximum inspiration)상태에서 강제호기가 진행되는 동안 용적변화에 대한 유량변화를 기록하여 얻은 유량-용적곡선이다. 그림에서의 수치는 절대적인 폐용적을 보여주지만, 단일호기법으로는 측정할 수 없다. 자세한 내용은 본문을 참조하라.

폐활량측정(spirometry)은 흡입형 속효성기관지확장제를 투여하기 전, 후 모두 시행되기도 한다. 기관지확장제 투여 후 $FEV_{1.0}$과 FVC의 변화는 환자의 기도기능에 대한 추가적인 해석(가역성 기도폐쇄 여부)을 제공한다.

폐용적(Lung volumes)

폐활량측정법(spirometry)에 의한 폐용적 측정, 그리고 헬륨희석법(helium dilution)과 체적변동기록법(body plethysmography)에 의한 기능잔기용량(functional residual capacity, FRC) 측정에 대해서는 앞에서 설명하였다(그림 2.2, 2.4 참고).

또한 피험자에게 수 분간 100% O_2를 호흡하게 하여 피험자의 폐에서 모든 N_2를 세척하는 방법으로도 기능잔기용량을 측정할 수 있다. 폐용적을 V_1, 7분간 내쉰 가스의 총용적을 V_2 그리고 이때 N_2농도를 C_2라고 가정하자. 세척 전 폐 내 N_2농도가 80%임을 알고 있으므로, 입술에 질소농도측정기를 연결하여 호기말가스를 채취해 폐에 남아 있는 N_2농도를 측정할 수 있다. 이때 측정된 N_2농도를 C_3라고 하자. 그리고 나서, N_2양의 절대치에 변화가 없다고 가정하면, $V_1 \times 380 = (V_1 \times C_3) + (V_2 \times C_2)$로 정리할 수 있고 V_1을 계산할 수 있다. 이 방법의 단점은 7분 동안 채집된 가스 중 질소농도가 매우 낮기 때문에 N_2가스농도를 측정할 때 작은 오류가 발생하면 폐용적 계산 시 큰 오류가 발생한다는 것이다. 게다가, 세척된 N_2 일부는 신체조직에서 나온 것인데, 이것은 용인할 수밖에 없다. 이 방법은 헬륨희석법과 마찬가지로 환기가 가능한 폐용적만 측정할 수 있는 반면, 그림 2.4에서 살펴본 바와 같이 체적변동기록법은 폐쇄된 기도의 말초부위에 갇혀있어 환기가 되지 않는 가스용적도 총폐용량으로 측정된다.

파울러씨의 방법(Fowler's method)에 의한 해부학사강의 측정은 앞에서 설명하였다(그림 2.6 참고).

확산(Diffusion)

일회호흡법에 의한 일산화탄소확산능 측정원리는 39-40페이지에서 설명하였다. 산소확산능은 측정하기 매우 어려우며, 연구목적으로 시행된다.

혈류(Blood flow)

Fick원리와 지시약희석법(indicator dilution method)에 의한 총폐혈류(total pulmonary blood flow)측정법은 57페이지에서 설명하였다.

환기-관류관계(Ventilation-perfusion relationships)

환기와 관류의 지형적 분포(Topographical distribution of ventilation and perfusion)

앞에서 간단히 설명한 바와 같이 환기, 관류의 지역적 차이는 방사성동위원소 크세논을 사용하여 측정할 수 있다(그림 2.7 및 4.7 참고).

환기의 불균등성(Inequality of ventilation)

환기의 불균등성은 단일호흡법(single-breath method)과 다중호흡법(multiple-breath methods)으로 측정할 수 있다. 단일호흡법은 해부학사강을 측정하기 위해 사용되는 Fowler법과 매우 유사하다(그림 2.6). 산소를 한 번 흡입한 후 구강에서 측정한 호기가스N_2농도는 거의 일정하여 '폐포고원(alveolar plateau)'을 보인다. 이것은 일회흡입한 산소에 의해 폐포가스가 거의 균등하게 희석되었음을 반영한다. 이와는 대조적으로 어떤 폐질환 환자에서는 호기 중 폐포N_2농도가 계속 상승하는 소견을 보이는데 이는 일회흡입한 산소가 폐질환의 영향으로 폐포 내 N_2와 균등하지 못하게 희석된 것이 원인이다.

질소농도가 증가하는 이유는 환기가 잘 되지 않았던 폐포, 즉 환기가 잘 되지 않아 흡입한 산소가 폐포로 들어가지 못해 N_2희석이 가장 덜 진행된 예를 들면, 폐첨부의 폐포 내 가스가 항상 마지막에 배출되기 때문인데, 이는 아마도 이 폐포 내 가스가 긴 시간 상수(long time constants)를 보이기 때문일 것이다(그림 7.20과 10.4 참고). 임상에서는 750-1,250 mL 사이의 호기가스량에서 N_2%농도 변화를 불균등한 환기의 지표(index of uneven ventilation)로 종종 사용한다. 이 방법은 단순하고 빠르며 유용한 검사이다.

다중호흡법은 그림 10.2와 같이 N_2가 세척되는 속도에 기초한 방법이다. 피험자는 100% 산소에 연결되어 있으며, N_2농도신속측정기가 구강가스를 분석한다. 만일 폐의 환기가 균등하면 N_2농도는 매번 호흡할 때마다 동일한 비율로 감소할 것이다. 예를 들어, 일회호흡량(사강 제외)이 만약에 기능잔기용량(FRC)과 같다면 매번 호흡할 때마다 N_2농도는 반으로 줄어들 것이다. 일반적으로 N_2농도는 FRC/[FRC + (V_T - V_D)]과 직전 호흡의 N_2농도를 곱한 것이다. 여기서 V_T와 V_D는 각각 일회호흡량와 해부학사강량이다. 매번 호흡할 때마다 N_2가 같은 비율로 감소하기 때문에 만일 폐가 하나의 균일한 환기구획으로 작동하면 호흡수에 대한 로그N_2농도의 그래프는 직선이 될 것이다(그림 10.2 참고). 건강한 사람에서는 거의 이와 같은 결과를 보인다.

그러나 폐질환이 있는 환자는, 각각의 폐단위마다 N_2가 각기 다른 속도로 희석되기 때문에 환기가 균등하지 못해 곡선그래프를 보인다. 따라서, 환기가 빠른 폐포는 초기에

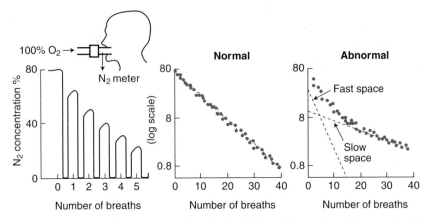

그림 10.2. 피험자가 100% O_2를 호흡한 후 N_2세척과정을 측정한다. 반대수(semilogarithmic) 그래프에서 정상폐는 호흡수에 대해 N_2농도가 거의 선형그래프를 보이지만, 균등하지 못한 환기가 존재할 때 비선형적인 그래프를 보인다.

N_2농도가 빠르게 떨어지는 반면에 환기가 느린 폐포는 N_2배출에 걸리는 시간이 길어진다(그림 10.2 참고).

환기-관류비의 불균등성(Inequality of ventilation-perfusion ratios)

폐질환이 있을 때 환기-관류불균등을 평가하는 한 가지 방법을 Riley가 제안하였다. 이 방법은 동맥혈 및 호기가스의 P_{O_2}와 P_{CO_2}측정치를 기반으로 한다(원리에 대해서는 5장에서 간단히 설명하였다). 임상에서는 환자의 호기가스와 동맥혈을 동시에 검사하고, 그 결과를 통해 환기-관류불균등과 관련된 다양한 지수를 계산한다.

한 가지 유용한 측정치는 폐포-동맥혈P_{O_2}차(alveolar-arterial P_{O_2} difference)이다. 정상 폐에서도 국소적인 가스교환의 차이에 의해 어떻게 폐포-동맥혈P_{O_2} 차가 발생하는지 그림 5.11에서 설명하였다. 그림 10.3은 산소-이산화탄소도표(O_2-CO_2 diagram)인데 폐포-동맥혈P_{O_2} 차가 어떻게 발생하는지 더 자세히 살펴볼 수 있다. 먼저, 환기-관류불균등이 전혀 없다고 가정하면 모든 폐단위는 환기-관류곡선(ventilation-perfusion line)상의 단일점인 (i)에 표시된다. 이 점은 환기-관류의 불균등이 없는 이상적인 지점이라고 할 수 있다. 그런데 만일 어떤 폐단위에 환기-관류불균등이 발생하기 시작하면 그 특성에 따라 이상적인 지점인 i로부터 양방향을 향해, 즉 v̄(환기-관류비가 낮은 경우)나 또는 I(환기-관류비가 높은 경우)로 폐단위가 각각 나뉘게 된다(그림 5.7과 비교). v̄철자 위의 막대표시는 혼합정맥혈을 의미한다. 이렇게 되면 혼합모세혈액(mixed capillary blood, a)과 혼합폐가스(mixed alveolar gas, A) 또한 i로부터 양쪽으로 나뉘어진다.

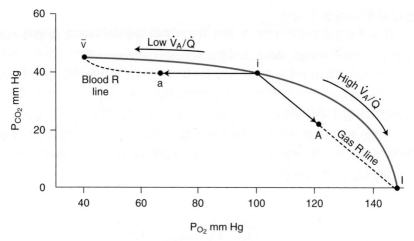

그림 10.3. O_2-CO_2다이어그램은 이상적인 점(i), 즉 환기-관류불균등이 없는 폐포가스와 폐모세혈관의 말단혈액의 가상적인 구성을 보여준다. 불균등이 발생함에 따라 동맥(a)과 폐포(A)점은 각각의 R(호흡교환비)선을 따라 나뉘게 된다. (혼합)폐포-동맥혈O_2차는 동맥(a)과 폐포(A)점 사이의 수평 거리이다.

일정한 호흡교환비율(CO_2배출/O_2흡수, 호흡상수R)을 나타내는 i-$\bar{v}$ 및 i-I 선을 따라 나누어지는데, 그 이유는 이 선이 신체조직의 신진대사에 의해 결정되기 때문이다.[*]

　　A와 a 간의 수평거리(x축의 거리)는 혼합폐포-동맥혈Po_2 차(*mixed alveolar-arterial Po$_2$ difference*)를 나타낸다. 임상에서 이 차이는 기본적으로 환기는 균등하고 관류가 불균등한 경우에만 쉽게 측정될 수 있는데 그 이유는 이 같은 경우에만 혼합폐포가스(A)를 대표하는 검체를 얻을 수 있기 때문이다. 폐색전증이 때때로 이와 같은 경우에 해당한다. 더 흔하게 이상적인 폐포가스-동맥혈간의 Po_2차(*ideal alveolar-arterial Po$_2$ difference*)는 계산을 통해 구한다. 이상적인 폐포Po_2는 폐포가스방정식을 이용하여 계산할 수 있는데 흡기가스의 산소농도(Fio_2)에 따른 어떤 폐단위의 Po_2와 호흡교환비율(R) 그리고 Pco_2가 필요하다[참고: $P_AO_2 = Fio_2 \times (PB - PH_2O) - PA_{CO_2}/R$]. 이상적인 폐포인 경우, 지점i를 통과하는 선은 거의 수평이기 때문에 폐포Pco_2와 동맥혈Pco_2는 같다고 간주한다. 폐포-동맥혈Po_2 차는 i와 v 사이에 해당하는 폐단위에서, 즉 환기-관류비가 낮은 폐포단위에서 발생한다는 점을 기억하자. 이상적인 폐포Po_2를 계산하려면 흡기가스Po_2(Fio_2)를 알아야 하는데 예를 들어 비강캐뉼러나 다른 산소공급 장치를 통해 보충산소를 공급을 받는 경우에는 Fio_2를 정확히 알기 어려운 경우가 있다. 그러나 만일 환자가 대기호흡($Fio_2 = 0.2$) 중이거나 인공호흡기를 통해 산소를 공급받는 경우에

---

[*] 간단하게 기술하려고 일부 상세한 내용은 생략하였다. 예를 들어, 환기-관류불균등이 발생하면 혼합정맥점은 변하게 된다.

는 더 쉽게 Fio_2를 알 수 있다.

환기-관류불균등의 추가적인 두 개의 지표가 흔히 파생되어 나온다. 첫 번째 지표는 *생리적션트(physiologic shunt, 정맥혼합물; venous admixture라고도 함)*이다. 이를 위해 이상적인 지점 (i)에서 좌측으로 동맥점(a)을 이동시키는 모든 움직임, 즉 이때 관찰되는 저산소혈증은 이상적인 혈액(i)에 혼합정맥혈액(v)이 추가되어(즉, 션트가) 발생했다고 가정한다. 환기-관류비가 매우 낮은 폐단위들은 본질적으로 혼합정맥혈과 동일한 상태의 혈액을 폐정맥으로 내보내기 때문에 이 방법은 처음에 생각한 것과 달리 그렇게 환상적인 방법은 아닌 것 같다(그림 5.6과 5.7 참고). 임상에서는 다음과 같은 형태의 션트방정식(그림 5.3 참고)이 사용된다.

$$\frac{\dot{Q}_{PS}}{\dot{Q}_T} = \frac{Ci_{O_2} - Ca_{O_2}}{Ci_{O_2} - C\bar{v}_{O_2}}$$

여기서 $\dot{Q}_{PS}/\dot{Q}_T$는 총혈류량에 대한 생리학적 션트의 비율을 의미한다. 이상적인 혈액(i)의 산소농도는 이상적인 Po_2와 산소해리곡선으로부터 계산할 수 있다.

두 번째 지표는 *폐포사강(alveolar dead space)*이다. 여기서, 이상적인 지점(i)으로부터 멀어져 폐포지점(A)으로 이동하는 모든 움직임은 이상적인 가스에 흡기가스(I)가 추가되어 발생했다고 가정한다. 이 또한, 환기-관류비가 매우 높은 폐단위들은 지점 I와 아주 비슷한 상태이기 때문에 처음에 보이는 것처럼 터무니 없는 개념은 아니다.

어쨌든, 환기-관류비가 무한대로 높아진 폐단위에는 흡기가스와 동일한 성분의 가스가 추가된다(그림 5.6 및 5.7 참고). 사강을 계산하기 위한 보어방정식(23-25페이지 참조)은 다음과 같은 형태로 사용된다.

$$\frac{V_{D_{alv}}}{V_T} = \frac{Pi_{CO_2} - PA_{CO_2}}{Pi_{CO_2}}$$

여기서 A는 호기폐포가스(expired alveolar gas)를 의미한다. 전도기도의 용적인 해부학사강(anatomical dead space)과 구별하기 위해 이 결과를 폐포사강(alveolar dead space)이라고 한다. 해부학사강 내 가스와 혼합되지 않고, 즉 오염 없이 호기폐포가스만을 포집하기가 어려운 경우가 많기 때문에 혼합된 두 구역 내 호기가스의 이산화탄소농도가 측정되는 경우가 많다. 따라서 폐포사강과 해부학사강의 가스성분이 혼합되어 계산된 결과를 생리적사강(physiological dead space)라고 한다. 이상적인 가스의 Pco_2는 동맥혈Pco_2와 매우 비슷하기 때문에(그림 10.3 참고) 생리적사강을 계산하기 위한 공식은 다음과 같다.

$$\frac{V_{D_{phys}}}{V_T} = \frac{Pa_{CO_2} - P_{E_{CO_2}}}{Pa_{CO_2}}$$

생리적사강의 정상치는 안정 시 일회호흡량의 약 30% 정도이며 해부학사강의 거의 대부분을 차지한다. 건강한 사람에서 운동 시 생리적사강은 감소하나 급, 만성폐질환 환자에서는 환기-관류불균등으로 인해 생리적사강이 50% 이상 증가할 수 있다.

혈액가스와 pH (Blood gases and pH)

혈액가스전극으로 혈액의 P_{O_2}, P_{CO_2}, 그리고 pH를 쉽게 측정할 수 있다. 전혈의 pH를 측정하기 위해서 유리전극(glass electrode)이 사용된다. P_{CO_2}전극은 사실상 작은 pH 미터인데 전극의 중탄산완충용액과 혈액검체가 얇은 막으로 분리되어 있다. 얇은 막을 지나 혈액에서 전극으로 이산화탄소가 확산될 때, 완충용액의 pH는 헨더슨-하셀바흐 관계에 따라 달라진다. 그러면 pH미터가 P_{CO_2}를 판독하게 된다. 산소전극은 폴라로그래프(polarograph)로, 적절한 전압이 공급될 때 용해된 산소량에 비례하여 달라지는 미세전류를 측정하는 장치이다. 실제로, 이 세 개의 전극들은 하나의 기계 안에서 적절하게 전환되어 검사결과를 제공할 수 있도록 배열되어 있으며, 혈액검체에 대한 완전한 분석은 수분 내 완료될 수 있다. 간혹 동맥과 혼합정맥혈의 산소포화도를 Co-oximeter라고 불리우는 장치로 측정한다. Co-oximetry는 일산화탄소혈색소(carboxyhemoglobin)와 메트헤모글빈(methemoglobin)의 양을 측정하는 데 사용된다.

5장에서 우리는 낮은 동맥혈P_{O_2} 또는 저산소혈증의 네 가지 원인으로 (1) 저환기, (2) 확산장애, (3) 션트, (4) 환기-관류불균등이 있음을 공부했다. 또한 예를 들어 높은 고도에서처럼 흡기가스의 산소분압이 낮은 경우에도 동맥혈P_{O_2}가 감소될 수 있다.

이와 같은 원인들을 감별하기 위해 저환기는 항상 동맥혈 P_{CO_2} 증가와 관련이 있고, 또 100%산소를 투여해도 예상수준까지 동맥혈P_{O_2}가 상승하지 못하는 유일한 원인은 션트라는 것을 기억해야 한다. 폐질환에서 확산장애는 항상 환기-관류불균등을 동반하며, 확산장애가 실제 저산소혈증에 어느 정도 기여하는지를 확인하는 것은 거의 불가능하다.

동맥혈P_{CO_2} 증가에는 두 가지 원인 (1) 저환기, (2) 환기-관류불균등이 있다. 동맥혈 P_{CO_2}가 증가하는 경향을 보이면 화학수용체가 신호를 보내 호흡중추를 자극, 환기량을 증가시켜 P_{CO_2}를 감소시키므로 환기-관류불균등이 이산화탄소저류를 항상 유발하지 않는다. 생리적 범위 안에서 이산화탄소해리곡선은 가파르고 거의 직선이기 때문에 환기가 증가하면 P_{CO_2} 감소에 도움이 된다. 그렇지만 이와 같이 환기량의 증가가 없으면 P_{CO_2}는 반드시 상승한다. 표 6.3에 다양한 유형의 저산소혈증에서 혈액가스의 변화를 요약하였다.

혈액의 산-염기상태에 대한 해석은 6장에서 설명하였다.

호흡역학(Mechanics of breathing)

폐유순도(Lung compliance)

유순도(compliance)는 폐 전체의 단위압력변화(ΔP)에 대한 용적변화(ΔV)로 정의된다. 유순도를 알기 위해서는 흉막내압(intrapleural pressure)을 알아야 한다. 실제로 식도압은 피험자에게 말단에 작은 풍선이 달려 있는 카테터를 삽입하여 측정할 수 있다. 식도압과 흉막내압은 동일하지는 않으나 식도압은 흉막내압의 변화를 아주 잘 반영한다. 그러나 피험자의 자세가 앙와위(supine)인 경우 종격동 무게에 의한 간섭으로 측정치의 신뢰도가 떨어진다(역자 주: 종격동 무게를 보정하기 위해 앙와위 측정치에서 5 cmH_2O를 뺀다).

　유순도를 측정하는 간단한 방법은 폐활량계를 통해 피험자가 총폐용량부터 500 mL씩 숨을 내쉬며 이와 동시에 식도압을 측정하는 것이다. 이때 성문(glottis)은 열려 있어야 하며, 각 단계마다 폐가 수 초간 안정상태에 있도록 해야 한다. 이 방법으로 그림 7.3의 곡선과 비슷한 압력-용적곡선을 얻는다. 곡선 전체는 폐탄성의 특성을 보여주는 가장 효과적인 방법이다. 곡선모양의 지표(indices)들을 얻어낼 수 있다. 곡선의 기울기인 유순도는 폐용적이 어떤 상태에서 측정됐는지에 따라 달라진다. 통상적으로 호기도중에 기능잔기용량(FRC)보다 1 L 큰 지점의 기울기(slope)를 측정한다. 이렇게 하더라도 유순도측정의 재현성은 매우 낮다.

　그림 7.13과 같이 안정호흡(resting breathing) 중에도 폐유순도를 측정할 수 있다. 이때는 기류가 정지된 지점 즉, 흡기말 또는 호기말의 흉막내압은 기류와 관계없는 탄성반동력(elastic recoil force)만을 반영한다는 사실을 이용한 것이다. 따라서 이 지점에서 용적차를 압력차로 나눈것이 유순도가 된다.

　이 방법은 기도질환 환자에서는 적합하지 않은데, 왜냐하면 구강의 기류는 정지됐더라도 폐 전체에 걸쳐서 시간상수의 변이가 존재하므로 폐 안에 기류의 움직임은 계속 존재하기 때문이다. 그림 10.4에서 부분적인 기도폐쇄가 존재하는 폐구역을 생각해보면 기도폐쇄가 없는 폐구역에 비해 기도폐쇄가 있는 폐구역에서 기류가 항상 뒤늦게 나오는 것을 보여준다(그림 7.20과 비교해보라). 사실, 기도폐쇄가 없는 폐단위는 호기를 시작했는데 기도폐쇄가 있는 폐단위의 폐포를 향해 인접한 주변의 폐단위(포)로부터 가스가 이동하는-이른바 펜델루프트(pendelluft, swinging air)를 통해 기도폐쇄가 있는 폐포는 계속 채워질(팽창될) 수 있다. 호흡빈도가 빨라지면 부분적인 기도폐쇄가 있는 폐단위로 가는 일회호흡량의 비율은 점점 작아진다. 따라서 일회호흡량에 관계되는 폐단위는 점점 줄어들고, 폐의 유순도는 점차 감소하게 된다.

　또한 폐활량검사에서 제한성환기장애를 보인 환자에서 최대흡기압과 최대호기압을 측정해보면 신경근육병의 존재 여부를 알 수 있다. 횡격막근육에만 쇠약이 존재하는

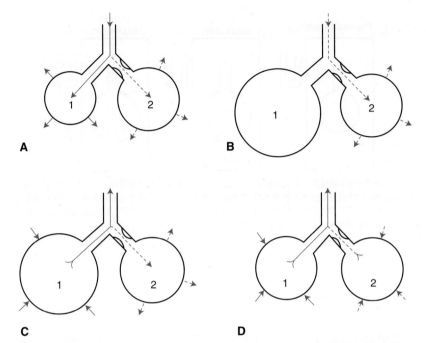

그림 10.4. 불균일한 시간상수(time constants)가 환기에 미치는 영향. 폐단위 2에 부분적인 기도폐쇄가 있기 때문에 시간상수는 길어진다(그림 7.20과 비교). 흡기 중에(A)에 가스는 천천히 유입되기 때문에 폐단위 1의 흡기가 완료 후에도 (B) 폐단위 2에는 흡기가스가 계속 채워진다. 실제로, 호기를 시작할 때(C), 폐단위 1은 호기를 시작하고 있는데 기도폐쇄가 있는 폐단위 2는 여전히 흡기 중일 수 있다. (D)는 폐단위 1, 2 모두가 호기 중이나 폐단위 2는 폐단위 1보다 호기가 늦게 진행된다. 호흡수가 빨라질수록 기도폐쇄가 있는 구획으로 흡기되는 일회호흡량은 점점 작아진다.

경우 최대흡기압만 감소하는 반면, 미만성신경근육병(diffuse neuromuscular disease)에서는 최대흡기압과 최대호기압 모두 감소하게 된다.

기도저항(Airway resistance)

기도저항은 '단위기류'당 폐포와 구강 사이의 '압력 차'이다. 기도저항은 체적변동기록법으로 측정할 수 있다(그림 10.5).

흡기 전, 상자 내 압력은 대기압이다. 흡기가 시작되면 폐포 안의 팽창된 가스의 용적(ΔV)만큼 폐포내압은 감소한다. 팽창된 폐가 상자(body box) 안의 가스용적을 압박하게 되고, 이때 발생하는 압력변화로부터 ΔV를 계산할 수 있다(그림 2.4와 비교). 만약 폐용적을 알면, Boyle's법칙을 이용 ΔV를 폐포압으로 변환할 수 있다. 동시에 기류량을 측정하면 기도저항을 계산할 수 있다. 같은 방법으로 호기 중에도 기도저항을 측정한

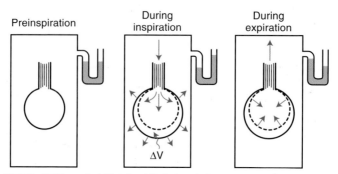

그림 10.5. 체적변동기록법으로 측정하는 기도저항. 흡기 중에 폐포가스는 팽창하고 따라서 상자 안의 압력이 상승한다. 이를 통해 폐포압을 계산할 수 있다. 기류를 폐포압에서 구강압을 뺀 값으로 나누면 기도저항을 계산할 수 있다(본문 참조). (Modified from Comroe JH. The Lung: Clinical Physiology and Pulmonary Function Tests. 2nd ed. Chicago, IL: Year Book; 1965. Copyright © 1965 Elsevier. With permission.)

다. 폐용적은 그림 2.4에서 설명한 대로 결정된다.

또한 정상호흡을 하는 동안 식도풍선으로 측정한 흉막내압을 이용하여 기도저항을 측정할 수 있다(그림 7.13 참고). 그러나 이 경우 조직점성저항(tissue viscous resistance)도 동시에 측정되어 기도저항에 포함된다(155–156페이지 참조). 흉막내압은 두 세트의 힘, 즉 (1) 폐조직의 탄성반동에 반발하는 힘과 (2) 기류(air flow)와 조직류(tissue flow)에 대한 저항을 이겨내는 힘을 반영하기 때문이다. 정상호흡(quiet breathing) 중 폐의 탄성반동력에 의해 발생한 압력은 뺄 수 있는데 그 이유는 폐의 유순도가 일정하면 이 압력은 폐용적에 비례하기 때문이다. 탄성반동력에 의해 발생한 압력은 전기회로를 통해 뺀다. 탄성반동력에 의한 압력을 뺀 다음 기류에 대한 압력변화를 구하면 (기류 + 조직)저항을 알 수 있다. 그러나 중증기도질환이 있는 폐에서 이 방법으로 기도저항을 측정하는 것은 적절하지 못한데, 그 이유는 폐단위에 따라 시간상수가 균일하지 않아 모든 폐단위가 동시에 움직이지 못하기 때문이다(그림 10.4 참고).

폐쇄용적(Closing volume)

소기도의 초기질환은 단회호흡질소세척법(single-breath N_2 washout, 그림 2.6 참고)을 통해 확인할 수 있는데 이는 환기의 지형적 차이(topographical differences)를 이용하는 것이다(그림 7.8과 7.9 참고). 피험자가 폐활량(vital capacity, VC)만큼 100% 산소를 흡기한 다음 숨을 내쉬는 동안 구강 내 질소농도를 연속적으로 측정한다고 가정해 보자(그림 10.6).

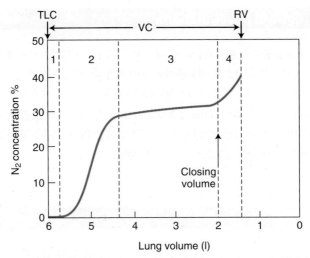

그림 10.6. 폐쇄용적의 측정. 폐활량(VC)까지 100% 산소를 일회흡입한 다음, 끝까지 배출하면서 구강에서 질소농도를 측정하면 4단계를 관찰할 수 있다(본문 참조). 마지막 단계(4)는 폐기저부의 기도가 폐쇄된 후 폐첨부의 가스가 우선적으로 배출되면서 질소농도가 갑자기 증가한다.

호기가스의 용적에 대한 질소농도의 변화를 표시한 그래프에서 호기과정을 4단계로 나눌 수 있다. (1) 가장 먼저 순수하게 사강내 가스만 배출되고 (2) 다음으로 사강과 폐포의 가스혼합물이 배출되며 (3) 마지막으로 순수한 폐포 내 가스가 배출된다. 그런데 (4) 호기말에 도달할 무렵 갑작스러운 질소농도의 상승이 관찰된다. 이것은 폐기저부에 위치한 기도가 폐쇄되는 것을 의미하는데(그림 7.9 참고), 이때는 폐기저부의 기도가 폐쇄되면서 폐첨부의 폐포 안에 들어있던, 상대적으로 고농도의 질소가 포함된 가스만 주로 배출되기 때문에 갑작스러운 질소농도의 상승이 관찰되는 것이다. 질소농도가 폐첨부에서 높은 이유는 폐활량(VC)까지 산소를 한번 흡입할 때 폐첨부는 덜 팽창되므로 폐첨부에는 산소가 덜 흡입되기 때문이다(그림 7.9 참고). 따라서 폐첨부의 질소는 흡입한 100%산소에 의해 덜 희석되므로 이 부위의 질소농도는 높은 상태를 유지한다. 그러므로 질소농도 변화를 추적하면 의존적인 기도(dependent airways)가 닫히기 시작하는 시점의 폐용적(closing volume)을 알 수 있다.

젊은 정상피험자에서 폐쇄용적은 폐활량(VC)의 약 10%이다. 폐쇄용적은 연령증가에 따라 꾸준히 증가하며, 65세는 폐활량의 약 40%까지 증가하는데 이 정도면 기능잔기용량(FRC)에 해당한다. 소기도질환 환자 중 비교적 적은 수에서만 명확한 폐쇄용적의 증가가 관찰된다. 때때로 폐쇄용적(closing capacity, CC)은 폐용적(CV)에 잔기량(RV)을 더한 것이다.

환기제어(Control of ventilation)

화학수용체와 호흡중추의 이산화탄소에 대한 반응은 175-177페이지에서 설명한 바와 같이 피험자가 고무백의 가스를 재호흡하면서 측정할 수 있다. 폐포P_{O_2}도 환기에 영향을 주기 때문에 이산화탄소변화에 따른 환기반응만 확인하려면 저산소에 의한 구동자극(호흡욕동)이 발생하지 않도록 P_{O_2}를 200 mmHg 이상을 유지해야 한다. 또한 저산소증에 대한 환기반응은 피험자에게 P_{O_2}는 낮지만 일정한 P_{CO_2}가 유지되는 고무백을 통해 호흡하게 하면서 비슷한 방법으로 측정할 수 있다.

운동(Exercise)

운동심폐기능검사(cardiopulmonary exercise testing)를 통해 심장과 폐기능에 대한 추가적인 정보를 얻을 수 있다. 9장의 초반부에서 설명한 바와 같이, 안정 시 폐에는 엄청난 예비량이 있다. 따라서 운동 시 환기량, 혈류, 산소 및 이산화탄소의 이동, 그리고 확산능등은 몇 배 이상 증가할 수 있다. 이런 호흡기계에 운동부하를 가하여 안정 시 보이지 않던 이상소견을 발견할 수 있다.

통제된 방법으로 운동부하를 부가하는 수단에 답차(treadmill)와 자전거근력기록기(bicycle ergometer)가 있다. 계속 증가하는 작업수준에 따라 피험자에게 부가되는 운동강도는 증가하며 이때 총환기량, 호흡수, 맥박수, 혈압, 심전도, 산소섭취량, 이산화탄소배출량, 호흡교환비, 동맥혈가스 등 다양한 항목을 측정한다. 이런 것을 측정하여 장애정도를 정량화하고 운동제한의 원인이 심장기능의 장애 또는 환기능력의 장애 때문인지 아니면 혈액-가스장벽을 통한 가스교환장애 때문인지를 확인하는 데 사용할 수 있다. 운동심폐기능검사는 다른 검사에서 원인이 명확히 밝혀지지 않은 만성호흡곤란의 평가에 매우 유용할 수 있다.

핵심개념(Key concepts)

1. 강제호기법은 간단히 시행할 수 있으며 매우 유용한 정보를 종종 제공한다. 폐쇄성 또는 제한성폐질환에서 특징적인 패턴을 관찰할 수 있다.
2. 동맥혈가스는 혈액가스전극으로 신속하게 측정할 수 있으며, 이 정보는 중환자관리에 종종 필수적이다.
3. 폐질환에서 동맥혈가스검사 결과를 이용, 폐포와 동맥혈P_{O_2}차를 계산하여 환기-관류불균등 정도를 평가할 수 있다.

4. 체적변동기록법으로 폐용적과 기도저항을 비교적 쉽게 측정할 수 있다.
5. 운동심폐기능검사는 운동제한의 원인을 확인하는 데 유용할 수 있다.

문제(Questions)

각 문항에 대해 가장 적절한 답 한 개를 선택하라.

1. 66세 여성이 9개월 동안 악화되는 운동 시 호흡곤란으로 왔다. 폐활량검사에서 연령, 키, 성별을 기초로한 정상예측치보다 상당히 낮은 FEV1.0을 보였고 FVC도 정상예측치보다 낮았으며, 또한 $FEV_{1.0}$/FVC 비율도 감소된 결과를 보였다. 다음 중이 결과를 설명할 수 있는 것은 무엇인가?
   A. 폐탄성반동 감소
   B. 폐모세혈관수 감소
   C. 간질공간 섬유화
   D. 기도에 작용하는 방사상 견인력 증가
   E. 혈액가스장벽 비후

2. 급성호흡부전으로 침습적 기계환기 치료를 받고 있는 환자에서 일회호흡량을 600 mL로 설정하였다. 아침 회진 중에 아래 표에 포함된 검사결과를 알 수 있었다.

pH	Arterial Po_2 (mmHg)	Arterial Pco_2 (mmHg)	End-tidal Pco_2 (mmHg)	Mixed expired Pco_2 (mmHg)
7.33	69	42	36	21

이 결과를 바탕으로, 이 환자의 생리적사강의 용적은 얼마인가?
   A. 85 mL
   B. 150 mL
   C. 250 mL
   D. 300 mL
   E. 450 mL

3. 30세 건강한 남성이 아편진통제를 과다복용한 후 응급실에 왔다. 도착 당시 대기
   호흡 중 산소포화도는 85%였고, 비강캐뉼러를 통해 분당 2 L의 산소를 공급한 뒤
   산소포화도는 98%로 호전되었다. 환자의 호흡수는 분당 6회로 얕은 호흡이었고
   흉부엑스선은 정상이었다. 이 환자가 대기호흡 중이라면 추가적인 검사를 통해 발
   견할 수 있는 것은 다음 중 무엇인가?
   A. 중탄산 감소
   B. $P_{A_{CO_2}}$ 감소
   C. pH 감소
   D. 폐포-동맥혈 P_{O_2} 차 증가
   E. 션트비 증가

4. 나이와 체형이 같은 두 명의 피험자에서 호흡주기 중 흉강압을 측정하기 위해 식도
   압모니터를 시행하였다. 흡기 시작 전 두 피험자의 기능잔기량(FRC)은 2.5 L, 흉강
   압추정치는 –5 cmH₂O였다. 각각의 피험자들은 총 0.5 L의 공기를 흡입한 후 성
   문(glottis)이 열린 상태에서 호흡을 멈추었다. 이 정지기간 중 피험자1의 흉강압은
   –10 cmH₂O이고, 피험자2의 흉강압은 –15 cmH₂O였다. 피험자1과 비교할 때 피
   험자2에서 측정된 흉강압이 더 음압인 이유는 다음 중 무엇인가?
   A. 기도점막 부종
   B. 탄성반동 감소
   C. 기도분비물 증가
   D. 폐혈관저항성 증가
   E. 폐섬유화

5. 두 명의 환자가 100% 산소를 폐활량(vital capacity)까지 한 번 흡입한 다음 숨을
   내쉬면서 측정한 질소농도의 변화를 각각의 환자별로 아래 그래프에 표시했다. 다
   음 중 환자1(검은선)과 비교하여 환자2(파란선)에서 감소할 가능성이 있는 것은 무
   엇인가?

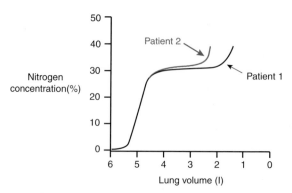

A. 해부학사강

B. 흉벽반동

C. 헤모글로빈 농도

D. 폐실질의 유순도

E. 기도를 개방하는 방사상 견인력

6. 장기간 흡연력이 있는 환자에서 만성호흡곤란의 원인을 찾기 위해 폐기능검사를 시행하였다. 폐활량검사에서 $FEV_{1.0}$ 1.25 L(예측치의 45%), FVC 3.0 L(예측치 65%), $FEV_{1.0}$/FVC는 0.42였다. 또한 질소세척법과 체적변동기록법을 사용하여 폐용적을 측정하였다. 이 두 가지 방법의 측정결과를 비교할 때 다음 중 어떤 결과를 보일 것으로 예상하는가?

A. 질소세척법이 폐용적이 더 크게 나온다.

B. 질소세척법이 폐용적이 더 작게 나온다.

C. 두 가지 방법의 측정값에 차이가 없다.

7. 만성호흡곤란 환자를 평가하기 위해 다호흡질소세척검사(multiple-breath nitrogen washout test)를 시행하였다. 호흡수에 따른 질소농도의 로그지수그래프를 보면 첫 번째 단계에서 질소농도가 빠르게 감소하고 다음 단계에서는 더 느리게 감소하는 뚜렷한 두 개의 단계를 보였다. 이 결과를 설명할 수 있는 것은 다음 중 어떤 것인가?

A. 헤모글로빈 농도 감소

B. 말초화학수용체 출력 감소

C. 폐모세혈관수 감소

D. 불균등한 환기

E. 혈액-가스장벽 비후

8. 폐렴의 합병증으로 중증 저산소호흡부전이 발생한 33세 여성환자를 기계환기 치료 중이다. 삽관 직후 100%의 흡기산소(F_{IO_2} = 1.0)를 공급하고 있으며 동맥혈검사에서 pH 7.32, P_{CO_2} 34, P_{O_2} 70 mmHg, HCO_3^- 16 mEq/L의 결과를 보였다. 이 환자의 저산소혈증과 관계된 기전은 다음 중 어떤것인가?

A. 저환기

B. 확산장애

C. 션트

D. 환기-관류불균등

E. 환기 및 환기-관류불균등

심볼, 단위 그리고 공식들
(Symbols, units, and equations)

Symbols

일차심볼(Primary symbols)

C   Concentration of gas in blood(혈액 내 가스농도)

F   Fractional concentration in dry gas(건조가스 내 분획농도)

P   Pressure or partial pressure(압력 또는 분압)

Q   Volume of blood(혈액용적)

$\dot{Q}$ Volume of blood per unit time(단위시간당 혈액용적)

R   Respiratory exchange ratio(호흡교환비)

S   Saturation of hemoglobin with O_2 (헤모글로빈의 산소포화)

V   Volume of gas(가스용적)

$\dot{V}$ Volume of gas per unit time(단위시간당 가스용적)

가스상을 위한 이차심볼(Secondary symbols for gas phase)

A   Alveolar(폐포)

B   Barometric(기압)

D   Dead space(사강)

E   Expired(호기)

ET End-tidal(호기말)

I   Inspired(흡기)

L   Lung(폐)

T   Tidal(일회, 일상)

혈액상을 위한 이차심볼(Secondary symbols for blood phase)

a   Arterial(동맥혈)

c   Capillary(모세혈관)

c′ End-capillary(모세혈관 말단)

i   Ideal(이상적인)

v   Venous(정맥혈)

v̄   Mixed venous(혼합정맥혈)

Examples

O_2 concentration in arterial blood(동맥혈산소농도): Ca_{O_2}

Fractional concentration of N_2 in expired gas(호기가스내 질소분획농도): $F_{E_{N_2}}$

Partial pressure of O_2 in mixed venous blood(혼합정맥혈의 산소분압): $P\bar{v}_{O_2}$

단위(Units)

이 책에서는 전통적인 미터법 단위를 사용하였다. 압력은 mmHg로 표시되며. torr는 거의 동일한 단위이다. 유럽에서는 일반적으로 SI(국제단위계, International Unit System)단위가 사용된다. 이들 대부분은 익숙하지만 압력단위인 킬로파스칼은 처음에는 혼동스럽다. 1킬로파스칼 = 7.5 mmHg(대략)이다.

공식들(Equations)

가스의 법칙들(Gas laws)

일반가스의 법칙: $P V = R T$

여기서 T는 온도이고 R은 상수이다. 이 방정식은 수증기압과 온도의 변화에 대한 가스용적을 수정하는 데 사용된다. 예를 들어 환기량은 전통적으로 BTPS (Body Temperature, Pressure, Saturated), 즉 체온(37℃), 대기압 그리고 포화수증기 상태로 표현하며 그 이유는 이것이 폐의 용적변화에 대응하기 때문이다. 대조적으로, 혈액의 가스용적은 화학에서 보통 사용하는 STPD (Standard Temperature, Pressure, Dry), 즉 표준온도(0℃ 또는 273K), 압력(760 mmHg) 그리고 건조상태로 표현한다. BTPS가스용적을 STPD가스용적으로 변환*하려면 다음을 곱한다.

$$\frac{273}{310} \times \frac{P_B - 47}{760}$$

여기서 47 mmHg는 37℃에서 포화수증기압이다.

---

* 역자주 PB = 760이면 STPD가스용적 = BTPS가스용적 × 0.826

$$Boyle's\text{법칙 } P_1V_1 = P_2V_2 \text{ (온도일정)}$$

그리고

$$Charles'\text{법칙 } \frac{V_1}{V_2} = \frac{T_1}{T_2} \text{ (압력일정)}$$

은 일반가스의 법칙 중 특별한 경우이다.

Avogadro's법칙은 같은 온도와 압력에서 같은 부피의 서로 다른 기체에는 같은 수의 분자가 포함되어 있다는 것이다. 예를 들어 1그램분자(몰), 32 g의 O_2는 STPD에서 22.4 L를 차지한다(0℃, 1기압에서 기체 1몰의 부피 = 22.4 L).

Dalton's법칙은 가스혼합물에 포함된 가스(x)의 분압은 다른 가스의 성분이 없이 이 가스만으로 가스혼합물이 전체용적을 차지하게 될 때 나타나는 압력이다.

따라서 $P_x = P \cdot F_x$, 여기서 P는 총 건조가스압이며 F_x는 건조가스를 의미한다. 수증기압 47 mmHg이 포함된 가스에서

$$P_x = (P_B - 47) \cdot F_x$$

또한 폐포 안에서 $P_{O_2} + P_{CO_2} + P_{N_2} + P_{H_2O} = P_B$이다.

용액에 포함된 가스분압은 용액과 평형을 이루는 가스혼합물의 분압이다.

Henry's법칙은 액체에 용해된 가스의 농도는 가스의 분압에 비례한다는 것이다. 따라서 $C_x = K \cdot P_x$이다.

환기(Ventilation)

$$V_T = V_D + V_A$$

여기에서 V_A는 일회호흡량에 들어있는 폐포가스의 용적을 의미한다.

$$\dot{V}_A = \dot{V}_E - \dot{V}_D$$

$$\dot{V}_{CO_2} = \dot{V}_A \cdot F_{A_{CO_2}} \text{ (양쪽 } \dot{V} \text{ 모두 BTPS로 측정된다)}$$

$$\dot{V}_A = \frac{\dot{V}_{CO_2}}{P_{A_{CO_2}}} \times K \text{ (폐포환기방정식)}$$

만일 $\dot{V}_A$가 BTPS 그리고 $\dot{V}_{CO_2}$가 STPD, K=0.863이라면 정상인에서 $P_{a_{CO_2}}$는 거의 $P_{A_{CO_2}}$와 같다.

보어 방정식(*Bohr equation*)

$$\frac{V_D}{V_T} = \frac{P_{A_{CO_2}} - P_{E_{CO_2}}}{P_{A_{CO_2}}}$$

또는 동맥혈P_{CO_2}를 사용하는 경우에는

$$\frac{V_D}{V_T} = \frac{Pa_{CO_2} - P_{E_{CO_2}}}{Pa_{CO_2}}$$

이 공식에서 생리적사강을 구할 수 있다.

확산(Diffusion)

가스상태에서 Graham's법칙은 기체의 확산속도는 분자량의 제곱근에 반비례한다. 액체 또는 조직조각에서 Fick's법칙[†]은 조직판을 가로질러 확산되는 단위 시간당 가스의 용적은 다음과 같다.

$$\dot{V}_{gas} = \frac{A}{T} \cdot D \cdot (P_1 - P_2)$$

여기서 A와 T는 조직판의 면적과 두께, P_1과 P_2는 양쪽면의 가스분압, D는 해당 가스에 대한 조직의 투과계수라고도 하는 확산상수이다.

이 확산상수는 가스의 용해도(Sol)와 분자량(MW)이 결정한다.

$$D \alpha \frac{Sol}{\sqrt{MW}}$$

일산화탄소로 폐확산능(D_L)을 측정할 때 모세혈액P_{CO}를 0으로 하면,

$$D_L = \frac{\dot{V}_{CO}}{P_{A_{CO}}}$$

D_L은 두 가지 요소로 구성된다. 하나는 폐포막(D_M)의 확산능이고, 다른 하나는 모세혈액의 용적(V_c)와 CO와 헤모글로빈의 반응속도인 θ에 따라 달라진다.

$$\frac{1}{D_L} = \frac{1}{D_M} + \frac{1}{\theta \cdot V_c}$$

혈류(Blood flow)

픽의 원리(Fick principle)

$$\dot{Q} = \frac{\dot{V}_{O_2}}{Ca_{O_2} - C\bar{v}_{O_2}}$$

[†] Fick's법칙은 원래 농도의 관점에서 표현되었지만, 분압이 우리에게 더 편리하다.

폐혈관저항(*pulmonary vascular resistance*)

$$PVR = \frac{P_{art} - P_{ven}}{\dot{Q}}$$

여기서 P_{art} 및 P_{ven}은 각각 평균폐동맥과 폐정맥압이다.

*Starling's*법칙 모세혈관을 가로지르는 액체교환

$$\text{순유출량} = K[(P_c - P_i) - s\,(\pi_c - \pi_i)]$$

여기서 i는 모세혈관 주변의 간질액, π는 콜로이드삼투압, σ는 반사계수, K는 여과계수이다.

환기-관류관계(Ventilation-perfusion relationships)

폐포가스방정식(*alveolar gas equation*)

$$PA_{O_2} = PI_{O_2} - \frac{PA_{CO_2}}{R} + \left[PA_{CO_2} \cdot FI_{O_2} \cdot \frac{1-R}{R}\right]$$

이것은 흡기가스에 CO_2가 없는 경우에만 유효하다. 대괄호의 항은 대기호흡 시 상대적으로 작은 보정계수이다($P_{CO_2} = 40$ 그리고 $R = 0.8$일 때 2 mmHg). 따라서 적절한 근사치는

$$PA_{O_2} = PI_{O_2} - \frac{PA_{CO_2}}{R}$$

호흡교환비(*respiratory exchange ratio*)

흡기가스에 CO_2가 존재하지 않는 경우,

$$R = \frac{\dot{V}CO_2}{\dot{V}O_2} = \frac{PE_{CO_2}(1 - FI_{O_2})}{PI_{O_2} - PE_{O_2} - (PE_{CO_2} \cdot FI_{O_2})}$$

정맥-동맥단락(*venous to arterial shunt*)

$$\frac{\dot{Q}_S}{\dot{Q}_T} = \frac{Cc'_{O_2} - Ca_{O_2}}{Cc'_{O_2} - C\bar{v}_{O_2}}$$

여기서 c'는 종말모세관(end-capillary)을 의미한다.

환기-관류비 방정식(ventilation-perfusion ratio equation)

$$\frac{\dot{V}_A}{\dot{Q}} = \frac{8.63R\,(Ca_{O_2} - C\overline{v}_{O_2})}{P_{A_{CO_2}}}$$

여기서 혈액가스농도는 mL/100 mL이다.

생리학적 션트(physiologic shunt)

$$\frac{\dot{Q}_{PS}}{\dot{Q}_T} = \frac{Ci_{O_2} - Ca_{O_2}}{Ci_{O_2} - C\overline{v}_{O_2}}$$

폐포사강(alveolar dead space)

$$\frac{V_D}{V_T} = \frac{Pi_{CO_2} - P_{A_{CO_2}}}{Pi_{CO_2}}$$

생리적사강에 대한 공식은 p22에 있다.

혈액가스 및 pH (Blood Gases and pH)

혈액에 용해된 O_2 (O_2 dissolved in blood)

$$C_{O_2} = S\,ol \cdot P_{O_2}$$

여기서 Sol은 0.003 mL·O_2/혈액100 mL/1·mmHg이다.

헨더슨-하셀바흐공식(Henderson-Hasselbalch equation)

$$pH = pK_A + \log\frac{(HCO_3^-)}{(CO_2)}$$

이 시스템의 pKA는 정상적으로 6.1이다. HCO_3^- 및 CO_2농도가 밀리몰/리터 단위인 경우, CO_2는 P_{CO_2} (mm Hg) × 0.030 으로 바꿀 수 있다.

호흡의 역학(Mechanics of breathing)

유순도 = $\Delta V/\Delta P$

특이유순도 = $\Delta V/(V \cdot \Delta P)$

구의 표면장력에 의해 발생한 압력에 대한 라플라스방정식

$$P = \frac{2T}{r}$$

여기서 r은 반경이고 T는 표면장력이다. 비눗방울의 경우, 두 개의 표면이 있기 때문에 P = 4T/r이다.

층류에 대한 *Poiseuille's*법칙(*Poiseuille's law for laminar flow*)

$$\dot{V} = \frac{P\pi r^4}{8nl}$$

여기서 n†은 점도계수이고 P는 전체 길이인 l을 통과한 압력차이다.

레이놀드수(*Reynolds number*)

$$Re = \frac{2rvd}{n}$$

여기서 v는 가스의 평균선형속도, d는 밀도, n은 점도이다.

층류에 의한 압력하강은, PαV, 그러나 와류에 대한 압력하강은, PαV$_2$(대략)

기도저항(*airway resistance*)

$$\frac{P_{alv} - P_{mouth}}{\dot{V}}$$

여기서 P_{alv} 및 P_{mouth}는 각각 폐포압과 구강압을 나타낸다.

---

† 이것은 라틴어가 거의 없고 그리스어가 부족한 우리를 위한 그리스문자 η의 변형이다.

정답과 해설

제1장

임상증례(Clinical vignette)

수술 후 폐용적이 50% 정도 줄어드는 것은 예상 가능하다. 그러나 좌측폐가 제거되면 우측폐가 사용할 수 있는 흉곽의 용적이 크게 증가하기 때문에 남은 우측폐의 폐포 크기가 커진다. 이 증례에서 폐용적이 1/3만 감소한 또 다른 요인은 정상적으로 심장이 흉곽 좌측 폐용적의 일부분를 차지하기 때문에 좌측폐가 우측폐보다 약간 작다는 것이다.

혈액-가스장벽의 가스전달능력이 감소한 것은 폐모세혈관이 좌측폐절제로 거의 절반이 제거됐기 때문이라 설명할 수 있다. 이로 인해 가스교환에 사용할 수 있는 폐포-가스장벽의 면적은 크게 줄어든다.

수술 전에 비해 운동 시 폐동맥압은 더 증가한다. 이는 좌측폐절제로 폐모세혈관 수가 많이 감소했기 때문이다. 수술 후 남아 있는 모세혈관들이 동원(recruitement), 팽창(distension, 4장 참조)되어 안정 시 폐혈관저항은 거의 정상이다. 그러나 폐절제(pneumonectomy)상태에서 폐모세혈관은 안정 시에도 이미 동원과 팽창상태이기 때문에 수술 후 운동에 의해 폐혈류가 증가하면 폐혈관의 동원과 팽창이 추가될 가능성이 낮기 때문에, 폐동맥압이 높아진다.

운동능력(exercise capacity)은 최소한 두 가지 이유로 감소되었다. 첫째는 앞에서 설명한 바와 같이 폐의 가스전달능력이 감소했기 때문이다. 두번째는 한쪽 폐만 있는 경우 호흡기계의 환기용량이 감소하기 때문이다.

1. D. 모세혈관 벽은 극도로 얇다. 혈관 내 압력이 너무 높게 상승하면 혈관벽의 초미세구조에 변화가 발생할 수 있는 상태까지 혈관벽의 스트레스가 증가할 수 있다. 이로 인해 폐포공간으로 혈장 그리고는 심지어 적혈구의 유출까지 발생하는데 이를 폐부종이라고 한다. 환자A가 환자B보다 폐모세혈관압이 높으며, 결과적으로 환자A가 환자B보다 폐부종의 발생위험이 높다.

2. A. 섬모원주상피세포에 의해 기도내면이 둘러싸여 있다. 수백만 개 이상의 작은 섬모들이 조화롭게 움직여 점액질과 이물질을 하기도부터 구강인두까지 이동시켜서

가래로 뱉어내거나 삼키게 한다. 섬모구조나/혹은 기능의 유전적결함 또는 흡입된 독소와 같이 섬모기능을 손상시키는 요인들은 이런 정상 섬모운동에 장애를 일으켜 결과적으로 점막청소가 감소되므로 감염재발의 위험성이 증가된다.

3. D. 표면활성물질은 제2형 폐포상피세포가 생산하는 인지질단백질로 폐포의 표면장력을 낮추고 폐포의 허탈을 방지하는 것이 주된 역할이다. 표면활성물질의 기능은 제7장에 자세히 설명되어 있다. 표면활성물질은 임신말기에 생성되기 시작한다. 따라서 미숙아로 태어난 신생아는 이 같이 중요한 표면활성물질의 양이 부족할 위험이 있으며 이로 인해 폐포허탈과 호흡일의 현저한 증가로 급성호흡부전에 빠질 위험이 높다.

4. A. 호기 시 원위부기도에서 근위부기도로 가스가 이동할 때 전체 기도의 수가 줄어듦에 따라 기류의 단면적도 감소한다. 단면적이 감소하면, 호기류를 유지하기 위해 전방으로 배출되는 가스속도가 상승해야 한다. 가스는 호흡구역(respiratory zone)에서는 확산에 의해서만 이동하나 전도구역(conducting zone)에서는 물이 호스를 통과하는 것처럼 대량기류(bulk flow)를 따라 이동한다. 폐포관(alveolar duct)은 호흡구역에만 존재하므로 호흡세기관지(respiratory bronchiole)에서 종말세기관지(terminal bronchiole)로 변할 때 그 수는 증가하지 않는다. 호흡세기관지에는 연골이 존재하지 않지만 근위부기도(예: 기관지 → 기관)로 이동할수록 연골은 더 많아진다.

5. A. 기관지동맥은 대동맥에서 분지되어 나와 대략 종말세기관지(terminal bronchioles)까지의 전도기도에 혈류를 공급한다. 색전술로 우상엽을 공급하는 기관지동맥을 막으면 결과적으로 우상엽의 구역기관지(segmental bronchi)로 가는 혈류도 감소하게 된다. 기관지동맥은 폐순환이 아닌 기관지순환의 일부이므로 색전술은 폐동맥의 단면적이나 폐동맥을 통한 혈류량에 영향을 주지 않는다. 기관지순환은 폐포에 혈류를 공급하지 않기 때문에 기관지동맥색전술이 폐포상피세포에 영향을 주지 않는다.

6. B. 이 환자의 혈액-가스장벽 중 얇은쪽의 두께는 $0.8\ \mu m$로 정상에 비해 훨씬 두껍다. 이 때문에 장벽을 통한 산소확산속도는 감소하겠지만 적혈구용적, 원위부기도에서 가스확산 또는 폐포의 표면활성물질농도는 개별적으로 영향을 받지 않을 것이다. 혈액-가스장벽이 파열되는 위험이 증가할 수 없다. 실제로 콜라겐 침착으로 혈액-가스장벽이 두꺼워지면 파열의 위험은 감소할 수 있다.

제2장

임상증례(Clinical vignette)

이 환자의 총환기량은 300 mL/일회호흡 × 8회/분으로 2,400 mL/min 또는 2.4 L/min이다. 이는 정상치인 7-10 L/min에 비해 훨씬 낮은 수치이다. 환기량 감소는 정상적인 호흡자극, 즉 호흡욕동의 저하 때문이다. 이 환자에서는 아마도 파티 중 섭취한 어떤 약물 때문에 이런 증상이 발생했을 가능성이 있다. 이 환자의 해부학사강이 150 mL라고 가정하면, 환자의 일회호흡량 중 해부학사강비는 150을 300으로 나눈 것인데, 정상치인 약 0.3 또는 30%보다 훨씬 큰 50%이다. 이 환자의 폐포환기량은 극도로 억제되어 있으며 P_{CO_2}는 폐포환기량에 반비례하기 때문에, CO_2생산량이 일정하다면 동맥혈P_{CO_2}는 상당히 증가할 것이 예상된다.

1. C. 중력의 영향으로 인해 단위 부피당 환기량은 폐의 가장 의존적인 부분에서 가장 크다. 그림에 묘사된 바와 같이 개인이 반듯이 누운 자세에서, 가장 의존적인 부분인 등(위치 C)쪽 폐의 환기량이 가장 크다.

2. C. 폐포환기량은 폐포, 즉 매 호흡 중 폐포에 도달하여 가스교환에 참여하는 가스의 용적과 호흡수에 의해 결정된다. 이 문제에서 호흡수를 제시했지만 폐포용적은 제시하지 않았으므로 대신 다른 자료를 이용해 계산해야 한다. 만약 사강비가 0.3이라면 사강용적은 0.3 × 450 mL 또는 135 mL임을 알 수 있다. 결과적으로 폐포용적은 450 mL - 135 mL 또는 315 mL이다. 여기에 분당 호흡수인 12를 곱하면 폐포환기량은 315 mL/1회 × 12회/분= 3,780 mL/min 또는 대략 3.8 L/min임을 알 수 있다.

3. C. 만약 기능잔기용량(FRC)을 V로 표시하면, 폐활량계에서 헬륨의 초기양은 5 × 0.1이고 희석 후의 헬륨의 양은 (5 + V) × 0.06이다. 따라서 V = 0.5/0.06 - 5 또는 3.3 L이다.

4. D. 강제호기 시 폐 안에 있는 가스는 압박되므로 기도압은 상승하고 폐용적은 약간 감소한다. 폐용적이 감소하면 체적변동기록계(body box) 내부의 기체부피는 반대로 증가하고 따라서 Boyle's법칙에 따라 압력은 감소한다.

5. B. 폐포환기방정식은 CO_2생성량이 일정한 경우 폐포환기량과 폐포P_{CO_2}는 반비례 관계라는 것이다. 따라서 환기량이 3배 증가하면 P_{CO_2}는 이전 값의 3분의 1인 33%로 감소한다.

6. E. 해부학사강의 용적은 거의 변동 없이 동일하므로 일회호흡량이 감소하면 사강비는 증가한다. 인공호흡기의 설정을 변경했지만 분당환기량은 동일하다. 그러나 사강비가 증가하였으므로 폐포환기량은 감소한다. E 외 다른 답가지들은 모두 틀렸다. CO_2생성과 기도저항은 변동이 없는 반면 동맥혈 $PaCO_2$는 실제로 증가할 수 있다.

7. C. 동맥혈P_{CO_2}는 CO_2생성과 폐포환기량의 비율에 달려 있다. 발열과 혈류감염 시 CO_2생성이 증가된다. 분당환기량은 고정된 상태이므로 증가된 CO_2생성을 보상하기 위해 환자가 폐포환기량을 증가시킬 수 없어서 결국 동맥혈P_{CO_2}는 증가한다.

8. C. 문제의 그래프에서 A는 일회호흡량을 내쉰 후 폐에 남아 있는 공기의 양인 기능잔기용량(FRC)을 나타낸다. B는 최대 호기 후 폐에 남아 있는 공기의 양인 잔기량(RV)을 나타낸다. C는 최대호기법으로 내쉰 공기의 양인 폐활량(VC)을 나타낸다. D는 폐의 최대용적인 총폐활량(TLC)을 나타낸다. 답가지의 용적(volume)과 용량(capacity) 중 실제 폐활량측정법으로 검사할 수 있는 것은 폐활량(VC)뿐이다. 기능잔기용량(FRC), 잔기량(RV)과 총폐활량(TLC)은 헬륨희석법 또는 체적변동기록법(body plethysmography)를 통해 측정할 수 있다.

9. C. 폐포환기방정식에 근거해 동맥혈P_{CO_2}는 CO_2생성과 폐포환기량 간 균형에 의해 결정된다는 것을 알 수 있다. 어제부터 오늘 아침 사이에 동맥혈P_{CO_2}가 감소했다는 것은 CO_2생성량이 감소했거나 아니면 폐포환기량이 증가했다는 것을 의미한다. 호흡수와 일회호흡량이 바뀌지 않았고 환자 스스로 환기량을 증가시키지 못했다면 분당환기량은 일정하게 유지되었을 것이다. 또한 만일 분당환기량이 일정하고 사강분율의 변화가 없었다면 폐포환기량 역시 일정하게 유지되었을 것이므로 동맥혈P_{CO_2}변화는 CO_2생성량감소 때문일 것이다.

제3장

임상증례(Clinical vignette)

폐생검소견에서 관찰되는 혈액-가스장벽비후 때문에 일산화탄소폐확산능(DLCO)은 감소한다. 그림 3.1과 같이 폐확산능은 폐포벽 두께에 반비례한다. 운동 시 동맥혈P_{O_2}가 감소했는데, 이는 적혈구가 폐혈관을 통과하는 시간(가스교환에 필요한)이 단축되기 때문이다. 그림 3.3A에서 보여주는 것처럼 혈액-가스장벽이 두꺼워지면 폐모세혈관P_{O_2} 상승속도가 감소하여 폐모세혈관 말단의 혈액P_{O_2}가 감소하며, 또한 운동 때문에 폐모세혈관 내 적혈구 통과시간이 단축되면 동맥혈P_{O_2}는 추가적으로 감소한다.

혈액-가스장벽을 통한 산소전달은 흡기가스P_{O_2}를 높임으로써 개선될 수 있다. 이로 인해 폐포가스P_{O_2}가 증가하게 되면 혈액-가스장벽을 통한 산소확산의 동력인 압력차가 커진다.

이산화탄소의 확산속도는 산소보다 훨씬(20배 정도) 빠르기 때문에 이 환자에서 동맥혈P_{CO_2}의 상승은 생각하기 어렵다. 8장에서 설명한 것처럼 실제 이런 환자에서 자주 관찰되는 저산소혈증은 환기를 자극하기 때문에 동맥혈P_{CO_2}는 오히려 감소되는 소견을 종종 보이기도 한다.

1. C. 이 법칙에 따르면 확산속도는 용해도에 비례하고 분자량의 제곱근에 반비례한다. 따라서 X 대 Y의 비는 $4/\sqrt{4}$ 또는 $4/2$ 즉, 2이다.

2. E. 공식은 CO흡수를 폐포PCO로 나눈 값이므로 30/0.5 또는, 즉 60 mL/min/mmHg이다.

3. E. 이 문제는 산소흡수나 이산화탄소 배출량이 어떤 조건에서 확산제한이 발생하는지를 묻고 있다. 정답은 극한고도에서 최대산소흡수량의 증가이다(그림 3.3B 참고). 다른 어떤 답가지도 확산제한의 원인이 가스이동(gas transfer)인 상황은 아니다. 정답으로 선택가능한 유일한 대안은 B이지만, 피험자가 10% 산소호흡 중 안정상태에서 산소흡수가 확산제한일 가능성은 낮다. 더구나, 이 모든 질문들 중에서, 가장 적절한 답가지를 고르는 것이므로, 가장 확실한 정답은 E이다.

4. B. 가스A의 분압은 폐포세혈관 거의 초반부에서부터 폐포가스분압과 사실상 같다. 따라서, 이 가스의 이동(전달, transfer)은 관류제한적이다. 이에 비해 가스B분압은 폐모세혈관을 통과하는 혈액의 이동에 따라 거의 변화가 없으므로 폐포가스분압과 폐모세혈관 말단의 혈액 내 분압의 차이가 크다. 따라서 이 가스는 확산제한적이다. 가스B의 그래프는 일산화탄소의 그래프와 유사하다.

5. E. 적혈구가 폐모세혈관을 통과할 때 P_{O_2}의 상승속도가 A곡선보다 B곡선에서 느리다. 답가지 중 혈액-가스장벽비후가 이러한 현상의 원인일 가능성이 가장 높다. 분당환기량이 감소할 때와 높은 고도로 상승할 때는 확산속도가 느려지나, 두 경우 모두 폐포P_{O_2}는 낮은 반면, 그림에서 A곡선과 B곡선의 폐포P_{O_2}는 동일하다. 운동은 확산이 진행될 수 있는 시간을 단축시키지만 P_{O_2}상승률에는 영향을 주지 않는다. 흡기산소농도를 증가시키면 폐포P_{O_2}가 상승하고, 따라서 확산을 위한 산소분압차가 커져 폐모세혈관을 통해 P_{O_2}가 더 빨리 상승하게 된다.

6. A. 폐기종, 석면증, 폐색전증 그리고 중증빈혈에서 모두 확산능이 감소하나 그 원인은 혈액-가스장벽 표면적이 감소하거나, 장벽두께가 증가되거나, 아니면 폐모세혈관혈액량이 감소하여 확산능이 감소하기 때문이다. 미만성폐포출혈(diffuse alveolar hemorrhage)은 폐모세혈관이 손상되어 폐포공간으로 빠져나간 적혈구가 일산화탄소와 결합하기 때문에 폐확산능 측정결과는 증가된다.

7. C. 일산화탄소확산능의 감소는 혈액-가스장벽가 비후된 소견을 보이는 폐생검결과와 일치한다. 이로 인해 혈액-가스장벽을 통한 산소의 확산속도는 떨어진다. 안정 시 적혈구는 충분한 시간에 걸쳐 폐모세혈관을 통과하면서 폐포와 모세혈액P_{O_2} 간에 완전한 평형이 진행되나, 운동 시에는 적혈구통과시간이 단축되면서 폐포와 모세혈액P_{O_2} 간의 평형이 완전하게 이뤄지지 못해 폐포P_{O_2}보다 모세혈관P_{O_2}가 낮아진다. 다른 답가지들은 틀렸다. 흡기P_{O_2}는 운동에 의해 변하지 않는 반면 폐포P_{O_2}는 대부분의 운동시간 동안 거의 일정하게 유지된 후 검사종료 시 대부분 증가한다. 개인이 운동 중 높은 용적으로 호흡할 때 해부학사강은 실제로 약간 증가할 수 있다.

8. A. 일산화탄소확산능은 폐모세혈관혈액량에 따라 달라지나, 더 엄격하게는 헤모글로빈이 포함된 적혈구용적에 따라 달라진다. 적혈구용적은 중증빈혈에서 감소되기 때문에 이때는 확산능도 감소한다. 확산능을 헤모글로빈농도에 따라 보정하는 이유도 이것 때문이다.

9. A. 오른쪽의 조직병리학소견은 정상폐에 비해 폐포 사이의 벽이 현저히 비후된 것을 보여준다. 그 결과 폐포 내 가스와 폐모세혈관 내 적혈구사이의 확산거리가 증가하므로 혈액-가스장벽을 통한 산소전달이 느려진다. 환자가 안정상태인 경우 폐포Po_2와 폐모세혈관 말단의 혈액Po_2 간에 완전한 평형이 이뤄질 수 있는 충분한 시간이 있지만, 운동 시에는 적혈구 통과시간이 짧아지므로 폐모세혈관 말단의 혈액 Po_2는 폐포Po_2보다 낮을 가능성이 높다. 따라서 이 환자에서 일산화탄소확산능은 감소한다. 또한 폐포Po_2도 증가하지 않을 것이다. 이런 상황에서 헤모글로빈과 산소의 결합속도도 증가하지 않을 것이다.

제4장

임상증례(Clinical vignette)

비록 색전에 의해 상당량의 폐순환이 막혔지만, 폐동맥압 상승은 크지 않은데 이는 폐모세혈관의 경벽압이 증가하면 색전에 의해 막히지 않은 폐모세혈관의 동원(recruitment)과 확장(distension)이 시작되어서 색전으로 막힌 폐모세혈관을 우회하기 때문이다. 그럼에도 불구하고 폐혈관저항이 증가했고, 이것이 폐동맥압이 약간 증가한 이유를 설명할 수 있다.

만약 환자가 침대에 똑바로 앉아 있는 경우 폐동맥압상승에 의해 우측폐 첨부로 가는 혈류량이 증가할 것을 예상할 수 있다.

환기가 되고 있는 폐단위로 가는 혈류를 폐색전이 방해함으로써 사강이 생기고 그 결과 사강환기량이 증가된다. 따라서 정상적인 호흡역학과 호흡욕동(respiratory drive)이 있는 경우 사강환기량의 증가를 보상하기 위해서 총환기량은 증가하며, 결과적으로 동맥혈Pco_2는 일정하게 유지된다. 폐색전증과 관련된 통증, 불안 등으로 사강환기량이 증가하는 것보다 총환기량이 더 많이 증가하면 실제 동맥혈Pco_2는 감소할 수 있다.

1. E. 폐용적이 A지점에서 B지점으로 바뀔 때 폐혈관저항은 증가한다. 폐용적이 증가하면 폐포내 모세혈관(intra-alveolar capillaries)들은 견인되어 혈관직경이 작아지기(납작해지므로) 때문에 혈류에 대한 저항이 증가한다. 이는 폐용적이 큰 상태에서 혈관에 작용하는 방사상 견인력(radial traction)이 커지면서 폐포외 혈관(extra-alveolar vessel)의 지름은 증가하여 폐혈관저항이 감소하는 것을 상쇄한다. 폐모세혈관의 동원과 확장은 폐용적이 증가할 때보다는 폐동맥압이 증가(예:

운동 시)할 때 발생하며 폐혈관저항을 감소시킨다. 엔도텔린-1의 농도가 감소하면 폐혈관저항이 감소하는데 이는 산화질소의 농도가 증가할 때와 같다. 폐활량의 변동에 따라 이 두 가지는 모두 변하지 않는다.

2. E(그림 4.5). 운동 중 혈관내압이 높아지고 혈류 또한 증가함에 따라 폐모세혈관의 동원 및 확장이 발생하여 폐혈관저항은 감소한다. 점진적인 운동으로 최대운동능에 도달할 때 전신혈압의 상승에 비해 폐동맥압은 소폭만 상승하는 1차적인 이유가 이유는 이것 때문이다. 운동 중 pH가 감소되고 또 교감신경계가 활성화되지만 이러한 요인들은 혈관수축과 혈류저항의 증가와 관련이 있으며, 엔도텔린-1농도의 증가와도 관련이 있다. 운동 중에는 폐혈류가 증가되어 구역1(zone 1)과 같은 상태가 되는 일은 드물다.

3. E. 폐혈관저항은 압력차를 혈류로 나누거나 또는 (55 - 5)/3으로 계산하면 되고 약 17 mmHg·L/min가 된다.

4. D. 환자의 좌하엽 기관지를 막고 있는 종괴(폐암일 가능성이 있음) 때문에 좌하엽의 허탈 또는 무기폐가 발생하였다. 허탈 때문에 좌하엽 전체에 걸쳐 폐포P_{O_2}는 감소되고 이 부위에 국소적인 폐동맥평활근수축(저산소성 폐혈관수축)이 발생한다. 이로 인해 좌하엽의 혈류는 환기가 잘되는 다른 구역의 폐단위로 흘러가게 된다.

5. C. 대부분의 경우 폐혈류량과 심박출량은 동일하다. Fick's 원리를 이용, 산소소비량을 동맥-정맥산소농도차로 나누면 심박출량을 계산할 수 있다. 후자는 (20 - 16) mL/100 mL 또는 (200 - 160) mL/1 L이다. 따라서 심박출량은 300/(200 - 160) 또는 7.5 L/min과 같다.

6. B. 중재를 시작하기 전에는 $P_{arterial} > P_{venous} > P_{alveolar}$의 순서이다. 혈압의 계층은 동맥압과 정맥압의 차이에 의해 혈류가 결정되는 zone3의 혈류상태에 해당한다. 중재이후 동맥압과 폐포압의 차이에 의해 혈류가 결정되는 zone2의 혈류상태와 같은 $P_{arterial} > P_{alveolar} > P_{venous}$이다. 이때 압력차는 중재 전보다 작으며 결과적으로 혈류가 감소한다.

7. C. 중재에 의한 주된 변화는 폐혈관저항과 폐동맥압의 감소이다. 그 결과, 여러 가지 변화 중 심박출량이 증가했다. 답가지에 있는 항목 중 폐혈관저항이 감소하는 것은 프로스타사이클린(PGI$_2$)의 정맥투여가 유일하다. 엔도텔린, 히스타민, 세로토닌은 모두 폐혈관을 수축시키고 폐혈관저항을 증가시킨다. 산소분율(FI_{O_2})이 낮은 가스혼합물을 흡입하면 저산소성폐혈관 수축이 발생할 수 있고 따라서 폐혈관저항이 증가할 수 있다.

8. A. 모세혈관내강(capillary lumen)과 간질 사이에서 체액의 움직임은 Starling's 법칙을 따른다. 주어진 문제에서 모세혈관 밖으로 체액을 배출시키는 정수압의 차이는 (3 - 0)이고, 모세혈관 안으로 체액을 이동시키는 경향을 보이는 콜로이드삼투압은 (25 - 5) mmHg이다. 따라서, 체액을 모세혈관으로 이동시키려는 mmHg 단

위의 순압력(net pressure)은 17 mmHg이다.

9. A. 심장초음파에서 관찰된 폐동맥압의 상승은 대부분 저산소성폐혈관 수축과 관련이 있다. 동맥혈Po$_2$의 감소보다는 폐포Po$_2$의 감소가 저산소성폐혈관 수축의 원인이다. 폐정맥압이 높아지면 폐동맥압도 증가할 수 있지만 폐렴환자보다는 심부전환자에서 발생할 것이 예상된다.

10. D. 이 환자는 심근경색 때문에 수축기능(systolic function)장애가 있다. 이로 인해 좌심실확장기말압(left ventricular end diastolic pressure) 폐정맥압이 상승하여 결국 폐모세혈관정수압이 상승하였다. 그 결과 스탈링힘(Starling force)의 불균등이 발생하여 모세혈관 밖으로 체액이 이동하게 된다. Po$_2$ 감소는 폐부종의 결과이며 알부민농도가 정상인 것을 볼 때 콜로이드삼투압은 정상이다.

11. A. 안지오텐신 I에서 안지오텐신 II로 변환될 때 안지오텐신전환효소(ACE)는 촉매작용을 하며, 또한 브라디키닌이 폐를 통과할 때 이를 불활성화시키는 데도 관여한다. 따라서 ACE를 억제하면 결과적으로 브라디키닌의 불활성화가 감소된다. 안지오텐신 II는 폐를 통과할 때 영향을 받지 않으므로, ACE를 억제해도 안지오텐신 II의 분해는 증가하지는 않는다. ACE는 다른 답가지에 설명된 과정에서 어떠한 역할도 없다.

제5장

임상증례(Clinical vignette)

폐포-동맥혈산소분압 차는 폐포가스방정식으로 계산한다. 환자가 대기호흡 중이므로 흡기가스Po$_2$는 149 mmHg인데 동맥혈Pco$_2$ 45 mmHg를 0.8로 나눈 57을 빼면 폐포Po$_2$ 93 mmHg가 계산된다. 따라서 폐포-동맥혈Po$_2$ 차는 20 mmHg이다. 이는 비정상적으로 높은 결과이며, 가능한 원인은 환기-관류불균등이다.

같은 계산방법을 통해 응급실에서의 폐포-동맥혈PO$_2$ 차는 80 - 45 = 35 mmHg이다. 이 수치가 증가하는 것은 환기-관류불균등이 악화되고 있음을 나타낸다.

외래진료실보다 응급실에서 Pco$_2$가 더 높아진 이유는 환기-관류불균등이 증가(악화)됐기 때문이다. 또한 기류폐쇄가 증가되어 폐포로 가는 환기량이 감소했기 때문일 수 있다.

비강캐뉼라를 이용해 보충산소를 공급했을 때 동맥혈 Po$_2$가 55 mmHg에서 90 mmHg로 크게 증가하였다. 이는 저산소혈증의 원인이 션트가 아닌 환기-관류불균등인 것과 일치한다.

1. D. 수분으로 포화된(가습된) 흡기가스의 $P_O{}_2$는 (P_B - P_{H_2O}) × FI_{O_2}이다. 동맥혈$P_O{}_2$와 P_{CO_2}는 이 수치를 계산하는 데 필요하지 않지만, 호흡교환비와 함께 이상적인 폐포$P_O{}_2$ 및 폐포-동맥혈$P_O{}_2$의 차이를 계산하는 데 사용될 수 있다. 임상증례의 결과를 사용하여 P_IO_2 = (447 - 47) × 0.2093, 따라서 약 84 mmHg이다.

2. B. 이 질문의 정답을 선택하기 위해 이산화탄소생성량에 변동이 없으면 P_{CO_2}는 폐포환기량에 반비례한다는 폐포환기공식을 제일 먼저 사용한다. 따라서 폐포환기량이 절반으로 감소하였으므로 동맥혈P_{CO_2}는 40 mmHg에서 80 mmHg로 증가한다. 다음으로 폐포가스방정식인 P_AO_2 = P_IO_2 - ($PaCO_2$/R) + F를 사용하는데 F는 작기 때문에 무시한다. 이산화탄소생성량이나 산소소모량의 변화가 없다면 호흡교환율은 0.8로 변함없다. 따라서 계산 결과는 대략 50 mmHg이다.

3. A. 2번에서 폐포가스방정식으로 계산된 폐포$P_O{}_2$ 50 mmHg를 정상해수면의 수치인 약 100 mmHg로 올리기 위해서는 흡기$P_O{}_2$를 149 mmHg에서 199 mmHg로 올려야 한다는 것을 보여준다. 흡기가스$P_O{}_2$는 산소분획농도(fractional concentration of oxygen) × (760 - 47)와 같다는 것을 기억하라. 따라서 분획농도 = 199/713 또는 약 *0.28*이다. 따라서 흡기산소농도는 21%에서 28%로, 즉 7% 증가해야 한다. 이 문제는 저환기에 의해 저산소혈증이 발생하였을 때 흡기산소농도를 증가시키는 것이 산소화(oxygenation)에 얼마나 큰 영향을 주는지 강조한다. 그렇지만 더 적절한 치료는 저환기의 근본적인 원인을 해결하는 것이다.

4. C. 환자가 폐렴이나 다른 형태의 호흡부전이 있을 때 발생하는 환기-관류불균등에도 불구하고 동맥혈P_{CO_2}는 종종 정상치를 유지하거나 심지어는 감소할 수도 있다. 이는 중추화학수용체가 P_{CO_2} 증가를 인식해 환기량을 증가시키기 때문이다. 생리적 범위 내에서 CO_2해리곡선은 선형곡선이기 때문에, 환기량이 증가하면 환기-관류비가 높은 영역 또는 낮은 영역 모두에서 CO_2제거가 증가된다. 이는 산소의 경우와는 대조적인데, 산소는 환기량이 증가하면 환기-관류비가 낮은 폐포단위에서만 산소흡수가 증가하기 때문이다. $P_O{}_2$가 높은 상태에서 헤모글로빈 산소해리곡선은 평평한 형태이므로 환기-관류비가 높은 영역에서 산소흡수는 거의 또는 전혀 증가하지 않는다. 환기량이 달라져도 폐포모세혈관장벽을 통한 확산속도의 변화는 없다. 폐포$P_O{}_2$가 조금이라도 감소하면 저산소폐혈관수축(hypoxic pulmonary vasoconstriction)에 의한 폐혈관저항(pulmonary vascular resistance)의 증가를 초래할 수 있다.

5. B. 흡기가스의 $P_O{}_2$ = 0.21 × (253 - 47) 또는 43 mmHg이다. 따라서 위에서 설명한 폐포가스방정식을 적용하고 작은수(small factor) F를 무시하면 폐포$P_O{}_2$는 42 - P_{CO_2}/R로 계산하며, 여기서 R은 1에 가깝거나 1 이하이다. 따라서 폐포$P_O{}_2$를 34 mmHg로 유지하기 위해서는 폐포P_{CO_2}는 8 mmHg를 초과하면 안 된다.

6. C. 환자1은 폐단위의 모든 환기-관류가 환기-관류($\dot{V}_A/\dot{Q}$)비 1.0에 가까운 건강인

의 전형적인 패턴을 보여준다. 게다가 환기가 없는 폐단위에 공급되는 혈류도 없다. 환자2의 경우, $\dot{V}_A/\dot{Q}$비가 1.0에 가까운 구획에 환기와 관류가 많이 공급되지만 또한 높은 $\dot{V}_A/\dot{Q}$비를 보이는 폐단위에도 상당한 양의 혈류가 공급되고 있다. 이와 같은 $\dot{V}_A/\dot{Q}$불균등은 폐포-동맥혈Po_2 차를 크게 하고 동맥혈Po_2를 감소시키지만, 이 두 변수의 영향은 그림 5.15과 같이 $\dot{V}_A/\dot{Q}$비가 낮은 폐단위에 많은 혈류가 공급될 때처럼 크지 않다.

7. E. 환기와 관류는 모두 폐기저부에서 폐첨부로 이동하면서 감소한다. 그러나 관류는 환기보다 더 많이 감소하기 때문에 평균 $\dot{V}_A/\dot{Q}$비는 폐기저부보다 폐첨부에서 더 높다. 결과적으로 폐모세혈관의 말단혈액Po_2는 폐기저부보다 폐첨부에서 더 높고 폐모세혈관의 말단혈액Pco_2는 폐기저부보다 폐첨부에서 더 낮다.

8. D. 폐색전증에서 혈전으로 막힌 부위의 폐단위는 관류가 감소된다. 그런데 만약 이 부위의 폐포환기가 변동 없이 계속 유지되면 폐단위는 높은 $\dot{V}_A/\dot{Q}$비를 보이게 된다. 그림 5.8에서 설명한 바와 같이 $\dot{V}_A/\dot{Q}$비가 높은 폐단위의 폐포Po_2는 증가하고 폐포Pco_2는 감소한다. CO_2분압이 낮은 혈류가 폐포에 공급되기 때문에 이 폐단위에서 CO_2가 제거된다. 폐포와 폐모세혈관의 말단혈액Pco_2가 감소하면 pH는 상승한다. 폐포Po_2의 증가보다는 감소에 의해서 저산소성폐혈관수축이 유발된다.

9. D. 먼저 폐포가스방정식을 이용하여 이상적인 폐포Po_2를 계산한다. 이 값은 $P_{A_{O_2}} = P_{I_{O_2}} - (P_{a_{CO_2}} / R) + F$이며, 작은인자(small factor) F는 무시한다. 호흡교환비, R은 산소소비량에 대한 이산화탄소생산량의 비율이며, 이 경우 0.8이다. 따라서 이상적인 폐포Po_2 = 149 - 48/0.8, 즉 89 mmHg이다. 그러나 동맥혈Po_2는 49 mmHg이므로 폐포-동맥Po_2 차는 40 mmHg이다.

10. C. 환자에게 보충산소를 투여했을 때 동맥혈Po_2는 아주 조금밖에 상승하지 않는다. 이런 소견은 션트와 일치하며, 이 경우 폐렴에 의한 발생한 션트가 원인일 수 있다. 만일 저산소혈증의 주원인이 환기-관류불균등이었다면 보충산소를 투여했을 때 동맥혈Po_2는 훨씬 더 크게 상승했을 것이다. 동맥혈Pco_2가 낮은 것을 볼 때 저환기 상태는 아니며, 해수면에서 확산장애가 저산소혈증을 유발하는 경우는 드물다.

11. E. 폐렴의 경우 폐포공간이 농양(대부분 호중구)에 의해 채워져 있어 생리학적으로 션트를 일으킨다. 심박출량의 분율로서 션트는 (Cc′ - Ca) / (Cc′ - C$_{\bar{v}}$)으로 계산한다. 여기서 모든 농도는 산소를 나타낸다. 임상증례에 제공된 결과를 사용하여 계산했을 때 션트분율은 (20 - 17)/(20 - 12) 또는 37.5%로 정상치 5-10%에 비해 현저하게 증가하였다. 션트분율이 증가하면 다른 원인에 의한 저산소혈증 환자들에 비해 보충산소 투여에 대한 산소분압의 상승이 작다. 션트분율이 증가하면 폐포-동맥혈산소차가 증가하나 폐포Po_2에는 영향을 미치지 않는다. 션트는 동맥혈Pco_2를 증가시키는 경향이 있지만 화학수용체가 환기욕동(ventilatory drive)을 증가시켜 Pco_2는 정상치를 유지하는 경우가 많다. 저산소혈증의 유일한 원인이

저환기인 경우에만 폐포-동맥혈산소차는 정상인데, 이 문제의 환자와 같이 션트 분율이 증가된 경우는 해당되지 않는다.

12. E. 동정맥기형(arteriovenous malformation)의 경우 폐동맥혈류가 폐의 가스교환구역을 거치지 않고 바로 폐정맥으로 들어가는데 이것이 션트다. 환자가 앙와위에서 직립자세로 변경되면 션트가 있는 하엽에 공급되는 혈류가 증가하기 때문에 션트가 증가하게 된다. 따라서 E 말고 다른 답가지들 모두 틀렸다. 폐포P_{O_2}는 영향을 받지 않는다. 폐포-동맥혈P_{O_2} 차는 커진다. 환기욕동(ventilatory drive)의 증가로 동맥혈P_{CO_2}는 증가하지 않으며(오히려 낮아질 수도 있으며), 사강환기량에도 변화가 없다.

6장

임상증례(Clinical vignette)

이 환자의 폐는 명백하게 정상이므로 동맥혈P_{O_2}와 산소포화도는 정상일 것으로 예상한다. 이런 항목들은 중증빈혈에 의해 달라지지 않는다.

헤모글로빈 농도가 정상의 약 1/3로 감소되었기 때문에 동맥혈산소농도 또한 정상의 약 1/3로 매우 낮을 것으로 예상된다. 또한 용해된 산소양은 무시할 수 있을 정도로 적다.

이 환자의 동맥혈산소농도는 매우 낮기 때문에 심박수의 상승으로 심박출량이 증가한다. 빈혈의 심각성을 고려할 때 이러한 보상기전에 의한 산소전달은 여전히 부족하지만 조직에 전달되는 산소양을 증가시키는 데는 도움이 될 것이다.

혼합정맥혈산소농도 또한 낮을 것으로 예상된다. 심박출량과 동맥혈산소농도의 곱, 즉 산소공급이 감소되었지만 대사요구량(산소소비량)을 만족시키는데 필요한 산소요구량은 감소하지 않았으므로 따라서 혼합정맥혈산소농도는 감소되어야 한다.

1. B. 헤모글로빈 농도가 감소하면 산소운반능력이 줄고 결과적으로 동맥혈산소농도가 감소한다. 산소전달이 감소함에 따라 혈액으로부터 산소추출이 증가하여 그 결과 혼합정맥혈산소함유량($C_{\bar{v}O_2}$)은 감소한다. 헤모글로빈-산소포화도는 P_{O_2}에 의해서만 변하기 때문에 헤모글로빈 농도 변화에 따라 달라지지 않아야 한다(그림 6.2). 화학수용체는 산소농도가 아닌 P_{O_2} 변화에 반응하기 때문에 헤모글로빈 농도 변화에 따라 환기량이 변하면 안 된다(제8장). 따라서 동맥혈P_{CO_2}는 변하지 않은 상태로 유지된다.

2. B. 그림은 헤모글로빈-산소해리곡선의 좌측이동을 나타낸다. 이로 인해 헤모글로빈P_{50} 감소와 헤모글로빈-산소친화력의 증가를 보인다. 답가지에 있는 항목 중 이

와 같은 변화를 일으키는 것은 온도저하, 즉 저체온증이다. 저환기(hypoventila-tion)에서는 P_{CO_2} 증가로 해리곡선이 우측으로 이동하며 젖산증이 나타난다. 심한 운동은 체온증가, 혈중pH감소와 관련이 있으며, 이로 인해 해리곡선이 우측으로 이동한다.

3. A. 고압실(hyperbaric chamber) 입실 전 동맥혈P_{O_2}는 이미 120 mmHg로 헤모글로빈이 산소로 거의 완전하게 포화된 수준이었다. 고압실의 높은 기압으로 인해 동맥혈P_{O_2}는 크게 증가하지만, 헤모글로빈에는 산소가 추가 결합할 수 있는 부위는 없으므로 혈장(용액)에 용해되는 산소가 증가하여 산소함유량이 증가하게 된다 (그림 6.1 참고). 산소와는 달리 CO_2는 헤모글로빈 사슬의 말단 아민그룹에 결합하나, 헤모글로빈-산소의 친화력 변화를 시사하는 정보는 없으므로 이러한 변화가 이 잠수부의 O_2함량 증가를 설명하지 못한다.

4. A. 헤모글로빈농도와 동맥혈P_{O_2}는 정상이지만 환자의 젖산농도가 증가하고 혼합정맥혈산소포화도가 감소하는 등 조직 내 산소전달장애의 소견이 있다. 폐쇄된 공간에서 자동차배기가스에 노출됐다는 점에서 일산화탄소중독과 관련이 있을 가능성이 높다. 일산화탄소는 헤모글로빈 결합부위에서 산소에 비해 월등한 결합력을 보여 산소전달을 방해한다. 일산화탄소는 또한 헤모글로빈 산소해리곡선을 좌측으로 이동하게 한다. 시안화물중독은 미토콘드리아의 사이토크롬산화효소를 억제하고 젖산증을 유발할 수 있지만 산소의 조직이용률이 낮은 상태이므로 혼합정맥혈의 산소농도는 오히려 높다. 또한 자동차배기가스에서는 시안화물이 발견되지 않는다. 증례에서 동맥혈P_{O_2}와 흉부방사선이 정상소견을 보이고 있기 때문에 환기-관류불균등이 발생했을 가능성은 낮다.

5. D. 조직에서 생성된 이산화탄소는 예를 들어 혈장에 포함된 중탄산염으로 운반되거나, 헤모글로빈 사슬의 말단에 결합하는 것을 포함, 여러 가지 방법 가운데 한 가지 방법을 통해 폐로 이동한다. 혈액이 세동맥(arterioles)에서 세정맥(venules)으로 이동하면서 P_{CO_2}는 증가한다. 그 결과, 용해된 이산화탄소가 증가하고 중탄산염 농도가 상승할 뿐만 아니라 카바미노헤모글로빈의 형성이 증가하는 것을 예상할 수 있다. P_{CO_2}가 증가하면 헤모글로빈P_{50}도 증가하여 산소에 대한 친화력이 감소함을 보여준다. 혈액이 조직의 모세혈관을 통과할 때 P_{O_2}는 감소하며 이산화탄소농도와 P_{CO_2}의 관계는 좌측으로 이동한다(Haldane효과, 그림 6.5).

6. B. 시간1과 시간2 사이에 사두근P_{O_2}와 혼합정맥혈 산소함유량($C_{\bar{v}O_2}$)은 모두 감소하였다. 이는 산소의 조직전달을 감소시키고/시키거나 산소의 조직이용률이 증가하는 어떤 일이 발생했음을 시사한다. 답가지 목록에 있는 항목 중 산소전달을 감소시키는 것은 헤모글로빈농도 감소인데, 이는 산소운반능(oxygen carrying capacity)을 감소시키기 때문이다. 산소공급감소에 따라 산소추출량이 증가하면 혼합정맥혈 산소함유량($C_{\bar{v}O_2}$)이 감소한다. 시안화물중독은 조직저산소증을 유발하

지만, 조직의 산소이용률 감소로 $C_{\bar{v}O_2}$는 오히려 증가한다. 심박출량이나 흡기 중 산소분율(FIO_2)이 증가하면 산소공급도 증가한다. 사두근의 온도가 낮아지면 산소 이용률이 감소하고 다른 것에 변화가 없다면 $C_{\bar{v}O_2}$는 오히려 증가한다.

7. C. PCO_2가 50 mmHg로 증가하고 pH가 7.20으로 감소하였기 때문에 호흡산증이 다. 그렇지만 그림 6.7A에서 볼 수 있듯이 동맥 PCO_2가 50인 경우 정상혈액완충선 을 따라 점이 이동하면 pH가 약 7.3정도로 감소해야 하는데 실제 pH가 7.20이라 면 산증에 대사성요소(metabolic component)가 있음이 틀림없다. 따라서 pH가 추가적으로 낮아지기 위해서는 대사성요소가 있어야 한다. 다른 답가지들은 틀렸 는데 위에서 설명한 바와 같이, 보상되지 않은 호흡산증인 경우 이 정도의 PCO_2에 서는 pH가 7.3 이상이기 때문이다. 분명히 이 환자는 완전히 보상된 호흡산증이 아닌데 만약 그렇다면 pH는 7.4에 가까워야 하기 때문이다. 보상되지 않은 대사산 증도 아닌데 이는 호흡산증을 반영하는 PCO_2가 증가하였기 때문이다. 마지막으 로, 완전히 보상된 대사산증도 아닌데 만일 완전히 보상되었다면 pH는 7.4에 가까 웠을 것이다.

8. B. 동맥혈PCO_2가 낮고 HCO_3^-가 정상인 경우 급성호흡알칼리증으로 볼 수 있지만, 이 경우 pH는 낮아지기 보다는 비정상적으로 높아야 한다. 이는 그림 6.7A에서 확 인할 수 있다. 이 그림에서 주어진 세 개의 수치가 도표에서 공존할 수 있는 방법은 없다. 종합하면 이 경우 혈액가스검사결과는 검사실 오류에 의한 것임을 의미한다. 환자가 산증이 아닌 호흡알칼리증을 앓고 있기 때문에 A는 틀렸다. 대사산증은 비 정상적으로 낮은 HCO_3^-를 보이므로 C도 틀렸으며, 대사알칼리증은 비정상적으 로 높은 HCO_3^-를 보이므로 D도 틀렸다.

9. C. 높은 고도에서 기압이 떨어지므로 동맥혈PO_2가 감소하고, 이는 다시 환기량 증 가를 유발한다. CO_2 생산량의 변동이 없다고 가정하면 호흡알칼리증이 유발된다. 등산가는 방금 전 정상에 도착했기 때문에 아직 신장보상이 진행될 시간이 되지 못한다. HCO_3^-가 정상치와 크게 다르지 않아 결과적으로 pH는 높은 상태를 유지 한다. D는 비슷한 상황이지만 현재 위치가 해발 4,000 m인 것을 감안할때 동맥혈 PO_2가 너무 높다. E는 보상이 진행된 호흡알칼리증을 보이는데, 이는 산 정상에서 수일간 머물렀을 때 나타날 수 있는 현상이다. 호흡알칼리증에 대한 보상이 진행되 면 HCO_3^-가 감소하고, 그 결과 pH는 정상으로 회복된다. A(= 급성호흡산증의 소 견)와 B(= 해수면에서의 정상 혈액가스의 소견) 모두 높은 고도에서의 혈액가스 소 견은 아니다.

10. B. 화재현장의 연기에 노출되었으면 일산화탄소중독을 의심해야 하고, 혼합정맥혈 산소포화도가 증가하는 경우는 시안화물중독과 가장 일치한다. 이는 화재현장에 노출 시 발생할 수 있는 또 다른 합병증인데 미토콘드리아전자전달계의 사이토크 롬산화효소를 억제하여 조직의 산소소모를 감소시킨다. 산소전달이 감소되는 일

산화탄소중독 및 메트헤모글로빈혈증에서 혼합정맥혈의 산소포화도는 감소한다. 또한 저혈량쇼크(Hypovolemic shock)와 폐부종은 낮은 혼합정맥혈 산소포화도와 관련이 있다.

11. E. 발열 시 헤모글로빈-산소 해리곡선이 우측으로 이동(즉, P_{50} 증가)하여 어떤 주어진 Po_2에서도 산소포화도는 떨어지고 따라서 산소농도도 감소한다. 발열은 이산화탄소 생성증가와 관련이 있지만, 발열 자체는 션트분율의 증가와 관련이 없다.

12. E. 이 환자는 일차적으로 대사알칼리증이 있고 보상성호흡산증을 보인다. 이런 소견의 원인이 될 수 있는 유일한 정답은 구토인데, 구토 중 위산(염산)의 손실이 대사알칼리증을 유발하기 때문이다. 불안발작은 급성호흡알칼리증을 유발할 수 있는 반면, 아편과다복용은 급성호흡산증을 유발할 수 있다. 중증만성폐쇄성폐질환은 종종 보상된 호흡산증과 관련이 있는 반면, 조절이 안되는 당뇨병과 특히 당뇨케토산증은 일차성대사산증에 호흡기보상이 발생할 수 있다.

제7장

임상증례(Clinical vignette)

기도의 기류는 층류이므로 저항은 기관지 반지름의 4승에 반비례한다는 Poiseuille's법칙($R = \frac{8L\eta}{\pi r^4}$)을 따른다. 따라서 반경이 1/2로 줄면 2의 4승, 즉 저항은 16배로 증가된다.

폐포압은 흡기 중에는 비정상적으로 낮고, 호기 중에는 비정상적으로 높아진다. 기도의 저항이 커지기 때문에 기류를 유지하기 위해서는 구강과 폐포의 압력차가 커져야 하기 때문이다.

관찰된 과팽창(hyperinflation), 즉 폐용적이 증가되면 기도에 작용하는 폐실질에 의한 방사상 견인력 또한 증가되기 때문에 기도저항은 감소하는 경향이 있다. 그럼에도 기도수축 때문에 기도저항은 정상보다 높아진다.

과다팽창(overinflation), 즉 폐용적 높은 경우에는 폐유순도를 감소시켜 폐를 더욱 딱딱하게 한다(그림 7.3 참고).

1. C. 측정된 환자의 흡기근력은 정상예측치와 거의 같지만 호기근력은 현저히 감소했음을 보여준다. 답가지 중, 호기에 관여하는 근육은 복직근(rectus abdominis) 하나뿐이다. 횡격막, 외늑간근, 사각근(scalene), 흉쇄유돌근(sternocleidomastoid)은 모두 안정 시나 운동 시에 필요에 따라 호흡보조근으로서 흡기에 관여한다.

2. C. 폐A의 압력-용적관계보다 폐B의 압력-용적관계의 기울기가 가파르다. 압력-용적관계의 기울기($\Delta V/\Delta P$)가 폐유순도를 나타내므로, 이 결과는 폐B의 유순도가

폐A보다 증가되어 있음을 의미한다. 답가지에 있는 항목들 중 폐유순도를 증가시킬 수 있는 것은 폐기종 또는 노화과정에서 볼 수 있는 탄성섬유의 손실이다. 섬유조직의 증가, 표면활성물질 농도 감소, 폐분절의 무기폐(허탈)에서는 유순도가 감소될 수 있다. 기도직경변화는 기도저항에 영향을 주지만 유순도에는 영향을 주지 않는다.

3. A. 그림 7.4C에 표시한 Laplace관계는 표면장력이 동일하면 압력은 반지름에 반비례한다는 것이다. 버블X의 반지름은 버블Y의 3배이기 때문에 압력비는 대략 0.3:1이 될 것이다.

4. B. 중력 때문에 직립상태의 사람에서는 폐첨부보다 폐기저부의 흉막내압이 덜 음성이며(less negative, 즉 더 높으며) 따라서 안정 시 폐기저부의 용적은 더 작지만 환기는 더 많이 일어난다. 그러나 우주궤도에서는 중력의 영향이 없어진다. 결과적으로, 직립상태에서 폐기저부에 작용하는 흉막내압은 더욱 음압(more negative, 즉 덜 높으며)이 되는데 왜냐하면 폐의 아래 방향으로 작용하던 힘(중력)이 감소하고 따라서 이 힘들과 균형을 맞추기 위해서는 더 적은 압력만 필요하기 때문이다. 그 결과 폐기저부의 경폐압은 커지고 안정 시 폐용적도 커진다. 우주에서도 환기의 국소적인 비균등성은 여전히 지속되나 해수면(1기압)보다는 적은데, 이는 우주에서 폐기저부와 폐첨부간의 환기변동성이 적기 때문이다. 해수면에서 관류의 국소적 차이는 부분적으로 중력의 영향에 기인한다. 결론적으로 무중력 환경에서는 변동성 증가가 예상되지 않는다.

5. C. 투시촬영에서 흡기 시 횡격막은 복부로 내려간다. 이것은 흡기 중 예상되는 횡격막의 운동패턴이며 3-5번 경추신경근(C3-C5)에 의해 신경지배(innervate)되는 이 환자의 횡격막이 정상적으로 작동함을 시사한다. 최대호기압과 기침강도가 감소된 상태이며 따라서 내늑간근(internal intercostals), 복직근(rectus abdominis), 복횡근(transversus abdominis), 복사근(oblique muscles) 등 호기근이 제대로 기능을 하지 못하는 것으로 판단된다. 이 근육들은 주로 흉추신경근에 의해 신경지배(innervate) 된다. 따라서 횡격막의 기능은 잘 유지되고 있으면서 호기근 손상이 발생한 것이므로 이 환자의 척수손상부위로 최고레벨은 6번 경추(C6)가 된다.

6. B. 화살표는 기능잔기용량(FRC)을 가르킨다. FRC는 폐의 탄성반동(폐가 수축되려는)과 흉벽의 탄성반동(흉곽이 팽창하려는)이 균형을 이루는 호흡기계의 평형용적(equilibrium volume)이다. 폐의 탄성반동으로 인해 기능잔기용량(FRC)에서 흉막내압은 -5 cmH$_2$O이다. 기도와 폐포외 혈관은 전부 다 주변폐포(폐실질)의 방사상 견인력의 영향을 받는다. 따라서 총폐활량(TLC)과 같이 큰 폐활량에서 기도저항 및 폐포외 혈관과 관련된 저항은 모두 최소치이다. 폐포가 최대용적인 총폐활량과 근접한 상태에서 폐포벽을 가로지르는 경벽압(transmural pressure)은 최대이다.

7.   A. 지점B는 흡기말을 나타낸다. 이 지점은 호흡주기 중 폐용적이 가장 큰 지점이다. 팽창된 폐포에 의한 방사상 견인효과로 인해, 이 지점에서 기도저항은 가장 낮다. 흡기 중 폐포압이 대기압보다 낮아져야 구동압이 발생한다. 흡기말에는 일시적으로 기류가 없기 때문에 흡기말(지점B)에는 더 이상 구동압이 없다. 지점C에서 호기의 구동압은 양압이고 지점B에서는 최소압(= 0)이다. 폐포용적이 가장 큰 지점B에서 흉막내압은 최저의 음압상태이며, 따라서 이때 경폐압은 최대이다.

8.   D. 주어진 용적에서 폐가 정지하면 기류가 없기 때문에 구강압과 폐포압은 같아야 한다. 따라서 정답은 C 또는 D이다. 양압으로 폐가 팽창되었기 때문에 흉강 내부의 모든 압력은 상승한다. 일반적인 흉막내압은 -5 cmH$_2$O이기 때문에 답 C와 같이 -10 cmH$_2$O까지 떨어질 수 없다. 따라서 가능한 정답은 D가 유일하다.

9.   C. 두 개의 폐단위가 동일한 경폐압에서 동일한 용적변화를 보이면 보이면 두 개의 폐단위 유순도는 동일한 것을 의미한다. 욕동압(driving pressure)이 같은데 폐단위B에서 흡기 시간이 길어진다는 것은 흡기 시 유속이 더 낮기 때문이고 따라서 기도저항이 더 높을 수밖에 없다는 것을 의미한다. 부교감신경계 항진 시 기관지수축이 유발되고 기도저항이 증가하여 흡기에 필요한 시간은 길어진다. 폐섬유화, 폐렴, 폐부종, 탄성섬유수 증가는 모두 폐유순도를 감소시킨다.

10.   D. 전체 기도점막의 두께가 1 mm 더 두꺼워지면, 정상적으로 내강직경이 4 mm인 기도는 내강직경이 2 mm로 감소한다. 층류인 경우 다른 조건들이 같으면 Poiseuille's법칙에 따라 기도저항은 반지름의 4승배와 반비례한다. 따라서 반지름이 2배 감소하면 저항은 2^4배, 즉 16배 증가한다.

11.   B. 조산아에서 폐포의 표면장력과 반대로 작용하여 무기폐 발생을 예방하는데 필요한 표면활성물질이 부족한 경우가 종종 있다. 이로 인해 유순도가 감소하며 따라서 영아호흡곤란증후군(신생아호흡곤란증후군이라고도 함)의 발생위험은 증가한다. 기도점액의 생성증가와 기도평활근 수축, 기도벽의 부종 증가 등은 모두 기도저항의 증가와 관련이 있다. 폐포대식세포가 감소하는 경우 감염에 취약할 수 있지만 유순도에는 영향을 주지 않는다.

12.   D. 강제호기검사 중, 호기노력이 증가하면 최대호기류는 증가하나 호기말 기류에는 영향을 주지 못한다(그림 7.16 참고). 이렇게 노력과 무관한 기류가 배출되는 기전은 강제호기 중 발생하는 기도의 동적압박 때문이다. 다른 답가지들은 이런 패턴과 일치하지 않으므로 틀렸다.

13.   D. 장기간의 흡연력, 천명음, 청진 중 호기 시간의 연장, 그리고 흉부엑스선에서 폐용적의 증가와 방사선투과도의 증가증 등 모든 임상적인 특징이 만성폐쇄성폐질환을 시사한다. 진단을 위한 특징적인 소견은 낮은 FEV$_{1.0}$/FVC 비율이다. FVC가 감소하면 전형적으로 FEV$_{1.0}$도 감소한다. D말고 다른 어떤 답가지도 FEV$_{1.0}$/FVC 비율이 낮지 않으므로 전부 틀렸다.

8장

임상증례(Clinical vignette)

높은 고도에 올라가면 대기압이 감소하면서 흡기Po_2도 감소하기 때문에 동맥혈Po_2 또한 감소한다. 저산소혈증이 말초화학수용체를 자극하여 환기량이 증가하면 이에 따라 Pco_2는 감소, pH는 증가하며 또 중탄산염 농도도 감소한다.

높은 고도에서 일주일 정도 경과하면, 추가적으로 환기가 증가함에 따라 Po_2는 증가한다. 높은 고도에서 일주일 정도 지나면 저산소혈증에 대한 과환기반응으로 발생한 호흡알칼리증에 대한 신장의 보상작용이 진행되면서 혈액의 pH는 정상으로 돌아오고 CSF에도 이와 유사한 변화가 일어나므로 따라서 호흡알칼리증이 환기를 억제하는 효과가 줄어들어 결국 환기가 추가적으로 증가, Po_2 또한 추가로 증가한다. 이때 동맥혈pH가 거의 정상수준이 되는 것은 이러한 상황과 일치한다. Pco_2와 중탄산염이 추가적으로 감소하는 것은 환기량의 증가를 반영한다.

이 학생의 헤모글로빈농도는 일주일 동안에 15.0에서 16.5 g/dL로 증하였다. 이처럼 단기간에 헤모글로빈농도가 빠르게 증가한 것은 혈청에리트로포이에틴의 증가에 따른 것으로는 설명할 수 없으며 대신 혈장용적의 손실에 의한 혈액농축(hemoconcentration)때문에 헤모글로빈농도가 증가한 것으로 생각된다.

운동부하검사 중 혈액-가스장벽을 통해 산소가 확산제한되므로 동맥혈Po_2는 감소한다. 이는 폐포Po_2가 감소하고 또 운동 시 심박출량이 증가되므로 폐모세혈관에서 적혈구의 통과시간이 짧아지기 때문이다(5장 참조). 가능한 또 다른 원인은 높은 운동부하에서 발생할 수 있는 간질폐부종의 결과로 환기-관류불균등이 심해지기 때문이다. 운동부하검사 후반부에 발생하는 젖산산증(lactic acidosis)에 대한 반응으로 환기가 증가하면 Pco_2와 pH는 감소한다.

1. E. 뇌간손상은 없는 반면 대뇌피질이 손상되었다. 답가지들 중 대뇌피질에 위치하는 환기조절과 관계된 것은 '자발적인 호흡조절'이 유일하다. 중추화학수용체는 연수의 배측면(ventral surface of medulla)에 위치하며 호흡리듬생성은 연수의 복측면(ventrolateral region of medulla)에 있는 Pre-Botzinger complex에 의해 발생한다. 말초화학수용체는 경동맥소체(carotid body)와 대동맥소체(aortic body)에 존재하는 반면 헤링-브로이어 반사(Hering-Breuer reflex)는 폐에 존재하는 늘임수용기(stretch receptor)와 미주신경에 의해 매개된다.

2. E. 이 증례에서 설명하는 호흡빈도의 증가를 폐수축반사(lung deflation reflex)라고 한다. 폐수축에 의해 흡기작용이 시작된다. 폐가 팽창할 때 호기시간이 증가되

어 호흡빈도가 감소하는 헤링-브로이어팽창반사(Hering-Breuer reflex)와 폐수 축반사는 반대반응이다. 이러한 반사는 주로 기도평활근에 위치한 늘림수용기 (stretch receptor)에 의해 매개된다. 동맥압수용기(arterial baroreceptors)는 혈 압변화에 반응한다. 기관지C섬유(bronchial C fibers)는 기관지순환계의 화학적 변화에 반응하는 반면, 기도의 자극수용체(irritant receptors)는 유독가스, 담배 연기 및 기타 흡입 물질에 반응한다. J수용체(J receptors)는 폐모세혈관과 간질액 의 부피변화에 반응하며 이 증례에서 J수용체의 역할은 없다.

3. E. 위장출혈과 헤모글로빈농도의 감소는 동맥혈산소농도를 낮춘다. 그러나 중요한 것은 산소포화도와 동맥혈Po_2가 출혈 전과 동일하다는 것이다. 말초화학수용체는 혈액의 산소농도보다는 Po_2 변화에 반응한다. 결과적으로 말초화학수용체의 반 응(output)에는 변동이 없다. 중추화학수용체는 Po_2 또는 산소농도 변화에 반응하 지 않으며 출혈은 pH나 중탄산염농도 변화와는 관계가 없기 때문에 중추화학 수용체의 반응 또한 없다. 출혈은 J수용체(juxtacapillary receptor)의 반응에 영 향을 주지 않는다. 출혈로 인해 전체혈액량이 감소하고 이에 따라 폐모세혈관 혈액 량이 감소하면 J수용체 반응이 감소할 수 있다.

4. A. 검사결과는 동맥혈Pco_2를 반영하는 지표인 호기말Pco_2 증가에도 불구하고 인 지할 정도로 분당환기량의 변화가 없음을 보여준다. 이것은 건강대조군에서 호기 말Pco_2가 약 55 mmHg 이상으로 상승했을 때 분당환기량이 크게 증가했던 것과 대조적이다. Pco_2변화에 가장 잘 반응하는 호흡조절계의 구성요소는 중추화학수 용체이다. 이 환자에서 Pco_2가 증가했음에도 불구하고 환기량이 증가하지 못한 것 은 중추화학수용체의 기능이 적절하게 작동하지 못했을 가능성을 나타낸다. 또한 말초화학수용체는 Pco_2변화에도 반응하지만 말초화학수용체의 반응은 중추화 학수용체만큼 중요하지 않다. J수용체(juxtacapillary receptor)와 늘림수용기 (stretch receptor) 그리고 호흡조정중추(pneumotaxic center)는 Pco_2변화에 따 른 환기반응의 변화와 관련된 역할은 없다.

5. C. 이 환자는 만성CO_2저류를 동반한 중증COPD환자이며 동맥혈가스검사 결과 를 볼 때 보상된 호흡산증 상태임을 알 수 있다. 뇌세포외액pH는 거의 정상수준이 되었기 때문에 이 환자에서 고탄산혈증에 의한 환기자극은 발생하지 않는다. 이런 상태에서 연수의 호흡센터(중추)가 설정된 수준 이상으로 환기를 증가시키는 주요 한 자극은 동맥혈저산소증이다. 그런데 이 환자에게 보충산소를 투여하여 산소포 화도가 증가하면 말초화학수용체의 활동은 감소하게 되고 결과적으로 분당환기 량이 감소한다. 이로 인해 동맥혈Pco_2가 증가한다. 보충산소투여는 폐포Po_2를 높 이고 저산소성폐혈관수축을 완화시켜 폐혈관저항을 감소시킨다. 산소포화도의 증 가 그 자체는 P_{50}에 영향이 없지만 동맥혈Pco_2가 증가하면 헤모글로빈-산소해리 곡선이 우측으로 이동, P_{50}이 증가한다. 산소포화도의 증가는 J수용체나 복측호흡

중추의 활동(ventral respiratory group output)에 영향을 주지 않는다.

6. **D.** 이 사람은 일종의 주기적인 호흡인 Cheyne-Stokes호흡을 하고 있는데 이는 높은 고도에서 건강인이 흔히 경험하는 비정상적인 호흡패턴이다. 이것은 환기되먹임 조절장치의 이상으로 발생하는데 주요 원인 중 하나는 P_{CO_2}변화에 대해 환기반응이 비정상적으로 강하게 나타나는 것이다. 호흡이 중단되면 동맥혈P_{CO_2}가 상승하기 시작한다. 중추화학수용체가 마침내 P_{CO_2}상승을 감지하고 반응할 때 환기량을 과도하게 증가시켜 동맥혈P_{CO_2}가 크게 감소하여 평형상태를 지나치게 된다. 이 정도 높이의 고도에서 발생하는 저산소혈증은 연수호흡중추에 손상을 줄 정도로 심하지 않다. 다른 요소들은 이와 같은 호흡패턴의 변화와 관계된 역할이 없다.

7. **E.** 수일간의 오심, 구토, 다뇨와 혈당치의 현저한 상승 등 병력은 이 환자가 당뇨병성케톤산증을 가지고 있음을 시사한다. 이때는 중탄산염농도가 현저히 낮아 혈액 pH(산혈증)가 낮으므로 대사산증임을 알 수 있다. 말초화학수용체는 pH 감소와 동맥혈P_{O_2} 감소 그리고 동맥혈P_{CO_2} 증가에 반응하므로 이런 상태에서 말초화학수용체의 활동이 증가될 것으로 예상할 수 있다. 또한 대사산증에 대한 반응으로 중추화학수용체의 활동이 증가할 수 있지만 혈액-뇌장벽이 수소이온에 대해 상대적인 불투과성을 보이므로 그 반응은 더 느리다. 대사산증이 보상성호흡알칼리증을 유발하므로 CSF의 P_{CO_2}는 감소해야 한다. Pre-Botzinger complex(복합체)는 호흡리듬을 생성하나 혈액pH변화에 의한 영향을 받지 않는다. pH가 감소하면 헤모글로빈 산소해리곡선은 우측으로 이동하여 P_{50}이 증가한다(6장).

8. **C.** 진정제나 신경근차단제를 투여하지 않았음에도 불구하고 이 환자는 호흡노력이 없다. 환자의 동맥혈P_{CO_2}가 정상인 것을 보면 호흡알칼리증의 보상작용으로 발생할 수 있는 환기억제효과 때문에 호흡노력이 부족한 것은 아니다. 따라서 호흡노력이 부족한 것은 이 환자의 호흡리듬을 생성하는 중추신경계 영역에 뇌졸중이 발생했음을 시사한다. 이 센터는 척추동맥가지로부터 혈류를 공급받는 연수(medulla)에 있다. 또한 소뇌와 중뇌도 척추동맥으로부터 혈류를 공급받지만 일차적인 호흡리듬을 생성하는 중추는 포함하고 있지 않다.

9. **C.** 혈액P_{CO_2}가 증가하면 CO_2가 CSF로 확산된다. 이것은 CSF의 P_{CO_2}를 증가시켜 수소이온유리 및 pH감소가 발생한다. 만성고탄산혈증이 있는 중증COPD 환자와 같이 CSF의 pH가 장기간 변이(displace)되어 있는 경우 보상반응으로 CSF의 중탄산염(bicarbonate)농도가 증가한다. pH는 증가하나 일반적으로 정상CSF의 pH인 7.32까지 완전히 돌아오지는 않는다.

10. **A.** 저산소에 대한 환기반응을 조절하는 가장 중요한 말초화학수용체는 경동맥에 위치한다. 양측 경동맥소체 절제술을 시행받은 환자는 높은 고도에 올라가도 경동맥소체의 손상이 없는 정상인과 같이 분당환기량 및 폐포환기량이 증가하지 않고 따라서 동맥혈 P_{CO_2}는 더 높아진다. 정상인에 비해 분당환기량이 덜 증가하므로

폐포와 동맥혈 Po_2는 낮아진다. 또한 Pco_2가 높기 때문에 pH는 더 낮아질 것이다.

11. E. 동맥혈 Pco_2가 증가하는 것에 반응하여 환기량도 증가한다. 높은 고도에 올라갈 때처럼 동맥혈 Po_2가 감소하면 이때 주어진 Pco_2에 대한 환기량의 증가는 산소가 정상상태(normoxia)일 때보다 높고 또한 환기반응곡선의 기울기도 더 가파르다. 다른 답가지들은 틀렸다. 폐포저산소증은 저산소성폐혈관수축을 유발하여 폐동맥압을 높이는 반면, 저산소혈증은 말초화학수용체의 반응을 증가시킨다. 총환기량 증가에 의해 Pco_2가 감소하면 혈청중탄산염은 감소하면서 pH는 증가한다.

제9장

임상증례(Clinical vignette)

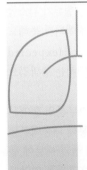

운동부하검사 말기의 최대산소소비량(maximum oxygen consumption)은 고원(plateau)에 도달하는데 그 이유는 환기량, 심박출량, 폐와 말초조직의 확산특성 등을 포함한 산소전달과정이 운동 중인 근육에 더 이상의 산소를 공급할 수 없는 상태가 되기 때문이다. 최대산소소비량에 도달한 이후 작업량(work rate)의 증가는 혐기성해당과정(anaerobic glycolysis)의 결과이다.

처음에는 작업량(work rate)에 따라 분당환기량은 선형적으로 증가한다. 그러나 이 증례와 같이 작업량이 약 350와트를 초과하면 환기량이 훨씬 더 빠르게 증가한다. 이는 혈액에 젖산이 축적되어 말초화학수용체를 자극했기 때문이라고 설명할 수 있다.

안정 시나 가벼운 운동 시 폐포-동맥혈 PO_2 차는 적지만 최대운동 시에는 약 30 mmHg까지 증가할 수 있다. 이는 최대운동 시 동반될 수 있는 폐의 간질부종 때문에 발생하는 환기-관류불균등에 의한 것으로 생각된다. 고강도운동을 감당할 수 있는 활동적인 사람에서는 폐포-동맥혈가스장벽을 통한 산소이동과정 중에 확산제한이 발생할 수 있지만, 해수면에서 확산장애는 드물게 발생한다.

저강도운동 시 pH는 거의 변하지 않지만, 최대운동 시에는 혈중젖산이 발생하기 때문에 pH가 현저히 감소한다.

1. B. 국가대표급 운동선수들에서도 최대운동(peak exercise) 중에 저산소혈증을 볼 수 있지만, 해수면에서 비활동적인 건강인에서 관찰하기는 어렵다. 운동량을 점진적으로 증가시킴에 따라 심박수도 증가하며 이것이 심박출량 증가에 가장 큰 역할을 한다. 혈압상승과 마찬가지로 분당환기량도 증가한다. 운동부하검사 말기에는 젖산산증이 발생하여 대사요구량에 필요한 양보다 분당환기량이 더 많이 증가하여 동맥혈 Pco_2는 오히려 감소한다.

2. D. 출생 후, Po_2가 상승하고 혈중 프로스타글랜딘이 감소하면 동맥관(ductus arteriosus)이 폐쇄된다. 만일 동맥관이 계속 열려 있으면 자궁 내에서 높았던 폐혈관저항이 감소되어 혈류는 대동맥에서 동맥관을 통해 폐동맥으로 흐른다. 이것이 폐순환계의 혈류를 증가시키고 결국 좌심방으로 흘러가서 좌심방확장과 좌심방압을 높인다. 출생 후 좌심방압이 증가하면 타원공(foramen ovale)의 폐쇄가 진행된다. 동맥관개존(patent ductus arteriosus)에 의해 좌심방압이 더 높아지면 타원공이 폐쇄되는 경향이 증가한다.

3. A. 우중엽의 기도가 완전히 막히면 흡수성무기폐가 유발된다. 우중엽에 있는 폐포 Po_2는 혼합정맥혈Po_2보다 높으며, 그 결과 폐포에서 혈액으로 산소가 확산, 이동하여 폐포의 허탈이 발생하게 된다. 대기를 호흡할 때보다 흡기산소분율1.0의 고농도 산소를 호흡하는 경우 더 빨리 무기폐가 발생한다. 우중엽무기폐로 폐포Po_2가 감소하면 저산소성폐혈관수축이 유발되고 따라서 우중엽으로 가는 혈류가 감소할 것이다. 션트를 일으키는 무기폐로 인해 우중엽에서 Pco_2교환이 진행되지 못해도 동맥혈Pco_2는 상승하지 않는데, 이는 중추화학수용체의 예상반응(expected response)과 CO_2해리곡선의 모양 때문이다. 우중엽 무기폐상태에서는 흉막강으로 공기가 유입되어 발생하는 기흉이 발생하지 않는다.

4. E. 우심방 안에서 혈액이 흐르기 때문에 우심방으로 이동하는 대부분의 혈액은 타원공(foramen ovale)을 통과해 좌심방으로, 이어서 좌심실을 통해 대동맥으로 이동하게 된다. 태아가 자궁 내에 있을 때에는 폐순환계의 저항이 높기 때문에 혈액은 폐동맥에서 동맥관을 통과해 대동맥으로 흐른다. 태반과 말초조직은 연달아 연결된 직렬이라기보다는 각각 평행(병렬)으로 연결된다. 태반에서 나오는 혈액은 말초조직에서 나오는 혈액과 합쳐져서 하대정맥을 지나서 우심방으로 배출된다. 타원공(foramen ovale)은 심실 사이가 아니고 심방 사이에 위치한다.

5. B. 0G에서는 침강에 의한 흡입입자의 축적은 없어진다. 중력의 정상적인 효과가 사라지기 때문에 폐첨부로 가는 혈류와 환기는 증가한다(그림 2.7, 4.8, 5.8 참고). 또한 중력에 의해 혈액이 신체의 의존부위(dependent region)에 더 이상 고이지 않기 때문에 흉부의 혈액량은 증가한다. 중력이 사라지면 폐첨부에서 $\bar{v}$가 감소된다(그림 5.10 참고).

6. D. 화재현장에서 구조된 것으로 보아 일산화탄소중독일 가능성이 가장 높은데 고압산소치료를 받던 중 경련을 일으켰다. 경련은 잠수 중이나 고압산소요법 중 높은 산소분율을 호흡할 때 발생하며 산소독성에 의한 합병증이다. 고압산소치료 중에는 질소분압이 증가하지만, 이때는 경련보다는 의식변화를 일으킨다. 너무 빨리 감압(decompression)이 진행되면 혈액 내 질소기포가 발생할 수 있고, 감압병이나 압력손상의 합병증으로 가스색전증이 발생한다.

7. D. 저강도부터 중강도의 운동에서 환기량은 대사요구량을 충족시키기에 충분한 속도로 증가한다. 그러나 고강도 운동 중, 환기와 작업량을 표시한 그래프의 기울기가 가파른데, 이는 젖산산증이 발생함에 따라 환기량이 증가하기 때문이다. 운동 중 β_2수용체의 자극에 의해 기관지가 확장되지만 이로 인한 환기량의 증가는 발생하지 않는다. 운동 중 동맥혈P_{O_2}는 비교적 일정하게 유지되는 반면, 동맥혈P_{CO_2}는 전형적으로 감소한다. 헤모글로빈-산소해리곡선은 운동 중인 근육 안에서는 우측으로 이동하지만, 이것이 환기반응에 영향을 주지 않는다.

8. A. 수면으로 빠르게 상승 후 관절통, 가려움증(소양증), 호흡기증상, 신경학적 소견 등이 나타났기 때문에 감압병을 강하게 시사한다. 이것은 조직 안에 질소기포가 생성되고 수면으로 상승함에 따라 기포가 더 팽창하기 때문에 발생하는 증상이다. 수면으로 상승 중에 숨을 내쉬지 못하면 폐가 파열(압력손상)될 수 있으며, 이산화탄소와 산소분압이 과도하면 이 환자에게서 발견되는 것과는 다른 정신상태(mental status)의 변화를 일으킬 수 있다. 중이와 부비동의 압박은 잠수 중의 압력변화에 의한 것이고, 이 증례에서 발생한 감압병의 원인은 아니다.

9. A. 높은 고도에서 5일 동안 지내는 것은 고지대의 낮은 산소분압에 신체가 적응하는 일련의 과정인 고지순응(acclimatization)을 위한 시간이다. 고지순응과정에서 가장 중요한 것은 저산소호흡반응(hypoxic ventilatory response)이다. 고도상승 초기에 분당환기량이 증가하는데 이 과정은 수일간 계속된다. 그 결과, 고도상승 직후의 수치에 비해 P_{CO_2}는 계속 감소할 것이다. 이 사람이 만일 건강한 상태라면 환기순응(ventilatory acclimatization)에 의해 폐포 및 동맥혈P_{O_2}는 감소보다 증가되어야 한다. 과환기로 인한 호흡알칼리증에 대해 신장보상이 진행되면 혈청중 탄산은 감소하고 염기결핍(base deficit)이 발생한다. 높은 고도에 도착했을 때 pH는 호흡알칼리증으로 인해 상승하지만 신장보상이 진행되면서 정상으로 떨어진다.

10. E. 높은 고도에 올라가면 폐모세혈액의 P_{O_2}상승률은 감소한다. 만일 이 사람이 계속 안정상태를 유지하면 혈액가스장벽을 통과하여 완벽한 평형상태에 도달하는데 필요한 적혈구의 모세혈관통과시간은 아직 남아 있다. 그러나 고강도의 운동을 하면, 적혈구의 모세혈관통과시간이 줄어들고 결과적으로 폐모세혈관의 말단(즉, 환기가 완료된)혈액P_{O_2}는 폐포P_{O_2}까지 높아지지 않아 저산소혈증이 발생한다. 다른 답가지들은 틀렸다. 사강분율은 운동과 함께 감소하지만 저산소혈증의 원인은 아니다. 헤모글로빈농도는 운동에 의해 감소하지 않으며 또 높은 고도에서는 시간경과에 따라 증가할 것으로 예상된다. 운동 중 환기량은 증가하며, 높은 고도라도 건강한 사람에서 션트비는 증가하지 않을 것으로 예상된다.

제10장

1. A. FEV$_{1.0}$/FVC가 낮다는 것은 환자에서 기류폐쇄가 존재함을 의미한다. 폐탄성
반동이 감소하면 호기 중 기류를 일으키는 압력차(pressure gradient)이는 감소하
고 기도에 작용하는 폐실질의 방사상 견인력도 감소하여 기류폐쇄가 발생한다. 나
머지 답가지들은 오답이다. 폐모세혈관의 수가 줄어들고 혈액가스장벽이 두꺼워지
면 가스교환에 영향을 줄 수 있지만 기류에는 영향을 주지 않는다. 간질공간이 섬
유화되면 폐탄성반동이 증가되어 기도를 사방에서 잡아당겨 개방하므로 기류폐쇄
와는 관계가 없다.

2. D. 생리적사강분율은 다음의 방정식을 이용하여 계산할 수 있다.

$$\frac{V_{D, phys}}{V_T} = \frac{P_aCO_2 - P_ECO_2}{P_aCO_2}$$

P$_E$CO$_2$는 호기말CO$_2$ (end-tidal CO$_2$)의 수치라기보다는 혼합호기P$_{CO_2}$를 말한
다. V$_T$는 일회호흡량을 말한다. 이 공식을 사용하고 또 공식에 필요한 수치들을 대
입하여 계산한 생리학적사강분율은 (42 - 210)/42 = 50%이다. 사강분율과 600
mL인 일회호흡량을 곱하면 생리적사강의 용적이 300 mL임을 알 수 있다.

3. C. 아편계 약물은 과다복용 시 특히 호흡(환기)을 억제한다. 뿐만 아니라 환자의
호흡수가 매우 낮고 얕은 숨을 쉬고 있다는 사실에서, 이 환자가 저환기상태라는
것을 예상할 수 있다. 따라서 환자의 동맥혈P$_{CO_2}$는 증가, pH는 감소했을 것이다.
그리고 탄산의 해리에 의해 중탄산염이 증가했을 것이다(6장과 그림 6.7 참고). 그
러나 폐포-동맥혈P$_{O_2}$ 차나 션트분율이 증가할 가능성은 없다. 저환기에 의한 저산
소혈증에서 폐포-동맥혈P$_{O_2}$차는 정상이다. 흉부방사선 소견에서 폐음영이 정상
인 것은 환기-관류불균등을 일으킬 수 있는 폐병변이 없음을 시사하며, 또한 소량
의 산소를 투여했을 때 산소포화도가 쉽게 증가한다는 사실은 션트분율이 증가되
지 않았음을 시사한다.

4. E. 환자1과 동일한 용적변화를 일으키기 위해서 환자2는 더 큰 압력의 변화가 필요
했을 것이다. 이것은 환자2가 환자1보다 폐유순도가 낮다는 것을 의미한다. 답가지
항목들 중 폐섬유화는 폐의 유순도가 감소된 원인 중 한 가지이다. 폐기종에서 볼
수 있듯이 유순도증가는 탄성반동 감소와 관련이 있다. 기도점막부종과 기도분비
물은 기도저항을 증가시킨다. 이런 것들은 호흡을 정지한 상태에서 측정한 압력이
나 유순도에 영향을 주지 않는다. 폐혈관저항은 폐를 팽창시키는 데 필요한 압력에
영향을 주지 않는다.

5. E. 호기 후반부에 질소농도가 급격히 증가한다. 이런 현상이 발생하는 용적을 폐
쇄용적(closing volume)이라고 하며, 폐기저부의 기도가 폐쇄되면서 폐첨부의 기
도 내 가스, 즉 상대적으로 질소농도가 높은 가스가 우선적으로 배출되기 시작하

는 용적을 나타낸다. 환자1보다 환자2의 폐쇄용적이 더 크므로 환자2에서 더 빠르게 기도폐쇄가 발생함을 의미한다. 답가지들 중, 기도폐쇄를 일으킬 수 있는 것은 기도의 방사상 견인력이 감소하는 것이다. 기도는 방사상 견인력에 의해 개통상태가 유지된다. 폐기종과 같이 방사상 견인력이 약해지면 호기 초기부터 기도가 허탈에 빠진다. 사강용적은 호기 초반부에 단기간 배출되는 가스의 용적이며 두 환자 간의 차이는 없다. 폐유순도가 감소하면 기도는 더 많이 열려 있기 때문에 기도폐쇄는 나중에 발생한다. 폐쇄용적은 헤모글로빈농도나 흉벽반동(chest wall recoil)의 영향을 받지 않는다.

6. B. 이 환자는 장기간의 흡연력과 폐활량검사에서 기류폐쇄소견을 보여 만성폐쇄성폐질환일 가능성이 높다. 탄성반동의 소실로, 호기 시 가스는 종종 폐쇄된 기도에 갇히게 된다. 이러한 공기걸림(air trapping)이 발생한 경우, 체적기록법(body plethysmography)에 비해 질소세척법이나 헬륨희석법으로 검사하면 폐용적이 작게 측정되는데, 그 이유는 질소세척법과 헬륨희석법이 환기가 이뤄지는 폐용적만 측정할 수 있는 반면 체적기록법(body plethysmography)은 폐쇄된 기도의 원위부(폐포 쪽)에 갇혀 있는 용적까지 측정하기 때문이다.

7. D. 질소농도와 호흡 수의 관계를 표시한 그래프에 두 개의 뚜렷한 단계(phase)가 있다는 것은 질소가 다른 속도로 희석되는 폐단위들이 있다는 것을 나타내므로 이 사람에서 환기불균등이 있다는 것을 의미한다(그림 10.2 참고). 다른 답가지들은 오답이다. 질소세척법은 헤모글로빈의 농도, 말초화학수용체의 활성도 또는 혈액-가스장벽의 두께 등에 영향을 받지 않는다. 질소세척법은 관류가 아닌 환기불균등을 평가하며 따라서 폐모세혈관의 숫자에는 영향을 받지 않는다.

8. C. 환자가 100% 산소를 흡입하는 데도 불구하고 폐포–동맥혈 P_{O_2} 차이가 크다. 이는 션트의 존재와 일치하는 소견이다. 다른 답가지들은 오답이다. P_{CO_2}가 34이므로, 이 환자는 저환기상태가 아니다. 해수면에서 확산장애가 저산소혈증의 원인이 되는 경우는 드물다. 환기–관류불균등은 저산소혈증을 유발하지만, 보충산소를 투여하면 이 문제의 환자에서 관찰되는 것보다 P_{O_2}가 훨씬 더 높게 상승하였을 것이다.

INDEX